LE COÛT
DE L'EXCELLENCE

Des mêmes auteurs

Nicole Aubert

Le Pouvoir usurpé ?
Robert Laffont, 1982

Le Sexe du pouvoir
(En collaboration), EPI, 1986

Le Stress professionnel
(En collaboration avec M. Pages), Klincksieck, 1989

Femmes au singulier
(En collaboration avec V. de Gaulejac), Klincksieck, 1990

L'individu et l'organisation : les dimensions oubliées
(Ouvrage collectif sous la direction de J.-F. Chanlat)
Presses de l'Université Laval - Éditions ESKA, 1990

Management, aspects humains et organisationnels
(En collaboration), PUF, 1991

Vincent de Gaulejac

Les Jeunes de la rue
(En collaboration avec G. Mury)
Prix Fabien de l'Académie française, Privat, Toulouse, 1977

L'Emprise de l'organisation
(En collaboration avec M. Pages, M. Bonetti et D. Descendres)
PUF, 1979

De l'assistance publique aux assistances maternelles
(En collaboration avec M. Bonetti et J. Fraisse)
Cahiers de Germinal, 1980

Le Sexe du pouvoir
(En collaboration), EPI, 1986

La Névrose de classe
Éd. Hommes et Groupes, 1987

L'Évaluation dynamique dans les organisations publiques
(En collaboration avec M. Bonetti et J. Fraisse)
Éd. d'Organisation, 1987

Organisation et Management en question(s)
(Ouvrage collectif des enseignants de Sciences humaines de
l'Université Paris IX), L'Harmattan, 1988

L'Ingenierie sociale
(En collaboration avec M. Bonetti et J. Fraisse)
Syros, 1989

Femmes au singulier
(En collaboration avec N. Aubert)
Klincksieck, 1990

NICOLE AUBERT
VINCENT DE GAULEJAC
avec la collaboration de Solange Vindras

LE COÛT
DE
L'EXCELLENCE

ÉDITIONS DU SEUIL
27, rue Jacob, Paris VIe

ISBN 2-02-013389-X

Avant-propos

Cet ouvrage reprend les éléments d'une recherche effectuée pour le compte de la MIRE (Mission interministérielle de recherche expérimentale) dans le cadre du programme « Travail et santé mentale », par le Laboratoire de changement social (université Paris VII).

L'investigation empirique a porté sur plusieurs grandes entreprises et a comporté des interviews, individuelles ou en groupe, de cadres et managers de ces entreprises. Elle a été complétée par une analyse systématique des différents textes écrits et pratiques émanant de chacune de ces entreprises : brochures officielles, projets d'entreprise, description des systèmes de gestion, politiques de rémunération, politique de gestion des ressources humaines, politique de formation, mise en place de programmes qualité, manuels de management, etc.

Le détail de la méthodologie utilisée et des modalités de l'enquête est explicité en annexe.

Nous remercions les personnes qui nous ont permis de mener à bien ce travail et en particulier toutes celles et ceux qui ont accepté de nous recevoir pour nous parler d'eux-mêmes et de leur entreprise. Par souci d'anonymat et dans le dessein de préserver le caractère personnel de certains des propos rapportés, nous n'avons pas toujours mentionné la fonction précise des personnes que nous avons interviewées ni, dans certains cas, le nom de l'entreprise à laquelle elles appartenaient...

Notre culture nous dicte de gagner : sur les champs de bataille ainsi que dans la concurrence économique ou scientifique, forcenée... Parvenus aujourd'hui aux limites extrêmes des performances de la violence martiale et de l'économie, sommes-nous si sûrs, désormais, qu'il faille vraiment toujours gagner, y compris dans les domaines de l'esprit ?

Michel Scrres, discours de réception
à l'Académie française (janvier 1991)

La face d'ombre
d'une société de conquête

En 1982 paraissait aux États-Unis un ouvrage qui allait connaître un succès fulgurant (plus d'un million et demi d'exemplaires vendus en quelques mois) et devenir le livre de chevet de bien des hommes d'affaires américains. Il s'agissait de *In Search of Excellence*, de T. Peters et R. Waterman. Traduit en français et publié en 1983 sous le titre *Le Prix de l'excellence*, le livre allait connaître en France un confortable succès auprès de bien des cadres d'entreprises et devenir en tout cas l'un des livres de référence des nouvelles tendances du management.

Bâti sur l'exemple fourni par les soixante-deux entreprises les plus performantes de l'industrie américaine, le livre entendait mettre en évidence les principaux attributs caractérisant les « excellentes » : avoir le parti pris de l'action, rester à l'écoute du client, favoriser l'autonomie et l'esprit novateur, asseoir la productivité sur la motivation du personnel et surtout mobiliser celui-ci autour d'une valeur clef, d'une philosophie d'entreprise, d'un projet précis auquel tous puissent s'identifier apparaissaient comme quelques-uns des préceptes fondamentaux de ces entreprises.

Simultanément, tout un mythe de l'entreprise japonaise se propageait, visant à insuffler dans nos sociétés occidentales un style de management intégrant les meilleures techniques japonaises, afin – précisément – de parvenir à faire face au défi nippon[1]. Volonté d'excellence, recherche de qualité totale,

---

1. Cf., par exemple, W. Ouchi, *Théorie Z, faire face au défi japonais*, Paris, Interéditions, 1982, ou R.T. Pascale et A.G. Athos, *Le Management est-il un art japonais ?*, Paris, Éditions d'organisation, 1984.

11

poursuite du « zéro défaut », mise en place de cercles de qualité, élaboration de projets d'entreprise ou de chartes « performance » allaient peu à peu imprégner toutes les pratiques de management... Du « zéro défaut » au « zéro répit »[2], la course à la performance devient une obsession, et la logique managériale, issue du secteur privé, finit par s'imposer partout, y compris dans le secteur public ou dans celui des collectivités locales, devenant ainsi le modèle de référence de l'organisation efficace et bien gérée.

Parallèlement à cette obsession de la compétitivité, un autre mouvement s'amorce qui se préoccupe de la dimension « spirituelle » de l'entreprise et cherche à lui conférer le statut d'une instance de développement personnel. Tandis qu'un philosophe français[3] tente de dépasser les concepts « statiques » d'identité ou de culture d'entreprise et de montrer que les entreprises ont une *âme* et que celle-ci, loin d'être une abstraction métaphysique, constitue la clef de leurs succès et de leurs échecs, certaines entreprises s'inscrivent délibérément comme instances de médiation du développement individuel : « IBM, le chemin le plus court entre moi et ce que je veux devenir », proclame la publicité du géant de l'informatique.

La quête de l'être-en-devenir est désormais prise en charge par l'entreprise. Le « Deviens ce que tu es » de Nietzsche, qui enjoignait à l'homme d'accéder à son devenir est désormais l'affaire de l'entreprise qui propose un chemin sûr pour y parvenir. C'est par elle, à travers elle, grâce à elle que l'individu peut (et doit ?) devenir lui-même.

Mais si l'entreprise se veut ainsi pourvoyeuse de destin, récupérant par là même toute une disponibilité spirituelle ne trouvant plus peut-être à s'investir ailleurs, elle ne peut ignorer qu'elle est aussi, en partie, pourvoyeuse d'un mal-être qui commence tout juste à oser se dire. Les nombreux articles qui ont fleuri ces dernières années sur le « stress au boulot » et l'« angoisse qui monte » en sont les premiers symptômes :

2. Zéro mépris + zéro répit = zéro défaut, dit-on désormais chez Dunlop (émission télévisée, avril 1990).
3. A. Etchegoyen, *Les entreprises ont-elles une âme ?*, Paris, François Bourin, 1990.

12

« L'individu moderne, branché, obsédé par son look, son job, sa santé, sa performance, se donne tous les torts dès que sa vie dérape. Car les dieux de l'Olympe, ou d'ailleurs, ne répondent plus, les syndicats s'adaptent difficilement au nouveau monde du travail, les magazines ne parlent que de beauté et de jeunesse sans conseiller d'abord à leurs lecteurs de casser leurs miroirs, les décideurs décident, les gagneurs gagnent. Chacun pour sa peau. Résultat ? Nos enquêtes le montrent : c'est l'angoisse, les mecs ! » écrit Marie-Ange d'Adler dans L'Événement du jeudi[4]. En bref, une culture de conquête ne va pas sans son revers : une culture de l'anxiété[5].

Dans l'univers de l'entreprise, ce mal-être s'avoue mal. A l'image des livres de management et de leur discours lisse, opaque, adaptatif, construit tout entier autour d'une logique sans faille de performance et de conquête, l'univers managérial ne parle guère volontiers des dysfonctionnements humains, des phénomènes d'emprise, des décompressions physiques et psychiques. Les phénomènes de stress et les pathologies qui peuvent en résulter font presque encore figure, en France tout au moins, de « maladies honteuses[6] ». Dans une enquête publiée par l'Expansion[7], la majorité des dirigeants interrogés s'estimaient touchés par le phénomène, mais considéraient qu'il s'agissait là d'un problème personnel qui ne relevait pas de l'entreprise. Tout se passe comme si s'admettre stressé, déprimé, mal dans sa peau, insomniaque ou angoissé relevait d'une mauvaise gestion personnelle de soi-même et pouvait constituer un indicateur public d'inaptitude ou d'inefficience, handicap certain dans un contexte collectif de course à la performance.

De toutes parts, cependant, se manifestent les signes de cet autre visage de la réussite. Du mal mystérieux qui frappe les *yuppies*, ces jeunes cadres *successful* en proie à divers symptômes d'épuisement ou de fièvres inexpliquées, à la mort sou-

---

4. « Je, tu, il angoisse », *L'Événement du jeudi*, 19-25 juillet 1990.
5. Cf. A. Ehrenberg, « L'individu sous perfusion », *Esprit,* 1988.
6. N. Aubert, M. Pagès, *Le Stress professionnel*, Paris, Klincksieck, 1989.
7. « Stress : deux dirigeants sur trois se disent touchés », *L'Expansion*, 4-17 octobre 1990.

daine de cadres japonais par excès de travail[8], en passant par le suicide d'un employé d'IBM[9], mettant en cause la « mutation de personnalité » à laquelle sont confrontés les employés de la compagnie, on commence à découvrir ce dont, précisément, les livres de management ne parlent pas : l'overdose de la performance, la face d'ombre de notre société de conquête.

La logique managériale est cependant tenace, et c'est en termes de gestion que l'organisation demande à l'individu de faire face au problème. Il est invité à apprendre à « gérer son stress », tout comme il a appris à gérer son temps, les motivations de ses collaborateurs, sa famille et sa vie... Il est aussi invité à (prié de...) s'épanouir : « Le développement de l'entreprise passe par l'épanouissement de l'individu. Mais il faut qu'il s'épanouisse », déclarait le directeur des ressources humaines d'Apple France à propos de la création d'un centre de mise en forme dans l'entreprise[10].

C'est précisément à ce niveau de confrontation et d'ajustement entre des logiques organisationnelles et des logiques individuelles que nous avons situé ce livre : quel est, pour des individus enrôlés dans la quête de l'excellence, le coût de l'excellence ? Que se passe-t-il lorsque des tensions trop fortes s'établissent entre contraintes organisationnelles et aspirations individuelles ? Pourquoi et comment certains individus en viennent-ils à ne plus pouvoir suivre, à décrocher ou à entamer un processus pathologique ?

C'est dans cette perspective que nous avons exploré ce que nous avons appelé les « maladies de l'excellence », provoquées par certaines organisations fonctionnant sur ce modèle, en faisant l'hypothèse qu'il existe une sorte de congruence entre les formes d'organisation qui s'élaborent ainsi et les structures psychiques des cadres dirigeants qui les investissent ou qui les créent : la recherche de l'excellence au niveau de l'organisation induit au niveau des individus une sollicitation et un défi permanent à s'élever et à se dépasser sans cesse, auxquels répondent ceux que leur histoire personnelle et les processus de

8. Cf. *Le Monde*, 24 novembre 1990.
9. « IBM au-delà du bien et du mal », *Challenges*, avril 1990.
10. Cf. « Le stress au boulot », *L'Express*, 23 septembre 1988.

constitution de leur structure psychique rendent accessibles à cette « tentation de l'excellence ». Le rôle de l'idéal du moi, comme instance de changement, de déplacement au sens où elle incite l'individu à se situer ailleurs, à rechercher d'autres places que celles qui lui sont assignées par son héritage[11], est ici déterminant.

Dans deux ouvrages précédents sur les organisations multi-nationales[12] et sur le stress professionnel[13], nous avions analysé les dispositifs qui assurent le bouclage entre les objectifs de production et de domination de l'organisation et le système d'aspiration individuelle. Plus précisément, nous avions étudié de quelle manière les politiques de gestion du personnel viennent étayer, capter, canaliser des processus psychiques. En effet, si les processus sociaux et les processus psychiques sont hétérogènes dans la mesure où ils caractérisent le fonctionnement de phénomènes de nature différente, ils n'en sont pas moins reliés les uns aux autres par des effets de bouclage et de correspondance. L'action des structures sociales sur les individus s'exerce par l'intermédiaire des mécanismes régissant les processus psychiques et, inversement, les processus psychiques, s'ils ne produisent pas les organisations sociales et les rapports qui s'y nouent, s'y intègrent de façon plus ou moins cohérente.

C'est l'interaction de ces processus que nous avons voulu étudier en analysant, d'une part, les mécanismes sociologiques (politiques de personnel, système idéologique, pratiques de gestion...) mis en place par les entreprises « excellentes » et agissant sur le comportement et le vécu personnel de leurs membres, d'autre part, les ressorts psychologiques que ces entreprises utilisent particulièrement pour attirer et « pro-

11. L'héritage – au sens où nous l'entendons – ne se réduit pas au capital économique que l'enfant reçoit de sa famille, mais comprend aussi les capitaux social, affectif et culturel qu'il reçoit en naissant et dont les effets opèrent dès le début de sa vie. Cf. V. de Gaulejac, « L'héritage », *Connexions*, n° 41, 1983.

12. Cf. M. Pagès, M. Bonetti, V. de Gaulejac et D. Descendre, *L'Emprise de l'organisation*, Paris, PUF, 1979.

13. Cf. N. Aubert, M. Pagès, *Le Stress professionnel, op. cit.*

duire » le type d'individus dont elles ont besoin pour fonctionner.

Pour ce faire, nous avons, dans une première partie, tenté de comprendre les fondements de l'univers managérial et de la société qui le sous-tend et de mettre en évidence la signification de la mutation qui s'opère depuis une dizaine d'années.

Dans une deuxième partie, nous étudions plus particulièrement la logique de l'excellence tant dans ses fondements idéologiques et spirituels que dans les avatars qu'elle connaît.

Dans une troisième partie, nous dégageons les principes de fonctionnement de ce que nous avons appelé le « système managinaire » (management du psychisme et de l'imaginaire) et nous dressons le portrait de l'« homme managérial », produit et producteur de ce système.

La quatrième partie est plus particulièrement consacrée à l'exposé de cas individuels, illustrant le vécu personnel à l'intérieur des entreprises fonctionnant selon ce mode.

La cinquième partie constitue une tentative de théorisation de la relation individu-organisation à travers le concept de « système psychique organisationnel ».

Enfin, dans la dernière partie, nous nous interrogeons sur les possibilités d'une alternative au modèle de management qui constitue le cœur de cette étude.

Les entreprises que nous citons dans ce livre à l'appui de notre démonstration sont parmi les plus représentatives de ce mode de management par l'excellence : l'éthique de l'excellence y figure en bonne place dans les principes organisateurs et fondateurs. Cependant, le « management par l'excellence » recouvre une gamme assez étendue de styles de management, allant du management « par la qualité » (avec, là encore, des gradations intermédiaires jusqu'à la recherche de la « qualité totale ») à une véritable philosophie de l'excellence à tous niveaux, y compris celui de la personne morale. Cette graduation se retrouve dans les entreprises que nous étudions plus particulièrement : Hewlett-Packard, IBM, Procter et Gamble, American Express et Rank Xerox. Dans ces cinq entreprises, on prône, de manières diverses toutefois et de façon plus ou moins récente selon les entreprises, le management par l'excellence ou par la « qualité totale ». Dans certaines de ces entreprises (IBM par exemple), l'éthique de l'excellence – une excellence aussi bien économique que morale – était véritablement fondatrice et avait articulé autour d'elle tous les autres principes organisateurs de la société. Dans d'autres (Rank Xerox, par exemple), elle venait tout juste d'être formalisée comme telle et constituait en fait l'aboutissement de la mise en place d'un processus de qualité totale à l'échelle de toute l'entreprise. Dans d'autres encore (Hewlett-Packard, par exemple), elle se présentait sous un jour moins éthique que pragmatique et strictement économique.

Ces entreprises sont d'origine anglo-saxonne. Si le modèle apparaît ainsi culturellement connoté, il n'en est pas moins tout à fait fondamental, puisque les entreprises qui en relèvent constituent l'archétype même de la référence en matière de compétitivité, de profitabilité et de performance et que leur mode de fonctionnement interne, s'il n'est pas encore quantitativement dominant, constitue une référence qualitative forte en manière de management et d'efficacité. On tentera cependant, dans la dernière partie de l'ouvrage, d'étudier si les entreprises françaises performantes sont ou non représentatives de ce modèle et, si non, quelles pourraient être les caractéristiques d'un management « à la française » ou, plus largement, d'un management « latin ». Les cas de Bouygues, de BSN et de plusieurs autres entreprises françaises seront évoqués en contrepoint de l'analyse.

Quant aux personnes qui s'expriment dans ce livre, ce sont des cadres à des moments différents de leur carrière : cadres jeunes possédant quelques années d'expérience dans l'entreprise et y poursuivant, semble-t-il, une dynamique ascensionnelle ; cadres supérieurs, bien insérés dans l'entreprise et bien à même d'en exprimer les différents aspects ; cadres en situation de retrait par rapport à l'entreprise et que soit leur âge, soit l'évolution de leur carrière avaient conduits à ce qu'ils vivaient eux-mêmes comme une « mise sur voie de garage ». Dans le chapitre VIII, nous étudions l'itinéraire et l'histoire d'une femme manager ayant quitté très récemment, et volontairement, l'une des entreprises décrites.

En appréhendant ainsi des personnes à différents moments de leur carrière, et dans des situations psychologiques différentes par rapport à l'entreprise, nous avons finalement mieux saisi la nature des liens qui unissent l'individu à l'entreprise et l'évolution de l'investissement qui s'y opère, ainsi que le crescendo-decrescendo de l'emprise organisationnelle que l'on peut y observer.

PREMIÈRE PARTIE

Vers une société managériale

Le terme « management », dont l'utilisation s'est spectaculairement diffusée depuis une dizaine d'années, recouvre plusieurs éléments de nature différente : une structure d'organisation, des pratiques de gestion, un système de représentation et un modèle de personnalité.

1) *Une structure d'organisation* : l'organisation managériale s'oppose aux organisations bureaucratiques et technocratiques fondées sur une structure pyramidale et hiérarchique, une coupure entre conception et exécution, une répétition formelle des tâches, un cloisonnement rigide, un système disciplinaire, un commandement par les ordres...

L'organisation managériale est fondée sur un modèle en réseau, constitué d'entités multiples en interaction constante. Chacune de ces entités peut se relier aux autres selon des configurations mouvantes en fonction des territoires, des lignes de produit ou des nécessités opérationnelles. Au gouvernement par les ordres se substitue le gouvernement par les règles, par l'information et par la communication[1].

2) Pour faire fonctionner ce type de structure se met en place le management, c'est-à-dire un ensemble de *pratiques de gestion* dont la fonction essentielle est de réguler des systèmes complexes traversés par des logiques internes plus ou moins compatibles. Le management consiste à produire de la médiation entre les exigences du profit et les intérêts du personnel et à trouver des compromis entre les logiques financière, com-

1. Cf. V. de Gaulejac, « L'organisation managériale », in *Organisation et Management en question(s)*, collectif sciences humaines Dauphine, Paris, L'Harmattan, 1988.

21

merciale, technologique, administrative et juridique qui traversent l'organisation.

La fonction première du management est de produire de l'organisation, c'est-à-dire d'investir et de mettre en œuvre des dispositifs pour gérer les conflits qui apparaissent continuellement au sein de l'entreprise et dans ses rapports avec l'environnement. Il s'agit de produire des règles, des procédures, des modalités concrètes d'organisation du travail pour permettre une coexistence relativement ordonnée entre des éléments en tension permanente.

3) Ces pratiques de gestion sont sous-tendues par la production d'un discours qui véhicule un *ensemble de représentations*, d'images, de valeurs. Le management propose une culture d'entreprise, c'est-à-dire une plate-forme commune à l'ensemble des salariés définissant un projet commun fondé sur des valeurs clefs, une éthique, une philosophie. Il s'agit de susciter l'adhésion en proposant un idéal commun articulé sur un certain nombre de croyances et de principes : l'adéquation entre progrès social et progrès économique, la légitimité du profit, la considération de la personne, le meilleur service rendu au client, la recherche de la qualité, etc.

4) Le management correspond enfin à un *modèle de personnalité* fondé sur le désir de réussite, d'être un battant, d'aimer la compétition et le challenge, le goût de la performance, la réalisation de soi-même dans le travail, l'envie de faire carrière... mais aussi le goût de la communication, la capacité à résoudre des problèmes complexes, à écouter les autres, à animer une équipe, à négocier dans des situations conflictuelles, à se situer dans l'inter-fonction, l'inter-métier, l'international, l'inter-culturel.

Le manager doit partager les valeurs de l'entreprise, développer des pratiques de gestion dans des situations complexes, inventer des médiations, contribuer à faire évoluer l'organisation pour l'adapter constamment aux nouveaux défis auxquels elle est confrontée. Il doit donc être capable de vivre dans le mouvement, d'affronter les conflits, de se mobiliser en permanence et de motiver les autres agents de l'entreprise à faire de même.

Ces quatre aspects du management (organisation, gestion, valeurs et personnalité) forment un « système socio-mental » au carrefour de l'économique, du politique, de l'idéologique et du psychologique[2]. Ce système déborde largement les frontières des entreprises hypermodernes. Il semble être un pôle dominant des sociétés développées, à la fois moteur du libéralisme politique et économique, mais également modèle de référence psychologique et idéologique. C'est en ce sens que l'on peut se demander si nous n'allons pas vers une société managériale.

Quoi qu'il en soit, le management est l'un des éléments caractéristiques de notre société. Si le système disciplinaire[3] a été l'un des fondements de la société industrielle, le système managérial est l'un des fondements de la société postmoderne.

---

2. Cf. *L'Emprise de l'organisation, op. cit.*
3. Cf. M. Foucault, *Surveiller et Punir*, Paris, Gallimard, 1975.

CHAPITRE 1

Le management, symptôme
de la société postmoderne

Les évolutions qui marquent actuellement les entreprises sont directement liées aux mutations qui affectent la société contemporaine dans de nombreux domaines[1] :

– mutations sociales, avec le développement de la société duale, de la mobilité géographique et professionnelle, de la démocratisation de l'enseignement et la transformation de la structure de l'emploi (en l'an 2000, 75 % des emplois seront dans le secteur tertiaire) ;

– mutations technologiques, avec la révolution de l'information qui transforme radicalement les systèmes de communication et d'organisation et le rapport entre l'homme et la machine ;

– mutations culturelles, qui conditionnent l'évolution des mœurs, des modes de vie, des systèmes de valeurs et des représentations collectives. L'amélioration du niveau de vie, l'accroissement des niveaux d'instruction accompagnent le développement de l'individualisme ;

– mutations économiques, liées aux mouvements de mondialisation, de concentration et de fusion et à l'accentuation des déséquilibres internationaux, qui entraînent pour les entreprises la nécessité de s'adapter en permanence aux turbulences de leur environnement, leur performance étant largement fonction de leur capacité d'adaptation à ces changements.

1. Cf. Ph. Hermel, *Le Management participatif*, Paris, Éditions d'organisation, 1988.

Le management est une réponse à ces mutations. Il recouvre un ensemble de pratiques, de valeurs, de recettes, qui sont apparues d'abord dans des entreprises privées, en particulier dans les secteurs technologiques de pointe, pour se répandre ensuite dans d'autres sphères de la société. Il est à la fois la réponse et la conséquence des conflits et des contradictions engendrés par la postmodernité[2].

L'éclatement du social

Les représentations de la société des années 1980-1990 sont dominées par les idées de crise, de changement, de vide, d'éphémère, de perte de sens, d'individualisme, de recherche de points de repère... comme si le monde échappait aux hommes qui cherchent à le saisir[3].

Au monde moderne dominé par des représentations socio-mentales fondées sur les notions de structure, de rationalité univoque, de système global, de déterminisme macro-social, de progrès, de vérité scientifique, de planification... succède la postmodernité. Celle-ci nous oblige à remettre en question nos cadres de références, nos façons de penser et de voir le monde. Au règne de l'homogène, du central, du global, du linéaire se substitue celui de l'hétérogène, du local, du particularisme, du récursif. La société industrielle était centripète dans la mesure où elle présentait un modèle dominant, un système de valeurs et des aspirations qui s'imposaient à tous, et ce n'est pas par hasard qu'était justement dénoncé le pouvoir de la classe dominante et de l'impérialisme du modèle occidental. La société postmoderne est plutôt centrifuge et polycentrée :

2. Nous utilisons le concept de postmodernité pour décrire la forme sociale qui succède à la société moderne de l'ère industrielle. Cette notion a été en particulier proposée par Jean-François Lyotard, in *La Condition postmoderne*, Paris, Éd. de Minuit, 1979.
3. *L'Éclatement du social*, livre collectif sous la direction de D. Le Gall, C. Martin et M.H. Soulet, université de Caen, CRTS, 1989.

prolifèrent en son sein une multiplicité de modèles, d'aspirations, de systèmes différenciés plus ou moins concurrents qui coexistent et donnent une impression de désordre et de crise permanente.

On peut repérer les signes de cet éclatement de la société dans l'évolution des rapports sociaux, de la ville, de la famille et, plus fondamentalement, dans l'identité même de la femme et de l'homme postmodernes.

Qui, aujourd'hui, pense encore que la société est fondamentalement structurée autour de deux classes sociales dont la lutte serait l'élément moteur des transformations sociales ? La conception marxiste, si éclairante pour comprendre la société industrielle, paraît peu utile pour saisir les nouvelles formes sociales qui se dessinent sous nos yeux. Les mouvements sociaux structurés – sur le modèle du mouvement ouvrier – autour d'un conflit central et encadrés par des organisations qui leur confèrent force et durée sont de moins en moins puissants. Ils semblent débordés par des mouvements disparates, sporadiques, limités dans le temps et diversifiés selon une multiplicité de champs (travail, culture, loisirs, idéologie, religion...).

La structuration des rapports sociaux sur un modèle linéaire, hiérarchique et univoque, dans laquelle chacun occupait une place stable, identifiable, permanente, semble actuellement imploser. On entre dans une société composée d'une multitude de groupes s'ajustant tant bien que mal entre eux, chaque groupe partageant des intérêts, des émotions, des attachements qui peuvent être spécialisés, momentanés, partiels et aléatoires[4]. C'est cette mouvance permanente qui confère aux relations sociales un caractère de diversité, d'imprévisibilité, d'hétérogénéité.

Les supports de ces relations sont multiples. La famille, le travail et le logement en sont encore les trois pôles essentiels, mais ceux-ci ont perdu leur caractère exclusif et interdépendant. Des relations s'instaurent sur une multiplicité de codes, en fonction de la nature des activités qui sont partagées : les

---

4. M. Maffesoli, *Le Temps des tribus*, Paris, Méridien/Klincksieck, 1988.

loisirs, la musique, le sport, les études, la formation, les vacances, le militantisme, le bénévolat... ce sont autant d'occasions de se constituer en groupes et de s'investir, de façon plus ou moins permanente, dans un projet commun. A l'inscription formelle à un groupe soumis à des rites d'entrée précis se substitue un va-et-vient entre groupes constitués autour de noyaux stables, mais dont la périphérie est souple, fluide, mouvante. C'est ainsi que la notion de réseau tend à se substituer à celle de classe.

Dans les villes, la centralité disparaît au profit d'une configuration polymorphe, multicentrée autour de pôles différenciés, de telle manière que les notions de centre et de périphérie évoluent selon la nature des champs pris en compte[5]. On parle ainsi du centre administratif, du centre commercial, du centre culturel, de la zone industrielle, de la zone résidentielle... chacune des fonctions urbaines s'organise autour d'un centre différent selon des règles qui lui sont propres et qui remettent en question les structures hiérarchisées et centralisées antérieures. La société centripète, jacobine, qui se référait à des aspirations communes (augmentation du niveau de vie, démocratie, défense de la nation et de la république, paix, sécurité...) et à un ordre stable, se désagrège pour laisser la place à une société *centrifuge*, dans laquelle chaque tentative de soumission à un ordre crée un désordre ailleurs : chaque réseau se constitue un centre, des règles, un langage, un mode de vie... qui bousculent les ordres anciens.

Dans cet univers éclaté, les individus sont « branchés » selon des systèmes de relations complexes, variés, entrecroisés sans qu'il y ait de totalisation ni même d'unité entre ces systèmes. Des identités multifacettes, polymorphes se substituent à l'identité sociale fondée sur l'appartenance de classe. Les individus flottent au gré de leurs appartenances multiples à des réseaux mouvants. La mobilité géographique, professionnelle, culturelle, sexuelle, affective, idéologique contribue à déterritorialiser l'individu, à amoindrir ses racines culturelles, familiales et sociales. *Le sentiment, l'éphémère, l'émotion, l'électif,*

5. P. Virilio, *L'Espace critique*, Paris, Bourgois, 1984.

l'immédiateté, le groupe de pairs... sont des repères fragiles et remplacent l'ordre, l'histoire, les familles, les classes comme éléments structurant les relations.

Cette évolution est illustrée par un sondage de la SOFRES, réalisé en 1988, qui demandait : « Avez-vous le sentiment d'appartenir à une classe sociale ? » A cette question seulement 56 % des Français dûment échantillonnés ont répondu « oui » contre 68 % en 1976. Dans son commentaire, Jean-Pierre Rioux[6] examine les différents facteurs de ce passage « de la lutte des classes à la société molle » : « Rapport à la production, poussée du salariat, typologies fluctuantes du travail entrent à l'évidence en combinaison avec le visage rajeuni du management et de la diffusion du capital pour brouiller les hiérarchies et les représentations mentales du "rang" sur le lieu du travail. » Ce « brouillage » des classifications ne veut pas pour autant dire que les inégalités s'estompent et que les différences de classe n'existent plus. Cela signifie que les signes de différenciation et/ou d'assimilation qui nourrissent le sentiment d'appartenance à une classe déterminée sont de plus en plus flous, indistincts, éclatés, changeants.

On le constate en particulier chez les plus jeunes, pour lesquels les référents identificatoires, familiaux et culturels, constitutifs d'habitus de classe sont mis en concurrence avec des référents médiatiques et générationnels. Chaque individu est renvoyé à une multiplicité d'images de lui-même et des autres, à une variété de modèles de comportement, qui changent selon les lieux et les moments : « Pénétré de toutes parts par les ondes qui circulent, l'enfant tient son identité de son image telle qu'il la lit, mouvante et imprécise, dans le regard d'autrui[7]. »

L'identité se construit au croisement de références multiples et éphémères : le terme de bricolage[8], à propos de la construction de l'identité, n'a jamais été si justifié. Mais c'est un

6. Cf. *Le Monde*, août 1988.
7. P. Blanquart, « Sur la piste de l'homme moderne », *Espace temps*, n° 37.
8. C. Lévi-Strauss, *Séminaire sur l'identité*, Paris, Grasset, 1977.

bricolage instable, qui assemble des éléments hétérogènes, pour produire une image (le look) qui séduit et rassure.

La modernité laisse errer les individus en quête de repères identitaires. Les anciens fondements de l'identité étaient explicitement sociaux : le métier, la conviction religieuse, l'appartenance à une famille politique, le statut dans la société locale, l'appartenance de classe... Tous ces repères sont en mouvement, et ce mouvement inquiète : « On perçoit les dangers de cet état de chose si aucun lieu d'investissement psychique collectif ne vient transcender le mouvement aveugle, sourd et muet des marchés laissés à leur propre dynamique... Au bout du chemin, on en arrive au paradoxe de l'individu enfin libéré de toute attache, mais aussi dépourvu de toute individualité ; l'individu prêt à rejoindre n'importe quel groupe, prêt à endosser l'identité qu'on voudra bien lui proposer ; tout plutôt que le vide[9]. »

En fait, cette thèse de l'individu libéré de toute attache, de l'individu sans appartenance[10] n'est pas convaincante. S'il semble perdre ses attaches sociales traditionnelles, l'individu ne se retrouve pas pour autant dans le vide. La mobilité professionnelle et l'anonymat urbain le rendent peut-être plus insaisissable, mais cela ne signifie pas qu'il soit détaché de tous liens sociaux. En fait, c'est *le social qui se transforme et ce sont les organisations qui viennent remplir ce vide et médiatiser les rapports sociaux* : les fondements traditionnels du lien social (famille, communauté culturelle, appartenance de classe, profession, religion...) se transforment alors que les liens organisationnels se renforcent. Les attaches et les appartenances identitaires se déplacent du social à l'organisationnel. Ce sont les organisations qui fixent la (ou les) place(s) qui confèrent à chacun son statut social. Le parcours social d'un individu est lié à sa carrière professionnelle, c'est-à-dire aux modes de sélection et d'orientation définis par les appareils éducatifs, les entreprises et les administrations.

9. D. Bertaux, « Individualisme et modernité », *Espace temps*, n° 37, 1988.
10. G. Mendel, *54 Millions d'individus sans appartenance*, Paris, R. Laffont, 1983.

Le développement de la culture d'entreprise est un symptôme de cette irruption de l'organisationnel dans le social. Entre l'identité sociale et l'identité personnelle apparaît un troisième pôle, l'identité organisationnelle, qui prend de plus en plus d'importance. Les références identificatoires sont « appareillées » par des organisations productrices d'habitus, de culture, de valeurs, de symboles. *Face aux éclatements multiples de la société, des idéologies, de la ville, des groupes sociaux, le management devient un modèle de référence* : mélange de pragmatisme et d'idéalisme, il se présente comme une idéologie du « troisième type » pour dépasser les clivages traditionnels, entre patrons et travailleurs, dirigeants et exécutants, possédants et exploités... et gérer les paradoxes. Centré sur le mérite individuel, la recherche de l'adhésion, la négociation, l'autonomie individuelle, la mobilité, l'adaptabilité, l'efficience, la communication, la motivation, la qualité, la notion de projet, l'autorégulation... le management déborde largement le champ de gestion des entreprises pour imprégner la gestion publique, la famille [11], la culture, l'éducation, le sport, les médias, etc.

L'humain devient une ressource qu'il convient d'exploiter, un capital qu'il faut faire fructifier. Les injonctions qui poussent chaque individu à la réalisation de soi-même, au développement personnel, à la réussite professionnelle sont autant de symptômes du développement d'une « conception entrepreneuriale [12] » de la société qui induit une quête permanente de la performance dont les *superwomen*, les *yuppies* et les *golden boys* sont l'expression la plus achevée.

11. Cf. V. de Gaulejac, « Modes de production et management familial », in *Le Sexe du pouvoir*, ouvrage collectif publié sous la direction de N. Aubert, E. Enriquez et V. de Gaulejac, Paris, Épi, 1986.
12. J. Donzelot, « Nouveaux mécanismes », *Esprit*, no 11, novembre 1987.

Le management produit-producteur de la complexité et de l'abstraction

Il convient alors d'aller à la source, là où émergent la pensée et la pratique managériale, c'est-à-dire dans les organisations hypermodernes qui sont à la pointe de l'efficacité économique, de la recherche technologique, mais qui sont également des pôles culturels dans la mesure où elles produisent de nouveaux modèles sociaux.

Les mutations de l'environnement économique auxquelles les entreprises sont confrontées impliquent, nous l'avons dit, la nécessité de faire face aux changements par une capacité d'adaptation permanente. En effet, l'aptitude à la survie dans un environnement évolutif est fonction de la rapidité avec laquelle l'entreprise se montre capable de s'adapter. Par ailleurs, l'âpreté et l'intensification de la concurrence obligent les entreprises soucieuses de survivre à accroître leur efficacité en se spécialisant dans les créneaux où elles pourront être les meilleures et à entreprendre des démarches de recherche de la qualité totale, voire de l'excellence.

Comme le souligne bien Hubert Landier[13], toute cette évolution va dans le sens « d'une complexité croissante dans l'organisation interne des entreprises survivantes, dans les rapports qu'elles entretiennent les unes avec les autres ainsi qu'avec les différentes composantes de leur environnement ». Dans des secteurs où la concurrence est toujours plus vive et ouverte, la nécessité d'évoluer dans le sens d'une efficacité toujours plus grande implique une mutation structurelle globale et le passage à un plus haut niveau de complexité : d'une part, les différentes fonctions internes et externes à l'entreprise doivent se différencier de manière croissante ; d'autre part, la nécessité de leur intégration devient un problème crucial. Le modèle traditionnel de l'entreprise pyrami-

13. H. Landier, *L'Entreprise polycellulaire*, Paris, Éditions d'organisation, 1987.

dale, strictement hiérarchisée et cloisonnée, est condamné, car il ne possède pas la flexibilité suffisante pour s'adapter à un environnement en mouvance perpétuelle. Celui de l'entreprise « polycellulaire » ou « réticulaire » [14] s'y substitue, qui met en rapport des logiques spécialisées (logique financière, commerciale, technique, administrative...), organisées autour de différentes fonctions et liées à des métiers dont la collaboration est nécessaire pour lui permettre de fonctionner. Ce nouveau type d'entreprise est caractérisé par une communication transversale entre les différentes cellules qui la composent. Chaque cellule crée son propre réseau en fonction de sa mission propre : le marketing, le contrôle de gestion, la direction des ressources humaines, la direction commerciale, etc., produisent de l'information mais également des procédures, des règles et des normes de fonctionnement qu'ils peuvent diffuser à l'intérieur de la structure comme autant d'incitations... Chaque cellule invite les autres éléments du système à communiquer d'une certaine façon, à suivre leur modèle, à utiliser leur code sans avoir le pouvoir de l'imposer aux autres. Le pouvoir revient alors au management, c'est-à-dire au centre en tant qu'il peut trouver un dénominateur commun aux différentes logiques en proposant une synthèse ou un sur-code face à la multiplicité des codes qui circulent dans l'organisation.

Les technologies de l'électronique et de l'informatique transforment les organisations. La « mécatronique » dans l'industrie, la bureautique dans le tertiaire accélèrent la remise en question des structures pyramidales et hiérarchiques. « De même les biotechnologies permettront la prolifération d'entreprises petites et moyennes, hyperspécialisées et coexistant avec des grandes firmes. L'entreprise conduira un ensemble de structures souples, divisées en modules et sera reliée à ses prestataires par une série de liens diversifiés [15]. »

14. Cf. V. de Gaulejac, « L'entreprise managériale », in *Organisation et Management en questions*, collectif sciences humaines Dauphine, L'Harmattan, Paris, 1988. Voir également E. Morin, « Organisation et changement », in *Sociologie*, Paris, Fayard, 1984.
15. C. Stoffaes, *Fins de mondes*, Paris, Odile Jacob, 1987.

L'organisation en réseau vient bouleverser les structures hiérarchiques ; le modèle réticulaire et polycentré remplace de plus en plus l'organigramme en rateau, le fonctionnement centralisé et pyramidal qui caractérisaient l'entreprise industrielle. Les entreprises modernes n'ont plus de frontières fixes, stables, établies. Ce sont des systèmes qui relient des entités dispersées dans l'espace, à la fois autonomes et indépendantes. Chaque cellule a besoin d'outils, de concepts, d'experts hyperspécialisés ; mais elle ne peut se développer qu'en étroite collaboration avec les autres. De même, chaque production technologique a besoin d'une grande autonomie organisationnelle en fonction de ses spécificités, mais elle ne peut progresser que reliée à un réseau de production, lui-même relié à des services financiers, commerciaux, administratifs, logistiques, recherche, marketing, etc., qui lui assurent en permanence les informations et les moyens qui lui sont nécessaires.

Les technologies modernes se constituent dans un maillage organisationnel complexe dans lequel chaque entité est dépendante d'un réseau, chaque réseau est dépendant d'un système, chaque système est dépendant d'une organisation, chaque organisation étant dans un rapport d'intrication et d'interdépendance avec une multitude d'autres organisations. On assiste à un double mouvement contradictoire de décentralisation et de centralisation qui modifie considérablement la répartition du pouvoir. Les techniciens, les employés et les cadres ont de plus en plus d'autonomie dans l'organisation de leur travail et dans la définition de leur fonction, dans la façon d'atteindre les objectifs qui leur sont assignés. Mais ils sont soumis à des incitations multiples, des consignes, des règles qui les mettent en situation d'*autonomie contrôlée*[16]. Leur liberté d'action est fondamentalement limitée par la nécessité de s'adapter aux objectifs, aux règles, aux langages et aux procédures des différents interlocuteurs avec lesquels ils doivent en permanence communiquer.

De même, avec l'évolution de l'informatique, l'essentiel du

16. Cf. M. Pagès, M. Bonetti, V. de Gaulejac, *L'Emprise de l'organisation*, Paris, PUF, 1979.

pouvoir se situe au niveau du logiciel et non dans la capacité d'utiliser la machine ; au niveau de la conception des banques de données plus qu'au niveau des conditions d'accès ou des modalités de traitement des informations ; au niveau de la recherche plus qu'au niveau de la production. L'évolution technologique accroît le nombre de techniciens et leur niveau de qualification en même temps qu'elle aboutit à une concentration maximale du travail intellectuel. A l'ancienne coupure conception/exécution se substitue un univers dans lequel chacun participe à la fois à la conception et à l'exécution au niveau des applications.

« Avec l'ordinateur, le sujet est dans la machine et inversement : l'intelligence est synergie, interactivité. Avec la vitesse (calcul en temps réel), la mesure n'est plus humaine : l'homme produit un univers qui le déloge de sa position centrale [17]. » Les technologies organisationnelles le déplacent, le transforment. Elles modifient les frontières de la pensée et de la technique. Alors que la technique était une application de la découverte scientifique elle-même maîtrisée par la pensée, la techno-science produit de la connaissance à partir d'elle-même. Au penseur/scientifique sujet de la connaissance se substitue la constitution de réseaux intégrant des spécialistes, des machines, des banques de données, des circuits d'information, des systèmes d'organisation, des langages qui produisent de la connaissance.

On parle alors de « systèmes d'information et de communication d'entreprise », ensembles complexes de connaissances, de logiciels, de supports techniques, intégrés dans des réseaux qui transforment les processus de production et de distribution traditionnels.

C'est une évolution récursive du rapport homme/machine à laquelle on assiste : l'homme et les technologies informatiques produisent un élément nouveau qui devient à son tour producteur de ceux qui l'ont produit. Ce sont les dispositifs et les procédures de la télématique, de la bureautique, de l'informatique, de la robotique... qui définissent et canalisent le savoir

17. P. Blanquart, *Sur la piste de l'homme moderne, op. cit.*, p. 64.

humain et l'intelligence, de même qu'ils définissent les technologies nécessaires à leur développement.

Cette évolution est l'un des facteurs déterminants du changement individu/organisation. On assiste à l'émergence d'une *figure hybride, moitié homme, moitié organisation, dont le manager est l'archétype.* Son rôle est de gérer ces réseaux complexes, d'inventer constamment des dispositifs pour mettre en rapport les différents éléments de l'organisation sans freiner leur évolution propre. Le management d'expertise tend à remplacer les rôles d'encadrement traditionnels.

L'introduction de ces nouvelles technologies exige la souplesse, la communication horizontale et interactive, la production constante de dispositifs évolutifs de traitement des problèmes, la mise au point de procédures pluridisciplinaires, l'avènement de traducteurs entre langages spécialisés, le recyclage permanent, la remise en question rapide des qualifications anciennes, l'émergence de nouvelles professions intermédiaires... En ce sens, le manager est producteur d'organisation, puisqu'il lui faut constamment prévoir et inventer des procédures nouvelles, des dispositifs organisationnels pour accompagner ces transformations.

L'organisation produit-producteur de la société

Ces évolutions internes, propres aux entreprises de pointe, influencent le développement de la société dans son ensemble. L'ensemble de ces éléments contribue à développer des logiques de méta-organisation : il s'agit d'organisation d'organisations, c'est-à-dire des systèmes d'organisations produits par les entreprises elles-mêmes pour leur permettre de fonctionner. Gérer la complexité, c'est produire de l'organisation capable de traiter les conséquences du développement des systèmes technologiques, économiques et/ou culturels.

L'hyperdéveloppement du phénomène organisationnel

nous conduit à réinterroger la vision sociologique qui considère l'organisation comme un fait social, c'est-à-dire comme une production de la société. Cette vision correspondait bien au capitalisme industriel. Les sociétés développées postmodernes semblent fonctionner sur un nouveau paradigme : l'organisation devient un élément central de la production de la société.

Nous retrouvons ici une proposition de R. Sainsaulieu et D. Segrestin : « Le contexte incite désormais à considérer l'entreprise comme un lieu social central, où se cherche un nouvel état de la régulation des rapports sociaux [18]. » Dans un contexte d'affaiblissement des repères sociaux, l'entreprise s'affirme comme lieu de production identitaire. Certes, le phénomène n'est pas nouveau, mais, dans la société industrielle, il s'articulait fortement sur des identités de classe, alors qu'on assiste actuellement à l'émergence d'identités polymorphes dont l'appartenance sociale n'est que l'un des aspects : « Les statuts hiérarchiques et socioprofessionnels anciens, les antagonismes de classes autour d'une lutte sociale centrée sur la gestion des pénuries n'arrivent plus à fournir des repères sociaux et des identités collectives [19]. » « Le fonctionnement symbolique de la classification des cadres perd sa valeur économique et culturelle [20]. » L'entreprise devient alors un lieu central de production de l'identité : on parle à son sujet de « nouvelle paroisse », de famille, de culture... Aussi, R. Sainsaulieu et D. Segrestin posent la question : « Où se construit le social en définitive ? Au niveau de la société tout entière, l'entreprise n'en étant que l'un des pôles spécifiques d'affrontement et de reconnaissance ? Au niveau des entreprises en particulier, au point de façonner en conséquence toute une société socioprofessionnelle ? »

La sociologie industrielle, influencée par la théorie marxiste, analyse l'entreprise essentiellement comme une instance de

18. R. Sainsaulieu, D. Segrestin, « Vers une théorie sociologique de l'entreprise », *Sociologie du travail*, n° 3, 1986.
19. P. Bernoux, *Sociologie des organisations*, Paris, Éd. du Seuil, 1985.
20. L. Boltanski, *Les Cadres*, Paris, Éd. de Minuit, 1982.

reproduction des antagonismes de classes structurés au niveau socio-économique par la contradiction capital/travail. L'entreprise comme lieu privilégié de l'organisation du travail est un élément de mise en œuvre des rapports économiques de production, et donc de reproduction de la division sociale du travail. Dans cette perspective, le changement social dépend principalement d'une transformation des rapports de production et celle-ci ne peut se faire qu'à partir d'une inversion du rapport de forces entre les classes sociales.

Cette analyse néglige deux éléments :

– la relative *autonomie du phénomène organisationnel* qui se développe en fonction de logiques internes liées aux nécessités de la production, au développement technologique, aux stratégies des acteurs et aux modes de fonctionnement des microdispositifs du pouvoir... le développement de la technocratie et de la bureaucratie sont des symptômes de l'extraordinaire développement du phénomène organisationnel dans les sociétés modernes ;

– les conséquences du développement de l'*abstraction* qui contribue à transformer les règles du jeu social par une *importance accrue des règles juridiques et financières*, et par l'influence des nouvelles technologies.

Par contre, l'analyse marxiste reste pertinente sur le rôle essentiel de l'économique pour comprendre les transformations sociales. C'est le passage du capitalisme industriel au capitalisme financier qui détermine le passage de la société industrielle à la société postmoderne. Mais celle-ci aboutit à une recomposition des déterminations et des influences réciproques entre ces différents niveaux : la maîtrise des règles du jeu social et économique est liée à la maîtrise des organisations qui les produisent et les mettent en œuvre. Les appareils d'État, les organisations financières internationales, les entreprises multinationales ont développé des mécanismes extrêmement complexes de gestion du rapport capital/travail. Dans cet univers, les rapports sociaux sont continuellement médiatisés par des dispositifs organisationnels, des règles et des procédures dont l'application nécessite le recours à des spécialistes divers. La défense des intérêts personnels et collectifs des individus et des groupes passe nécessairement par un travail d'organisation, puis d'institutionnalisation[21]. On assiste donc à un vaste processus de *médiatisation des rapports sociaux par les organisations*.

L'abstraction remet en question les notions de classe, de forces productives, de rapports de production et les liens entre ces différents éléments : la médiatisation des rapports sociaux par les organisations change les mécanismes de production et de distribution anthroponomique. Par exemple, le statut social d'un individu est de plus en plus fonction de la place assignée par les organisations (en particulier professionnelles) auxquelles il appartient. Si l'origine sociale détermine la place occupée au moment de l'entrée dans la vie professionnelle, elle intervient moins après, en particulier dans les entreprises managériales qui favorisent la mobilité. La carrière professionnelle devient un élément déterminant de la trajectoire sociale pour un nombre de plus en plus élevé d'individus.

Si donc les rapports de production économique restent un élément déterminant de la structuration des rapports sociaux, ils ont considérablement évolué : la société qu'ils structurent n'a plus grand-chose à voir avec la société industrielle.

L'erreur des analyses interactionnistes, stratégiques, fonctionnalistes est de déconnecter l'analyse des organisations, ou les observations des comportements, de l'évolution économique, comme si les phénomènes socioculturels et idéologiques évoluaient indépendamment de celle-ci. Si donc l'économique reste déterminant pour comprendre l'évolution des rapports sociaux, son influence opère par la médiation d'organisations qui en deviennent l'élément moteur. Au Manifeste de 1848 qui proclamait que « la lutte des classes était le moteur de l'histoire », nous proposons de substituer la formule selon laquelle, dans la société postmoderne, *les organisations sont le moteur de l'histoire*.

Le pouvoir se concentre moins dans une classe dominante

---

21. Cf. V. de Gaulejac, M. Bonetti, J. Fraisse, *L'Ingénierie sociale*, Paris, Syros, 1989.

que dans un réseau organisationnel qui contrôle l'émergence d'une nouvelle classe dirigeante. Le pouvoir des « top managers » n'est plus fondé principalement sur l'héritage familial et/ou sur la propriété du capital, mais sur leur carrière scolaire et professionnelle et la constitution d'un réseau social interactif. Les PDG sont de plus en plus des directeurs/salariés, que l'on s'arrache à prix d'or, et non des patrons/actionnaires. Les capitaines d'industrie, les grands entrepreneurs tendent à disparaître pour laisser la place à des aventuriers de la Bourse assistés par des experts financiers capables de gérer des holdings et de lancer des OPA : Maxwell, Goldsmith, Tapie et Pebereau ont remplacé Boussac, Dassault et Empain au panthéon des grands patrons.

Au côté de ces financiers hors pair, la majorité des cadres supérieurs fonde leur pouvoir sur leur appartenance à une organisation. Mais ce pouvoir est attaché à la place plus qu'à la personne. La transmission de ce pouvoir ne dépend pas des règles de l'héritage, mais des règles de la carrière qui sont déterminées par l'organisation elle-même. Si donc des solidarités de corps, des alliances interpersonnelles, des effets d'appartenance aux mêmes groupes sociaux interviennent dans la distribution et l'occupation de ces places, *la lutte des places se développe au point de remettre en question les solidarités de classe.* Les membres de l'oligarchie financière et de la technostructure managériale sont sans doute encore issus des classes dominantes. Mais les règles de *la distribution des places dans la société postmoderne* sont de moins en moins fonction de l'appartenance sociale originaire (identité héritée) et de plus en plus fonction de logiques organisationnelles internes (identité acquise) : la carrière professionnelle exige des capacités, des qualités que l'origine sociale ne suffit plus à donner. Les organisations produisent leurs propres règles du jeu et tendent à les imposer à l'ensemble de la société.

Le capitalisme managérial

La loi du profit reste un élément moteur de la société managériale à partir de deux pôles : l'individu et l'entreprise. Chaque individu est invité à faire fructifier ses talents, à mettre en valeur ses capacités, à améliorer constamment l'excellence dans tous les domaines. Pour ce faire, l'entreprise lui propose un projet par lequel sa réalisation personnelle va se mesurer en fonction des résultats financiers de la firme. Dans cet univers, il n'y a plus d'antagonisme entre le profit personnel et le profit de l'entreprise : l'un et l'autre se conjuguent, s'étaient mutuellement. La logique du capitalisme managérial est de dissoudre la contradiction capital/travail par un double renversement :

– ce n'est plus le travailleur qui est exploité puisqu'il est invité à travailler pour lui-même, à devenir son propre patron, à devenir son propre actionnaire ;

– parallèlement, le capital tend à se dissoudre dans l'organisation. *Ce n'est plus la possession du capital qui donne le contrôle sur l'entreprise, c'est la maîtrise de l'organisation qui permet de contrôler le capital.*

L'entreprise managériale résout la contradiction capital/travail par une transformation de ces deux termes. Déjà, dans *L'Emprise de l'organisation*, nous avions proposé cette hypothèse : « TLTX est la médiation déifiée entre le capital et le travail, synthèse définitive et parfaite d'un antagonisme qui se trouve ainsi désamorcé » (p. 22). Ce qui nous paraissait à l'époque une caractéristique propre à TLTX s'avère en fait une tendance profonde et sans doute irréversible du système économique moderne : une modification essentielle dans les rapports de pouvoir entre le capital et l'organisation. Alors que, dans le système capitaliste classique, c'est le capital qui confère le pouvoir sur l'organisation, on assiste actuellement au phénomène inverse : l'organisation s'approprie son capital en mettant en place un certain nombre de dispositifs pour en récupérer la maîtrise.

On peut, avec François Morin [22], repérer quatre points dans cette évolution :

– la *dissociation* dans les grandes entreprises privées entre *la détention de la propriété et l'exercice du pouvoir*. Ce qui aboutit à l'abandon de toute responsabilité patrimoniale ;

– la généralisation de *la propriété autocontrôlée*. Les dirigeants non propriétaires s'assurent une majorité grâce à plusieurs techniques : l'émiettement du capital-action (actionnariat populaire, encouragement à l'actionnariat du personnel) ; l'émission d'actions sans droit de vote pour les petits porteurs et octroi du vote double pour les actions contrôlées ; la participation circulaire qui consiste à faire racheter par les filiales ou des groupes amis une partie du capital de la maison mère ;

– *la technocratisation du pouvoir* : l'autocontrôle du capital permet aux dirigeants d'autogérer leur propre légitimité et d'assurer une pérennité par un système de cooptation. Les conseils d'administration s'organisent autour de deux pôles qui arrivent aisément à les contrôler : un pôle d'administrateurs internes, hauts dirigeants du groupe qui gèrent la propriété autocontrôlée ; un pôle d'administrateurs externes qui représentent les participations circulaires croisées des groupes amis (ce que, au moment de la privatisation des entreprises nationalisées, on appelait les « noyaux durs ») ;

– *la montée du pouvoir financier* : la capacité de mobiliser des ressources financières est devenue une arme stratégique majeure, tandis que la recherche de cohérence industrielle est de plus en plus accessoire. Les profits dépendent de la capacité de monter ou de résister à des coups financiers.

La logique du profit est centrée non plus sur l'accroissement de la production, mais sur l'augmentation de la rentabilité du capital. C'est ainsi que la majorité des OPA sont effectuées au moins autant selon une logique financière que selon une logique industrielle. La spéculation devient un élément nodal

---

22. F. Morin, « Grandes entreprises : forteresse et légitimité », *Le Monde*, 26 mars 1988.

41

de la réussite des entreprises, de sa capacité à gagner de l'argent[23].

Le terme de « société anonyme » n'a jamais été si juste. Il rend bien compte de ce phénomène de dissémination du capital, de dissolution de la propriété, de dépersonnalisation du pouvoir qui conduit les actionnaires à être des « personnes morales », c'est-à-dire les représentants d'autres organisations, et non des personnes physiques qui gèrent leur propriété personnelle.

L'entreprise managériale pousse cette logique d'autocontrôle organisationnel à l'extrême par la pratique des *stock-options*, par la distribution d'une partie des rémunérations sous forme d'actions et par la vente au personnel d'actions à des prix avantageux. L'organisation tend alors à devenir propriétaire d'elle-même, ce qui a trois avantages majeurs :

– elle se protège de toute tentative de prise de contrôle externe : l'internalisation du pouvoir évite à l'organisation d'avoir à se soumettre à d'autres logiques que celles qu'elle génère elle-même ;

– le personnel étant désormais actionnaire, chacun est à la fois travailleur et capitaliste : il n'y a plus d'exploitation, puisque, en travaillant pour l'entreprise, l'individu travaille pour lui-même. Il est en quelque sorte son propre patron ;

– les dirigeants sont plus assurés de rester en place, puisqu'ils sont là à un double titre : comme représentants des actionnaires, donc du personnel actionnaire ; comme patrons de l'entreprise, donc ayant autorité sur le personnel.

C'est dire que plus on monte dans l'organisation et plus on fait corps avec elle. Au lieu d'être divisé, tiraillé entre les exigences de l'organisation et les critères personnels, l'un et l'autre entrent en synergie, dans une logique de renforcement mutuel : le travailleur a intérêt à travailler plus pour que les profits augmentent, parce qu'il en bénéficie comme action-

---

23. « L'économie mondiale tout entière repose aujourd'hui sur de gigantesques pyramides de dettes... Qu'il s'agisse de la spéculation sur les monnaies ou de la spéculation sur les actions, le monde est devenu un vaste casino où les tables de jeu sont réparties sur toutes les longitudes et les latitudes », M. Allais, « Le fléau du crédit », *Le Monde*, 27 juin 1989.

naire ; l'actionnaire peut vérifier à tout moment la productivité du travail, puisque c'est lui qui la fournit.

Le désinvestissement (au sens psychologique du terme) et les stratégies d'évitement de la charge de travail ne peuvent être que critiqués et mal perçus par la communauté du personnel à partir du moment où celle-ci s'identifie aux actionnaires. Aussi, la contradiction capital/travail se déplace de l'organisation à la personne : elle est internalisée et confronte chacun individuellement à une tension entre la tendance à travailler moins pour se protéger, pour sauvegarder sa disponibilité, pour échapper aux exigences de l'entreprise et la tendance à travailler toujours plus pour faire plus de profit, assurer l'expansion de l'entreprise, améliorer en permanence ses résultats.

CHAPITRE 2

De la logique du donnant-donnant à l'exigence du toujours plus*

Après avoir tenté d'esquisser les bases sur lesquelles repose la logique de l'entreprise managériale, il s'agit à présent de décrire plus précisément les mutations qui se produisent au niveau du management et qui sont le fruit des nombreux changements qui affectent l'entreprise dans son environnement et dans son organisation interne. Il faut aussi s'interroger sur les implications, au niveau humain, de ces mutations, en soulignant le gain, mais aussi le coût psychologique impliqués par l'évolution des modes de management qui passent, selon nous, de ce que l'on pourrait appeler une logique du donnant-donnant à une logique du gagnant-gagnant, intégrant une exigence de toujours plus.

L'entreprise en mutation

Aux transformations des structures de l'entreprise et de son organisation interne correspond une transformation du mode de gouvernement de l'entreprise, qui, face à la multiplicité des codes de l'organisation, est passée du mode de l'« imposition » à celui de l'« animation ». Comme le souligne bien Jean-Christian Fauvet[1], gouverner l'entreprise, c'est transformer les

* Une première version de ce chapitre est parue dans la revue *Connexions*, nº 54, décembre 1989.
1. J.-Ch. Fauvet, « La culture et le projet d'entreprise », *in* G. Biolley et l'équipe du CRC, *Mutation du management, op. cit.*

multiples énergies individuelles en une force performante tant sur le plan économique que social, c'est assurer « le passage du multiple à l'un, de l'hétérogène à l'homogène, du dispersé au focalisé ». Pour assurer ce passage, l'entreprise a utilisé successivement trois démarches. La première est celle de l'*imposition*, « qui agit d'une façon exogène, *par pression* sur le multiple... pour en tirer un ordre collectif dynamique planifié hors des agents eux-mêmes ». Elle nécessite une voie hiérarchique forte, la priorité donnée à la supervision directe et une standardisation des tâches accompagnée de règlements et de contrôles. Elle est donc étroitement corrélative de l'entreprise pyramidale.

C'est cette démarche qui a accompagné toute l'évolution industrielle du XIXᵉ siècle et a prévalu jusqu'à la Seconde Guerre mondiale. Elle permettait de répondre d'une façon plus ou moins satisfaisante, selon Fauvet, au besoin fondamental de *recevoir* : recevoir un salaire, une promotion, une sécurité, des conditions de travail acceptables.

La deuxième démarche est, selon Fauvet, celle de la *transaction*. Elle correspond à l'évolution des relations sociales depuis trente ans, qui a rendu indispensable « un développement des méthodes transactionnelles qui supposent un certain paritarisme entre les acteurs ». Elle obtient un « ordre collectif dynamique par un jeu subtil à base de rééquilibrage des pouvoirs entre les agents, de marchandage, de compromis, d'arbitrage, de concertation, d'ajustement mutuel... ».

Cette démarche, en vigueur depuis la fin de la guerre, agit non par pression mais *par équilibre* et constitue une réponse indispensable au besoin des salariés d'*échanger*, « c'est-à-dire d'avoir la possibilité d'intervenir dans les relations sociales en tant que partenaires libres – acheteurs ou vendeurs – et d'obtenir par compromis, marchandage et ajustement mutuel ce qui était octroyé dans le mode de l'imposition ».

La troisième démarche est celle de l'*animation*, qui commence à se mettre en place (au travers, par exemple, des groupes d'expression et des cercles de qualité) et vise à permettre tout aussi bien l'expression des sentiments latents de chacun que leur stimulation. Elle serait, selon Fauvet, la réponse privilégiée à un troisième besoin des salariés, « celui de *donner* (donner du temps, de la fatigue, des idées, du travail...) et même de *se donner* dans une communauté qui réussit », passant ainsi du mode de l'« être-là passif » (selon l'expression de Heidegger) à l'« existence active » qui suppose engagement et don de soi dans une aventure sociale.

D'où, d'ailleurs, les moyens sur lesquels s'appuie ce nouveau mode de gouvernement humain des entreprises et qui sont essentiellement le *développement d'une culture d'entreprise*, faite de rites, de mythes, de symboles et de valeurs partagées, et destinée à rassembler et à mobiliser tout un chacun au service d'une même communauté d'appartenance, et la *mise en place de projets d'entreprise* destinés à rassembler et à focaliser l'énergie de tous pour réaliser un projet commun, relever un challenge ou se lancer dans une aventure commune et volontaire.

Dans le passage de l'entreprise pyramidale à l'entreprise réticulaire et, corrélativement, du mode de l'imposition à celui de l'animation, l'emprise exercée sur les individus s'est déplacée *du corps* (soumission à des rythmes, à des règles, à des tâches conçues et structurées de l'extérieur) *au psychisme et à l'imaginaire* : il ne s'agit plus d'imposer un ordre de l'extérieur, mais de susciter, de l'intérieur, l'adhésion de l'individu à une logique d'organisation, à un projet collectif qui stimule son imaginaire et auquel il s'identifie. On assiste ainsi à la naissance de ce qu'on pourrait appeler un *« système managinaire »* *au sens où l'imaginaire est devenu maintenant pour l'entreprise objet de management, élément à manager pour en tirer énergie et productivité.*

C'est l'impact de cette évolution que nous allons maintenant tenter d'analyser et d'illustrer en décrivant en particulier le passage de ce que nous avons appelé la « logique du donnant-donnant » à celle que l'on pourrait appeler la logique du gagnant-gagnant[2], qui se caractérise par une emprise plus forte exercée sur l'individu.

La première sera illustrée par l'entreprise Rank Xerox, dont

2. Les Américains parlent du système *win-win*.

46

nous avons analysé l'évolution à partir de la mise en place d'un programme qualité et qui permet de repérer l'impact des différents changements que nous mentionnions plus haut : passage du simple au complexe, évolution d'un mode de management autoritaire et directif – par imposition – à un mode participatif par animation, glissement du quantitatif au qualitatif. La seconde sera illustrée par d'autres exemples, empruntés notamment à Hewlett-Packard, à IBM et à l'American Express, toutes entreprises adeptes du management par l'excellence.

L'univers du donnant-donnant

D'une culture simple à une culture complexe

Rank Xerox est l'exemple type d'une entreprise confrontée à la nécessité de faire évoluer son organisation interne afin de s'adapter aux turbulences de son environnement et à l'extrême intensification de la concurrence qui s'est produite dans un secteur où elle fut longtemps et largement leader. En effet, après une période d'expansion continue et importante, Rank Xerox a vu ses résultats diminuer (17 % de croissance en 1982 contre 8 % en 1987) et son climat interne se modifier : « Les gens ont l'impression qu'il est dix fois plus difficile de faire 8 % maintenant que de faire 17 % il y a quinze ans. »

En fait, Rank Xerox est confronté à la nécessité de changer pour maintenir ses résultats et de passer d'une logique commerciale monoproduit à une logique plus large, fondée sur la bureautique. Pour ce faire, la direction met l'accent sur deux « thèmes mobilisateurs ». Le premier est la diversification des activités : il s'agit de passer d'une culture simple « photocopieur » à une culture plus complexe « bureautique ». Le second est la mise en place d'une démarche de qualité, à laquelle il s'agit de former l'ensemble du personnel. Ces changements ont pour objectif d'adapter l'organisation à son marché et de mieux préparer les personnes qui y travaillent à vendre de nouveaux produits dans un secteur où la concurrence s'intensifie sans cesse ainsi qu'à des clients dont le niveau d'exigence s'accroît de la même manière.

Or Rank Xerox est une organisation dont la constitution et le développement ont été totalement soumis à la logique commerciale : « L'essentiel, c'est de vendre. » Son image est sans doute autant celle d'une entreprise que d'une école de vente exigeante et réputée : c'est (ou c'était ?) d'ailleurs la raison principale de son attractivité pour des jeunes voulant faire carrière rapidement dans une fonction commerciale. Les employés interviewés parlent de cette époque à l'imparfait et parfois au présent, signe que les choses ne sont plus comme avant, tout en étant encore singulièrement présentes.

Dans un tel univers, la relation entre l'individu et l'organisation est fondée sur une transaction vécue comme équilibrée : « Y'a quinze ans, c'était l'aventure, on gagnait de l'argent. Celui qui s'accrochait avait des chances de monter. Y'avait le côté presse-citron. On prenait des vendeurs et on les jetait quand ils ne faisaient plus l'affaire. Mais y'avait aussi une disponibilité de tous les instants parce qu'il y avait quelque chose au bout. Maintenant y'a plus cet élan... Les possibilités de monter sont moins grandes. »

Dans cet univers « presse-citron », le contrat est sans ambiguïté : on accepte la pression du travail et l'investissement de tous les instants demandé par l'organisation contre deux contreparties : un bon salaire et la possibilité de faire carrière. Ceux qui n'acceptent pas ce *deal* ou qui ne réussissent pas sont éliminés.

La structure de l'organisation est simple : une DDPO ou « direction directive par objectifs », dans laquelle les objectifs fixés découlent directement des directives de la direction générale en fonction du taux de profit promis aux actionnaires. A partir de ce premier calcul, ils sont répartis en cascade dans la structure de l'organisation avec une marge de négociation très faible à chaque niveau. Sur le même principe, les objectifs annuels sont découpés en rondelles mois par mois et les résultats des ventes, mesurés mensuellement, permettent de vérifier si les objectifs sont atteints et de calculer le montant des salaires des vendeurs.

La mesure des performances individuelles de chaque service, de chaque entité, de chaque pays est immédiate et incontestable. Le meilleur vendeur est celui qui obtient les résultats les plus élevés par rapport aux objectifs fixés. La reconnaissance suprême, c'est le PARCLUB, qui rassemble les vendeurs les plus performants. Les *low performers* sont éliminés.

En résumé, on a, d'un côté, une organisation dont l'objectif est de faire du chiffre d'affaires, qui met en place des dispositifs d'évaluation de la productivité commerciale et, de l'autre, des individus attirés par la possibilité de gagner de l'argent et de gravir rapidement les échelons hiérarchiques : système simple, linéaire, cohérent, fondé de part et d'autre sur des motivations financières et matérialistes.

Les effets pervers d'une logique binaire

Les effets négatifs de ce mode de fonctionnement sont pour la plupart bien repérés et même stigmatisés à l'intérieur de l'entreprise : « Un mauvais vendeur, c'est un type qui a la tête bien faite. » L'ensemble du fonctionnement de l'organisation et des individus doit en effet se soumettre au primat de la logique commerciale : toute l'énergie et la réflexion sont tendues, canalisées sur des résultats à court terme, l'obtention de la signature du client, la mesure individuelle des performances. Ce type de fonctionnement induit notamment les effets suivants :

— les vendeurs prêtent attention à leur classement plutôt qu'à la satisfaction du client ;

— chacun adapte son comportement aux paramètres selon lesquels il est évalué (résultats chiffrés, au détriment du qualitatif) : on cherche donc à faire des points plutôt qu'à résoudre les problèmes ;

– d'une manière générale, l'important est d'être vu, de paraître, d'être le meilleur ;

– les investissements à moyen et à long terme sont sacrifiés à la réalisation de résultats mensuels ;

– les positions fonctionnelles sont dévalorisées par rapport aux positions opérationnelles et perçues comme coûteuses et parfois inutiles ;

– la formation est vécue comme une perte de temps.

Dans cette culture manichéenne, le perdant (le *low performer*) est rejeté, et il règne une menace permanente de l'échec. Le *loser* est quasi mis en quarantaine : « Quand on est en bas du tableau, on n'ose pas prendre la parole, on n'est pas écouté. » Cela produit une pression considérable sur les commerciaux qui n'atteignent pas leurs objectifs : « Le chef de vente qui ne faisait pas ses objectifs, il était insomniaque. Les derniers étaient complètement stressés. » L'une des caractéristiques de ce mode de fonctionnement est en effet le stress de la fin du mois, lorsque les commerciaux se mobilisent pour obtenir les signatures afin d'atteindre leur quota.

Dans cet univers qui encourage la réussite à court terme, le classement et la comparaison individuelle, il ne peut se développer, chez les vendeurs, de réflexions à long terme menées collectivement : « J'étais plus calé en arrivant à Rank Xerox. On ne réfléchit plus. J'avais la tête pleine de choses toutes fraîches et on m'a mis à sonner à des portes. » La logique essentiellement binaire et quantitativiste sollicite chez les individus un comportement manichéen centré sur des motivations individualistes.

L'absence de réflexion vient également de l'impossibilité d'avouer que l'on ne sait pas : « Dans la culture Rank Xerox, on ne peut se présenter faible, sans solutions immédiates. » L'illusion du « tout va bien » permet d'éviter de se poser des questions sur les causes des problèmes rencontrés. Une baisse de résultats est interprétée comme un échec, entraînant une sanction ; une hausse est vue comme un succès, quels qu'en soient les coûts.

Quand un problème se pose, l'important est moins d'en analyser les causes pour tenter de le résoudre que de trouver un moyen de s'en décharger soit sur un expert (« On sait qu'on trouvera toujours quelqu'un de compétent pour le résoudre »), soit dans le temps. Le *turn over* étant important et rapide, il suffit de geler la question jusqu'à sa prochaine mutation pour qu'elle cesse d'être préoccupante. Le « syndrome de déplacement », qui consiste à considérer qu'un problème a trouvé sa solution lorsqu'on le fait prendre en charge ailleurs, est une conséquence de l'individualisme et du cloisonnement : « Comme on est très compartimenté, quand y'a un problème, on peut dire que c'est la faute de l'autre... Moi je fais, les autres ne font pas ; on ne se remet pas en question. »

Le même état d'esprit règne quant au rapport à la formation dont on attend qu'elle donne des solutions toutes faites, des recettes. Tout ce qui consiste à transmettre des outils d'analyse pour comprendre la complexité des choses est considéré comme une perte de temps. On attend de la formation qu'elle apporte des raisonnements simples, linéaires, binaires pour résoudre des problèmes complexes et multidimensionnels.

Ces différents éléments concourent à produire l'*uniformité*. Il n'est pas nécessaire que les « rankxéroxiens » portent un uniforme pour qu'on les reconnaisse : « On est tous profilés de la même façon, on a tous les mêmes passions, on pratique tous les mêmes sports, on appartient aux mêmes *family groups*, les clients qui nous voient disent : "Tiens, c'est un Rank Xerox", même s'ils ne nous connaissent pas... » On parle le « Xerox langage », on incorpore les habitus Xerox, on aime *Skyrock*, le squash, la planche à voile, « on se retrouve dans la même casserole et on aime bien ».

Il s'agit d'une culture monolithique qui imprègne le mental. Adaptée au challenge commercial et au dynamisme d'une jeunesse qui veut rapidement gagner de l'argent pour s'offrir tous les signes de la réussite sociale, elle est manifestement trop superficielle pour permettre à l'entreprise d'affronter l'évolution vers la complexité qui caractérise la bureautique moderne et les systèmes experts.

Cette culture binaire, centrée sur la force de vente, a été financièrement et commercialement performante. Elle ne semble plus suffisante actuellement.

Le passage à la complexité

La nécessité de changer de culture

La culture du donnant-donnant était cohérente avec un système fondé sur la vente d'un produit simple ne nécessitant pas un rapport complexe et suivi avec les clients. Avec la bureautique, il ne s'agit plus de vendre une machine dont l'utilisation ne demande pas une spécialisation importante. Il s'agit de vendre une solution, terme bien abstrait, c'est-à-dire un ensemble comprenant une ou plusieurs machines, accompagnées de services et de conseils étalés dans le temps. Cela change profondément le rapport au client et la durée de l'acte de vente. L'objectif n'est plus d'obtenir une signature, mais de fidéliser le client, de le conseiller, de comprendre sa demande (ou ses demandes), et de les traduire en solutions. On passe d'une offre produit à une offre application. Le rapport entre le temps passé avec le client et le bénéfice attendu n'est plus immédiat.

Le management par objectifs mensuels, la rémunération à la commission en fonction du nombre d'affaires réalisées et du nombre de produits vendus, la répartition du travail entre les commerciaux et les techniciens... ces différents modes d'organisation ne sont plus adaptés aux nouvelles nécessités commerciales : on ne vend pas un système d'information de la même façon qu'on vend un photocopieur. *A fortiori* pour la vente de systèmes experts. Il s'agit de produits complexes, dont la vente nécessite une pluralité de compétences, un contact interactif avec l'organisation cliente, une stratégie à long terme, une meilleure compréhension des besoins, une confiance réciproque.

Pour vendre un photocopieur, il n'est pas nécessaire de former le vendeur à la connaissance technique du produit. Il lui suffit d'en saisir l'utilité. C'est la formation comme vendeur qui importe (« Un vendeur de voitures n'a pas besoin de savoir ce qu'il y a sous le capot »). En cas de besoin, il fait appel à un technicien expert. Une fois la signature obtenue, c'est le client qui prend en charge le produit. La relation avec lui est terminée.

La culture solution nécessite une autre fonction : l'activité de vente est subordonnée à la capacité de conseiller. Il s'agit de traduire les besoins du client en solutions. La réponse n'est plus préétablie. Il faut l'élaborer avec le client. Le savoir-faire se transforme pour passer du commercial au « conseil en organisation ». La figure linéaire une machine/un vendeur/un client se transforme en une configuration dans laquelle deux systèmes d'organisation se branchent l'un sur l'autre à long terme. La relation au client ne se réduit plus à un acte commercial (vente) suivi d'un acte technique (installation). On entre dans un système de relations composites impliquant des métiers diversifiés.

Le primat de la fonction commerciale est alors contesté. Jusqu'à présent, les autres fonctions (technique, administration, finance, personnel) étaient au service du commercial. L'approche solution conduit à rechercher des formes de collaboration moins hiérarchisées, plus diversifiées entre ces différents métiers.

Le rôle du management est touché par ces changements. Le management hiérarchique, directif, centré sur la production et le contrôle de résultats quantifiables mensuellement devient obsolète. Les critères d'évaluation qui lui permettaient de classer les bons et les mauvais, les *winners* et les *loosers* ne sont plus pertinents. La mesure individuelle des performances fondée sur le nombre de produits vendus ne rend plus compte de la qualité du travail fourni auprès d'un client. Le rapport entre le temps passé avec le client et le chiffre d'affaires réalisé n'est plus immédiat. La conception de solutions adaptées nécessite un travail d'équipe. Le manager ne peut plus se comporter comme étant « celui qui sait », celui qui définit les tâches de chacun, celui qui décide : « Autrefois on passait en force, maintenant il faut expliquer, négocier. »

La vente solution nécessite une stabilité des relations avec le client. La culture presse-citron amenait à faire de la mobilité un mode de management : « Rester plus de deux ans dans un poste était comme une tare, c'était *not successful*. L'absence de mobilité était utilisée comme argument pour refuser une promotion. » Le mouvement permanent tend désormais à s'atténuer (sur 120 chefs de vente, on comptait 60 % de déplacements en 1985, 40 % en 1986, 20 % en 1987).

Ces différents éléments changent le rapport individu/organisation. La culture du donnant-donnant, fondée essentiellement sur des motivations financières et individualistes, n'est plus adaptée à l'état du marché. Dès lors, la décision de mettre en place un programme qualité a aussi pour objectif de faire bouger cette culture et de faire passer les rankxéroxiens, à qui l'on proposait des motivations fondées sur le gain, l'apprentissage d'une certaine façon de vendre (le porte à porte), l'acquisition d'une carte de visite (l'école de vente Rank Xerox) et la carrière (possibilité de monter), à des motivations fondées sur le souci de répondre au client dans le long terme, la communication entre les différentes fonctions, l'adhésion à une nouvelle culture d'entreprise, la prise en compte de la complexité...

Les avatars de la démarche qualité

Tout ne va pas, néanmoins, sans difficultés. La démarche nouvelle impliquée par la recherche de qualité, qui oblige à intégrer le long terme, à casser les cloisonnements antérieurs, à travailler en équipe, à décoller des résultats immédiats pour prendre en compte la complexité des problèmes se heurte sans arrêt à la logique première de l'entreprise fondée sur la culture monoproduit, le management directif, l'obsession des résultats mensuels.

Nombreuses sont les critiques portant sur les contradictions entre le discours qualité et le discours quotidien sur le terrain. D'un côté, les bonnes intentions, la proposition d'un idéal ; de l'autre, des règles, des contraintes, des exigences fondées sur d'autres valeurs : « Y'a jamais un discours de vérité qui nous est tenu. » « On fait de la qualité le matin et l'après-midi, on bosse. » « La qualité, on en fait tous les lundis de 4 à 6. » Le management intermédiaire, qui reste directif et axé sur la production des résultats, est le véhicule de cette contradiction lorsqu'il rappelle à l'ordre ceux qui pourraient être tentés de s'écarter des exigences du terrain : « On nous dit : tout ça [le programme qualité et ses exigences], tu le mets à la poubelle, ici, c'est fini, on est là pour faire des résultats. »

Toute une série de contradictions au niveau des injonctions adressées à l'individu renforcent le paradoxe du vécu quotidien : « On nous dit : vous devez être tourné vers l'extérieur, et on nous reproche : vous n'êtes jamais là quand on a besoin de vous. On nous dit : la qualité, c'est de donner des délais de livraison au client et de s'y tenir, et y'a une directive écrite selon laquelle le fait de s'engager sur un délai de livraison est une faute professionnelle. »

Cette situation « paradoxante » crée de l'incertitude, de l'insécurité, du ressentiment et de l'anxiété : on ne sait plus comment se situer, quelle attitude adopter. On se sent coincé parce que, quoi qu'on fasse, on peut être pris en faute. C'est une situation proprement intenable au sens où l'individu ne sait plus à quoi s'en tenir. C'est la raison pour laquelle il tente de se défendre par le clivage : d'un côté, la qualité, de l'autre, le terrain ; d'un côté, le discours, de l'autre, l'action ; d'un côté, le moi de l'organisation, positif, soumis et conformiste, de l'autre, le vrai moi de l'individu qui se réalisera dans un ailleurs mythique en échappant à l'emprise de l'organisation. On assiste alors comme à un dédoublement de la personnalité, en grande partie inconscient, qui n'est en fin de compte qu'un mécanisme d'adaptation à l'univers du double langage.

Le sentiment que le langage qualité est parfois en contradiction avec celui qui est tenu sur le terrain est l'expression de l'écart entre l'idéal de consensus proposé par le discours qualité et la réalité d'un fonctionnement qui met les individus constamment en concurrence les uns avec les autres. On encourage le travail en équipe, mais l'évaluation des performances est individuelle. On souhaite la participation, mais le fonctionnement concret sépare, individualise, cloisonne les individus entre eux. On propose un idéal de service et de qualité dans une entreprise dominée par la rentabilité financière et l'appréhension quantitative des résultats. On souhaite reconnaître les mérites de chacun alors que la carrière oblige constamment à se mettre en avant au détriment des autres. On voudrait que chacun donne le maximum dans la place où il est dans un système où la guerre des places est l'un des principaux supports de motivation des gens.

Par ailleurs, les managers sont maintenant contraints, dans leurs relations au client, d'intégrer des variables nouvelles : le point de vue des utilisateurs, dont certains ne sont pas des spécialistes ; la subjectivité du client, qui ne correspond pas toujours à la leur ; les états d'âme des différents experts dont ils ont besoin et qui poursuivent des objectifs parfois plus marqués par la valeur d'usage que la valeur d'échange... Tout cela les oblige à composer avec la complexité. Mais leur mode de fonctionnement et leurs schémas mentaux continuent à les pousser à vouloir simplifier cette complexité, à poser en schéma linéaire des problèmes multidimensionnels, à traduire en logique binaire les contradictions qu'ils rencontrent, à vouloir résoudre dans le court terme des problèmes qui nécessitent du temps pour être résolus. Centrés sur l'action, le manager et le commercial sont pris constamment dans l'urgence. Le temps de la réflexion est toujours subordonné à la pression de l'urgence. Faute de prendre le temps pour produire un raisonnement, le manager attend de l'expert qu'il lui apporte des solutions. La qualité, comme la formation, est perçue comme du temps perdu, sauf si elle apporte des recettes. *Toute l'énergie mentale est centrée pour adapter l'individu aux paramètres selon lesquels il va être évalué : les objectifs, les résultats.* Or la capacité de saisir la complexité (au sens de la comprendre) pour tenter de la maîtriser dépend de la capacité de se décoller des objectifs de l'action pour entrer dans une démarche cognitive, ce qui est à l'évidence difficile. Le refus, ou l'impossibilité, d'entrer dans une véritable démarche de connaissance conduit à rechercher dans des recettes et des expertises externes d'illusoires solutions.

Cette difficile intégration de la démarche qualité dans une

culture monolithique et autoritaire est pourtant une nécessité pour s'adapter aux exigences du marché et de la concurrence. Certaines entreprises ont pris beaucoup plus tôt en compte cette exigence et leur démarche de recherche de la qualité totale et de l'excellence est à présent tellement intégrée à la culture de l'entreprise qu'elle en est devenue totalement indissociable au point d'en constituer l'un des principes fondamentaux : c'est le cas, par exemple, de Hewlett Packard, d'IBM, de Procter et Gamble, d'American Express et de bien d'autres. De telles entreprises ont développé ce que nous appelons une logique du gagnant-gagnant, dont nous allons tenter de cerner les principaux éléments, par opposition à celle du donnant-donnant, que nous venons de décrire.

La logique du gagnant-gagnant et le système managinaire

Ce qui caractérise le plus, à notre sens, le nouveau mode de management introduit par le type d'entreprises que nous venons de citer, c'est la mise en place d'un processus de canalisation de l'énergie psychique individuelle au travers de systèmes conçus avec soin et parfaitement coordonnés entre eux, dans le cadre d'une logique d'ensemble du type gagnant-gagnant, dans laquelle la réussite – celle de l'individu et celle de l'entreprise – doit constituer la seule et unique perspective. Plus précisément, il s'agit de changer les modalités du rapport personnel que chacun entretient avec l'entreprise et de *produire l'adhésion* de tous par intériorisation des valeurs, des objectifs et de la logique de l'entreprise. Comme l'écrit très bien Philippe Messine[3], il s'agit avant tout d'« *abolir la distance entre le travailleur et l'entreprise*, démesurément élargie par le taylorisme. C'est une petite révolution copernicienne : pour que le travailleur ne soit pas *contre* l'entreprise, il faut qu'il

3. Ph. Messine, *Les Saturniens*, Paris, La Découverte, 1987.

cesse d'être *face* à elle ; il ne suffit pas qu'il soit *avec* elle, il faut désormais *qu'il se fonde en elle. Il faut qu'il devienne entreprise*[4], qu'il se sente participer de sa substance, qu'il y soit subjectivement, comme une partie du tout, comme un atome dans la matière ».

C'est ce processus de canalisation de l'énergie psychique et de réalisation d'une symbiose fusionnelle individu/organisation que nous appelons « système managinaire ». Précisons le contexte dans lequel il apparaît et détaillons-en les principaux éléments.

Du quantitatif au qualitatif

On a bien vu, dans le cas de Rank Xerox, le changement introduit par la substitution de la logique qualitative à la logique quantitative. La logique quantitative, c'est celle de la productivité dure (*hard productivity*), celle qu'induisent les machines. La logique qualitative, c'est celle de la productivité douce (*soft productivity*), fondée sur la matière grise (*soft*, c'est-à-dire immatérielle par analogie avec le *software* informatique). Dans l'univers de la productivité dure, ce qui est quantitatif s'impose à ce qui est qualitatif et le qualitatif doit être réduit au quantitatif. Ce qui compte, comme le souligne Hubert Landier[5], « c'est de sortir la production, quitte ensuite, en fin de parcours, à éliminer les malfaçons ». D'autre part, les systèmes techniques (installations, matériel) s'imposent aux réalités humaines : « L'homme doit s'adapter à la machine qui est une œuvre de la raison... le fonctionnement de l'entreprise, en tant que vaste mécanique, doit pouvoir être mathématiquement décrit ; tout ce qui est imprévisible, tout ce qui échappe au calcul résulte d'imperfections susceptibles d'être combattues, sinon éliminées. D'où il résulte que l'on fera confiance aux solutions techniques, rationnelles, quantifiables,

4. C'est nous qui soulignons.
5. H. Landier, *L'Entreprise polycellulaire, op. cit.*

beaucoup plus qu'à l'homme lui-même, dès lors que son comportement échappe aux prévisions[6]. »

L'univers de la productivité douce et la logique qualitative qui l'accompagne procèdent au contraire d'une organisation plus intelligente, d'une qualification meilleure, d'une information mieux répartie et surtout d'une volonté d'éliminer l'imprévisibilité humaine : d'où cette recherche d'une symbiose individu/organisation et d'une maîtrise des comportements, par la substitution d'une logique de l'*adhésion* à la logique de la stimulation héritée du taylorisme.

De la stimulation à l'adhésion

Toute la conception humaine du taylorisme (et de son héritage actuel, le néotaylorisme) repose en effet sur une logique pavlovienne fondée sur le schéma stimulus-réponse. Il s'agit de fournir à l'individu des stimulations externes pour obtenir de lui les réponses appropriées souhaitées par l'entreprise. Les formes de cette stimulation ont changé (depuis le salaire aux pièces cher à Taylor jusqu'aux innombrables primes, médailles et autre signes de reconnaissance fondés sur le principe de récompense), mais la logique est restée la même : celle de l'incitation comportementale par la distribution de ce qu'Hertzberg dénommait humoristiquement des « biscuits pour chiens ».

La logique de l'adhésion est tout autre et s'applique à créer la symbiose fusionnelle individu/organisation de deux façons. Sur le plan financier, pour que l'individu « devienne entreprise », on procède à la mise en place de formules d'autoactionnariat, qu'il s'agisse de la possibilité pour les travailleurs d'acheter à un tarif préférentiel des actions de leur entreprise ou bien de la distribution, à titre de récompense, de ces actions. Ce système est particulièrement développé chez Hewlett Packard, par exemple, qui affiche d'ailleurs quotidiennement

6. H. Landier, *op. cit.*

le cours des actions et renforce ainsi l'identification entre les objectifs individuels et les objectifs collectifs : en travaillant pour enrichir l'entreprise, c'est lui-même que le travailleur enrichit.

Sur le plan spirituel, la production de l'adhésion est recherchée dans la mise en place des chartes, projets d'entreprise et autres déclarations de principes et d'actions destinés à cimenter les valeurs, les objectifs et les signes de la communauté. Le fondement éthique de beaucoup de ces documents et leur ancrage dans un projet à finalité morale (fréquent dans les entreprises d'origine américaine plus marquées que les nôtres par l'éthique protestante) renforcent encore leur efficacité. Le travail acquiert la valeur d'un devoir envers la communauté (entreprise, région, patrie), *mais aussi envers soi-même* : en adhérant à de tels projets, on donne un sens à sa vie, on trouve une raison d'exister là où les systèmes traditionnels ne suffisent plus. Mais, plus encore, cette sollicitation des valeurs morales individuelles dans un projet collectif pose les bases d'un autocontrôle sans lequel ce type de système ne peut fonctionner.

Du contrôle externe au contrôle interne

La logique du taylorisme s'appuie sur un contrôle externe et de type répressif, une « dictadure », selon l'expression proposée par Philippe Messine [7]. Les changements technologiques introduits avec l'informatique n'ont pas modifié cette logique et, dans les entreprises néotayloristes que décrit Messine, celle-ci est poussée à l'extrême. Ainsi à ATT, où les opératrices ont, en travaillant, une préoccupation qui tourne à l'obsession : maintenir leur AWT (Average Working Time), c'est-à-dire le temps moyen de travail par appel : « La norme tourne autour de trente secondes. Jadis le superviseur devait être attentif, tourner dans le centre, surveiller, s'assurer que les

---

7. Ph. Messine, *op. cit.*

filles ne compromettaient pas l'AWT général en bavardant, en rêvant ou en s'abstenant indûment. Heureusement, le progrès technique est passé par là et a permis de perfectionner ce contrôle. Le superviseur n'a plus besoin d'être aux aguets... les ordinateurs sont là en permanence et leur attention ne peut pas être prise en défaut[8]. » Des bilans « quart-horaires » fournissent, tout au long de la journée, le nombre d'appels traités, le temps de travail moyen par appel, le nombre de réponses en retard et la vitesse de réponse, tandis que les performances de productivité individuelle de chaque employée peuvent être consignées, dans certains centres, sur un registre que chacun peut consulter.

Dans la logique du système managinaire, au contraire, il s'agit d'une dictature *soft* (une « dictamolle », selon Messine) qui vise plus à l'autocontrôle qu'au contrôle et à conditionner plutôt qu'à contraindre : « Il ne s'agit plus de " faire faire", mais de "faire vouloir" », il ne s'agit plus de régenter les gestes, mais les désirs, « non d'humaniser la norme, mais de normaliser l'homme », selon la formule de Robert Howard[9]. Chacun ayant fait siens les intérêts et les objectifs de l'entreprise, ainsi que le système des valeurs dans lequel elle s'inscrit, se montre le meilleur garant de leur bonne réalisation pour le salut de la communauté tout entière.

La logique du gagnant-gagnant et l'exigence du toujours plus

Avec la mise en place du système managinaire, on assiste à une modification de la logique du donnant-donnant que nous avons décrite tout à l'heure, qui laissait face à face des gagnants et des perdants, chacun recevant de l'entreprise à la mesure de ce qu'il lui avait donné en temps, en efforts, en travail. Le processus de « normalisation idéologique » et

8. Ph. Messine, *op. cit.*, p. 64
9. Cité par Ph. Messine, *op. cit.*

d'intériorisation des objectifs et des valeurs de l'entreprise intensifie la pression à la réussite qui pèse sur chacun et l'impossibilité de « décrocher » ou d'échouer. Ainsi que l'exprime un cadre de Hewlett-Packard, « les dirigeants ont tout fait pour que l'environnement dans lequel agit l'individu soit le plus gratifiant possible et le plus positif possible pour lui. Partant de ça, ça vous donne le droit uniquement à la réussite, c'est-à-dire que c'est gagnant-gagnant en termes de fonctionnement. Vous êtes *condamné au succès* ».

Cette exigence de succès est renforcée par les procédures internes mises en place qui inscrivent d'emblée l'individu dans une logique de dépassement permanent. Dans ce genre de système qui inscrit la quête de l'excellence au premier rang de ses principes, on exige en permanence de l'individu qu'il fasse toujours plus et qu'il aille toujours *au-delà* de ce qui lui est formellement demandé. La logique de l'excellence n'a pas de fin, ses exigences sont sans limites et l'appel au dépassement permanent de soi-même est ainsi l'un des principaux soubassements du système.

La conséquence en est une modification du coût psychologique assumé par l'individu, modification qui reflète le processus d'intériorisation dont nous parlions. On passe ainsi d'une réaction « simple » – le stress – à une réaction plus complexe : l'angoisse.

Du stress à l'angoisse

Le stress professionnel résulte, selon les tenants de la théorie de l'« ajustement »[10], d'un désajustement, d'une discordance entre les capacités d'une personne et les exigences de sa tâche ou encore entre les besoins de la personne et ceux qui peuvent être satisfaits par l'environnement. Il se traduit par une tenta-

---

10. French, Rogers et Cobb, « Adjustment as a Person-Environment Fit », in *Coping and Adaptation, Interdisciplinary perspective*, Coelho, Hamburg and Adams (éd.), New York, Basic Books, 1974.

tive d'adaptation de l'organisme aux nouvelles conditions ou aux nouvelles exigences de la tâche.

En schématisant un peu, on pourrait dire que le stress est la forme de pathologie induite par des systèmes simples, reposant sur une logique claire et comportant simplement la nécessité de faire face et de s'adapter aux diverses exigences de la situation du travail.

Ainsi, dans la culture du donnant-donnant que nous avons décrite plus haut, les individus vivent dans une sorte de sécurité de base : ils savent ce qu'on attend d'eux, sur quels résultats ils sont récompensés ou sanctionnés. Les signes de reconnaissance positifs ou négatifs sont définis clairement. Dans ce contexte, l'individu sait comment et pourquoi il réussit ou il échoue. Le coût psychologique du système, c'est le stress de la fin du mois, quand il faut obtenir les signatures pour atteindre le quota mensuel.

Avec l'exigence de la qualité et dans la logique du gagnant-gagnant, les données de la transaction entre l'individu et l'organisation sont complètement changées. La qualité, c'est flou, cela recouvre des données insaisissables, cela conduit à des comportements imprévisibles et contradictoires. On ne peut plus définir à l'avance ce qu'on doit faire. Cela laisse à l'individu une marge d'appréciation et d'incertitude sans qu'il connaisse *a priori* le résultat de son action : il peut échouer en croyant bien faire ; il peut réussir en s'abstenant d'agir ; il peut se tromper. Dans ce contexte, l'échec n'est pas obligatoirement une faute, la réussite n'est pas forcément la conséquence d'un meilleur rendement. La mesure des performances individuelles ne peut donc s'effectuer sur des éléments concrets, objectifs. Les résultats ne peuvent être quantifiés simplement.

Les motivations sollicitées ne sont plus principalement matérielles (argent) et concrètes (promotion). Elles cherchent à obtenir un investissement psychologique, une adhésion à un système de valeur : être performant, ce n'est plus faire du business, c'est rechercher la qualité totale, avoir zéro défaut et donc tendre vers un idéal de perfection.

Dans la logique du gagnant-gagnant, qui introduit l'impossibilité de l'échec et la nécessité du dépassement permanent de soi-même, l'individu est renvoyé continuellement à lui-même, dans une tension permanente entre son Moi et son Idéal du moi qui engendre un effort incessant du premier pour s'adapter aux exigences du second. Nous sommes ici très au-delà du schéma stimulus-réponse auquel renvoie la conception première du stress. Nous nous situons en fait dans le registre de l'angoisse qui résulte d'un conflit intrapsychique, c'est-à-dire, selon l'acception que rappelle Christophe Dejours [11], d'« une contradiction entre deux notions inconciliables. Il peut s'agir d'une opposition entre deux pulsions, entre deux désirs, entre deux systèmes (inconscient/conscient par exemple), entre deux instances » (Moi/Surmoi ou Moi/Idéal du moi comme dans le cas que nous décrivons). L'angoisse est ainsi, tout à la fois, le coût psychologique individuel de ce nouveau mode de management et le fondement même sur lequel il repose, son moteur, pourrait-on dire, puisque c'est de la tension existant entre le Moi de l'individu et son Idéal du moi articulé sur (et capté par) l'idéal de l'organisation que naît l'énergie psychique nécessaire à la réalisation des objectifs de l'entreprise.

Ce sont les dispositifs – organisationnels et psychiques – sur lesquels reposent les systèmes managinaires que nous décrivons dans notre troisième partie. Auparavant, nous allons tenter d'approfondir la logique du principe d'excellence qui sous-tend ces nouveaux modes de management.

11. Ch. Dejours, *Travail, usure mentale*, Paris, Le Centurion, 1980.

Des avatars de la logique du donnant-donnant

Le 9 janvier 1990, Daniel V., le meilleur chef des ventes chez Rank Xerox, prend son P-DG en otage. Après l'intervention de la police, ce dernier est grièvement blessé. Michel Henry fait le compte rendu de ce fait divers dans *Libération* (daté du mercredi 10 janvier 1990) :

> « Il faisait une fixation à l'encontre de la société, dira la substitut Requin. Tout ce qui lui arrivait – dette, divorce – était imputable à Rank Xerox. » Une chute d'autant plus rude que, en ce début des années 80, Daniel Vielle se sent sur la pente ascendante. Sacré meilleur chef de vente après dix ans chez Rank Xerox, il vient de gagner un superbe cadeau : un tour du monde. Mais il ne veut pas l'utiliser. Pas le temps : il veut faire du chiffre. « A partir de là, tout a dérapé », dit son avocate.
>
> Daniel Vielle négocie alors une compensation au voyage sacrifié, une sorte de « crédit-vacances ». « Il y a eu malentendu sur le montant de ce crédit, dit Mᵉ Chergui. Lorsqu'il a utilisé ce crédit et demandé le remboursement, Rank Xerox lui a répondu : cela n'entre pas dans le cadre des frais professionnels, il faut les justifier. » Mais Daniel Vielle a tiré des chèques, de montants variables : « 30 à 50 000 francs », dit l'avocate, qui précise : « Il sera plus ou moins poursuivi pour chèques sans provision. »
>
> Ce n'est pourtant pas ce motif que Rank Xerox invoquera pour s'en séparer. « Il a été licencié sur la base d'une « perte de confiance », formule qui permet à une société de ne pas révéler les véritables raisons du licenciement », dit Mᵉ Chergui. « En fait, ajoute-t-elle, sa manière de conduire les ventes ne convenait plus. » Daniel Vielle était, selon un ancien collègue, un gagneur. Il n'hésitait pas à enfoncer les portes. Trop peut-être.

Ce drame illustre la situation paradoxale dans laquelle se retrouve un gagneur lorsqu'il n'est plus soutenu par son organisation. Dans un premier temps, l'entreprise suscite, encourage et canalise l'agressivité, les vendeurs sont invités à être des battants, à développer leur capacité à forcer les portes. Le langage (battre la concurrence, prendre des marchés, monter au front, gagner la guerre économique...) exalte les personnalités agressives, l'esprit de commando, la conquête, la puissance et la gloire. L'évaluation des performances est conçue pour encourager le challenge permanent en suscitant une concurrence interne : il s'agit d'être le meilleur.

Daniel V. rentre entièrement dans ce système et il devient le meilleur. Il intériorise à ce point le système qu'il refuse la récompense au risque de ne plus faire son chiffre. C'est au moment où il arrive au bout que commence le dérapage. Si, comme le dit Polyeucte, « le désir s'accroît quand les faits se reculent » (Corneille), le fait d'être reconnu comme le meilleur tue le désir ou, pour le moins, le déstabilise. Et c'est à partir de ce moment que les choses vont s'inverser.

L'agressivité n'étant plus canalisée sur des objectifs de vente, elle se retourne soit contre l'individu lui-même, soit contre son entourage, soit sur l'entreprise elle-même. C'est ce qui se passe pour Daniel V., qui a le sentiment que l'entreprise n'a pas respecté la logique du donnant-donnant : il vient exiger ce qu'il estime lui être dû. Et son dû est à la hauteur des sacrifices qu'il a consenti pour devenir le meilleur, c'est-à-dire énorme, peut-être incommensurable.

L'exigence de Daniel V. devient d'autant plus impérieuse qu'il est soumis à une double contrainte : ses qualités qui étaient les raisons de son succès dans l'entreprise deviennent les raisons de son rejet. Lui qui était glorifié, admiré, donné en exemple comme fonceur, gagneur, battant... se retrouve mis au banc de la société. Les mêmes références qui étaient considérées comme positives deviennent négatives. On lui reproche d'être devenu ce qu'on lui avait demandé de devenir. C'est de sa réussite que vient son échec. Il n'est pas étonnant, dans ces conditions, qu'il « perde la boussole ».

DEUXIÈME PARTIE

La logique
de l'excellence

Il y a une passion si dévorante qu'elle ne peut se décrire. Elle mange qui la contemple. Tous ceux qui s'en sont pris à elle s'y sont pris. On ne peut l'essayer, et se reprendre. On frémit de la nommer : c'est le goût de l'absolu. On dira que c'est une passion rare, et même les amateurs frénétiques de la grandeur humaine ajouteront : malheureusement. Il faut s'en détromper. Elle est plus répandue que la grippe, et si on la reconnaît mieux quand elle atteint les cœurs élevés, elle a des formes sordides qui portent ses ravages chez les gens ordinaires, les esprits secs, les tempéraments pauvres. Ouvrez la porte, elle entre et s'installe. Peu importe le logis, sa simplicité. Elle est l'absence de résignation. Si l'on veut, qu'on s'en félicite, pour ce qu'elle a pu faire faire aux hommes, pour ce que ce mécontentement a su engendrer de sublime. Mais c'est ne voir que l'exception, la fleur monstrueuse, et même alors regardez au fond de ceux qu'elle emporte dans les parages du génie, vous y trouverez ces flétrissures intimes, ces stigmates de la dévastation qui sont tout ce qui marque son passage sur des individus moins privilégiés du ciel.

... Le goût de l'absolu... Les formes cliniques de ce mal sont innombrables, ou trop nombreuses pour qu'on se mette à les dénombrer. On voudrait s'en tenir à la description d'un cas. Mais sans perdre de vue sa parenté avec mille autres, avec des maux apparemment si divers qu'on les croirait sans lien avec le cas considéré, parce qu'il n'y a pas de microscope pour en examiner le microbe, et que nous ne savons pas isoler ce virus que, faute de mieux, nous appelons le goût de l'absolu...

Pourtant, si divers que soient les déguisements du mal, il peut se dépister à un symptôme commun à toutes les formes, fût-ce aux plus alternantes. Ce symptôme est une incapacité totale pour le sujet d'être heureux. Celui qui a le goût de l'absolu peut le savoir ou l'ignorer, être porté par lui à la tête des peuples, au front des armées, ou en être paralysé dans la vie ordinaire, et réduit à un négativisme de quartier ; celui qui a le goût de l'absolu peut être un innocent, un fou, un ambitieux ou un pédant, mais il ne peut pas être heureux. De ce qui ferait son bonheur, il exige toujours davantage. Il détruit par une rage tournée sur elle-même ce qui serait son contentement. Il est dépourvu de la plus légère aptitude au bonheur. J'ajouterai qu'il se complaît dans ce qui le consume. Qu'il confond sa disgrâce avec je ne sais quelle idée de la dignité, de la grandeur, de la morale, suivant le tour de son esprit, son éducation, les mœurs de son milieu. Que le goût de l'absolu en un mot ne va pas sans le vertige de l'absolu...

Louis ARAGON, *Aurélien*
(Paris, Gallimard, 1944)

La logique de l'excellence, dont nous allons parler, est au cœur de ce texte.

Le goût de l'absolu, si bien dépeint par Aragon, se retrouve dans cette quête d'un « absolu de soi-même » qui nous paraît être la forme contemporaine la plus caractéristique de la recherche de l'excellence.

Le processus du chaos qui fait l'objet du second chapitre de cette partie apparaît alors comme une perversion de la quête de l'excellence, ou plus exactement comme la forme névrotique de celle-ci quand l'individu (ou l'entreprise) tourne à vide, débordé par les affres de l'angoisse qui sous-tend cette quête.

CHAPITRE 3

La quête de l'excellence ou le royaume de Dieu dans l'entreprise

La valeur excellence

Avec la publication, en 1981 et 1985, des deux best-sellers américains, *Le Prix de l'excellence* et *La Passion de l'excellence*, l'entreprise s'est approprié un concept jusque-là plus ou moins rattaché au registre scolaire : le prix d'excellence de notre enfance est devenu celui *de* l'excellence, de la valeur excellence, valeur suprême parmi les autres et qui les contient toutes, ou plutôt niveau suprême de la mesure des choses ou des êtres puisqu'elle désigne et exalte celui ou celle qui est en haut de l'échelle.

La publication de ces ouvrages et surtout leur audience parmi les cadres constituent déjà en soi un symptôme des mutations dont nous parlions plus haut. Mais surtout, ce passage dans le registre économique a donné au concept d'excellence une force nouvelle et, depuis, il fait boule de neige. Dans le monde de l'entreprise, d'abord, où chacun tente peu ou prou de se mettre à l'école de l'excellence : celle-ci est devenue le maître mot des projets d'entreprise, le but auquel toute entreprise soucieuse de finalité doit parvenir, le *nec plus ultra* de l'entreprise performante. Dans l'univers culturel, ensuite, où le thème de l'excellence devient un thème de société : en témoignent le numéro spécial consacré par la revue

Autrement à l'analyse de cette notion[1] ou l'étude de sa mise en application dans plusieurs ouvrages qui ne concernent pas seulement le management : ainsi *La Génération de l'excellence*[2], consacrée à la catégorie professionnelle des « cols d'or », ou bien *La Recherche de l'excellence en France*[3], ou encore *L'excellence est à tout le monde*[4], dans lequel le proviseur du meilleur lycée de France (Louis-le-Grand !...) opère la réintégration dans le système scolaire d'un concept qui y était longtemps resté confiné.

Mais l'extraordinaire succès du concept d'excellence – dans le domaine de l'entreprise et, plus largement, dans tous les domaines de la vie en société – est révélateur d'un glissement dans le sens du mot. Celui-ci, qui s'appliquait d'abord plutôt à l'*être* et désignait une qualité intrinsèque (un « excellent élève », une « excellente personne »), en vient maintenant à caractériser le *faire* : il s'agit de *faire mieux que les autres*, d'arriver au sommet, d'accomplir un exploit dans quelque domaine que ce soit, sportif, télévisuel, artistique ou professionnel. De la survie un mois au pôle Nord aux performances à Roland-Garros, en passant par les oscars du cinéma, les molières du théâtre et les sept d'or de la télévision ou de la publicité, l'excellence est associée à l'exploit, au fait de sortir du lot et de se distinguer en faisant toujours plus, toujours plus vite, toujours mieux...

C'est bien pourquoi d'ailleurs ce concept, relancé par l'entreprise, a pris une dimension nouvelle, à l'image du rôle nouveau qu'elle assume. En effet, si le regain d'actualité que connaît cette valeur lui a été conféré par l'entreprise, c'est parce que celle-ci n'est plus seulement l'expression d'un mode d'action économique, elle n'est plus seulement le lieu d'accumulation du capital, elle est aussi à l'origine d'une manière

1. « L'excellence : une valeur pervertie ? », in *Autrement*, nº 86, janvier 1987.

2. R. Kelley, *La Génération de l'excellence*, Paris, Businessman/Albin Michel, 1986.

3. J.-P. Pages, D. Turcq, M. Bailly, G. Foldes, *La Recherche de l'excellence en France*, Paris, Dunod, 1987.

4. P. Deheuvels, *L'excellence est à tout le monde ; libres propos sur l'éducation*, Paris, Robert Laffont, 1988.

d'être nouvelle dans la société. Tout comme jadis l'école ou l'Église, l'entreprise diffuse aujourd'hui ses propres valeurs et développe un modèle culturel de comportement, une manière d'être et de vivre, articulés autour des valeurs d'action, de conquête, de performance, de réussite... et d'excellence, qui sont les siennes. Nous devenons en quelque sorte, selon la belle expression d'A. Ehrenberg[5], les « entrepreneurs de notre propre vie », avec la même nécessité de performances (amoureuse, professionnelle, sexuelle, sportive...), la même obligation de réussite tous azimuts, voire la même quête d'excellence sur tous les registres.

Si l'excellence est ainsi devenue un mot clef du langage d'aujourd'hui, c'est, comme le souligne bien E. Van der Meersch[6], parce qu'elle traduit exactement les normes et les principes de fonctionnement de notre civilisation contemporaine : primat de la réussite, rapidité des évolutions, conscience de la précarité, langage collectif qui est celui des médias. On pourrait ajouter qu'elle correspond aussi à une nécessité économique.

Pour le comprendre, il nous faut dégager et analyser les racines et la logique de l'excellence tant sur le plan économique que sur le plan social.

Le stade suprême de l'individualisme

Si l'on regarde l'étymologie du terme, excellence vient du latin *excellentia*, du verbe *excellere*, qui signifie sortir du lot, dépasser, l'emporter sur. On voit donc bien là que cette notion ne renvoie pas à une valeur ou à une qualité particulière, mais

---

5. A. Ehrenberg, « Héroïsme, une valeur socialement transmissible », in *Autrement*, n° 86, *op. cit.* Voir aussi Vincent de Gaulejac, « Modes de production et management familial », in *Le Sexe du pouvoir*, Paris, Épi, 1986.
6. Éd. Van der Meersch, « Résistance au temps ou vitesse de notoriété », in *Autrement*, n° 86, janvier 1987.

seulement à un niveau exceptionnel de la qualité ou de la valeur dans l'ordre de la chose considérée. C'est là son premier sens qui s'appuie sur la comparaison avec les autres : est excellent celui qui sort du commun, celui qui émerge, celui qui l'emporte sur les autres. L'excellence n'est donc pas – dans cette première conception – une valeur, elle est l'expression de la valeur suprême, « valeur parmi les valeurs ou plutôt la valeur des valeurs » (Van der Meersch).

Mais le sens du concept, là encore, s'est infléchi avec le temps : à l'excellence d'antan qui se définissait comme la capacité de résistance et de permanence face au temps qui s'écoule, comme « ce qui émergeait du flux des années », a succédé une logique d'excellence radicalement opposée, marquée du sceau de la technologie moderne, de la production de masse et de la vitesse de communication. Si l'excellence consiste toujours à se distinguer hors du lot commun, elle ne s'affirme plus dans la durée : « La prééminence sur le plus grand nombre de compétiteurs ou de concurrents s'affirme rapidement et dure peu de temps... Il s'agit d'une réussite instantanée, très marquée de précarité. L'excellence s'identifie plus à la performance d'un instant ou à la réussite du moment qu'à une valeur profonde ou durable... Elle est la version savante du livre des records, la traduction quasi littérale du franglais "top niveau", l'équivalent adulte du "c'est super" » (Van der Meersch).

Mais on voit bien, dans ce glissement historique, les deux nuances qui s'attachent à ce thème : dans la première acception – celle d'antan –, l'excellence, consacrée par les années, finit par devenir une valeur proche de la perfection ; elle est la qualité intrinsèque de ce qui est tellement bon, tellement parfait – en soi et non par rapport aux autres – qu'elle résiste au temps qui passe, érode et détruit. Dans la seconde acception, au contraire, l'excellence est plus proche de son sens étymologique, elle n'est qu'une échelle, elle exalte celui qui est en haut et à ce titre elle est donc essentiellement et avant tout *éphémère*, toujours remise en question par une excellence plus grande, une performance plus importante, un exploit plus spectaculaire.

Exceller, c'est donc l'emporter sur les autres avec la précarité que cela comporte, mais c'est aussi l'emporter sur soi-même : « Rechercher l'excellence, c'est vouloir se surpasser, s'approcher de la perfection, se vaincre soi-même, à la manière de l'alpiniste qui tente le plus haut sommet, de l'athlète qui veut battre son propre record, du chercheur ou de l'artiste qui veulent s'approcher plus encore de ce qu'ils croient être la vérité ou la beauté[7]. » Cette excellence qui se traduit par la conquête personnelle est bien à l'image de notre société et de l'individualisme qui la caractérise. Elle est l'expression de ce « stade suprême de l'individualisme[8] » auquel nous sommes parvenus.

L'excellence devient en effet – comme le montre bien J. Roman – une fin autonome, une fin en soi : il ne s'agit plus de réussir à bien faire telle ou telle chose en fonction de normes liées à cette activité elle-même, mais de faire preuve sous n'importe quel prétexte d'excellence individuelle. En ce sens, l'excellence est à l'image de nos sociétés contemporaines marquées par l'éclatement des valeurs collectives et des normes sociales et par l'affirmation corrélative de l'individu. Reprenant l'opposition établie par Dumont entre holisme et individualisme, Roman montre bien comment, dans les sociétés holistes, l'excellence est socialement définie et strictement normée : accéder au sommet de la hiérarchie sociale, c'est exceller dans l'activité qui la légitime et la fonde, qu'elle soit guerrière, religieuse ou économique. Au contraire, dans nos sociétés où la montée de l'individualisme s'accompagne d'une dispersion des représentations collectives et d'un déclin des hiérarchies stables qui leur sont liées, on a vu émerger d'autres formes d'activités disposant de leurs propres critères d'excellence (les sciences, les arts, le sport) qui sont venues inquiéter les hiérarchies traditionnelles.

Puis le mouvement s'est infléchi vers une contestation des fondements de l'ordre social : les hiérarchies sociales n'étant

7. Ph. Perrenoud, « Sociologie de l'excellence ordinaire », in *Autrement*, n° 86, *op. cit.*

8. J. Roman, « Excellence, individualisme et légitimité », in *Autrement*, n° 86, *op. cit.*

plus fondées en nature ou dans quelque ordre transcendant se sont assouplies et ont dû trouver d'autres modes de légitimation. Telle a été, selon J. Roman, l'une des principales fonctions assumées tout au long du XIXᵉ siècle par la construction de l'appareil scolaire qui permettait de gérer la mobilité sociale et d'en légitimer les critères. C'est ainsi que l'excellence scolaire est devenue pour un temps « l'aune privilégiée à laquelle mesurer toutes les autres formes d'excellence[9] ».

L'absolu de soi-même

Mais cet équilibre s'est aujourd'hui défait. L'éclatement des valeurs traditionnelles et le refus des normes sociales héritées s'accompagnent dès lors d'une quête de l'identité fondée sur la *revendication d'une autonomie individuelle absolue* et sur une idéologie de la réalisation de soi. Être le meilleur devient alors « l'impératif catégorique de notre temps sans qu'aucun champ d'excellence puisse être assigné comme privilégié... L'excellence devient synonyme d'*accomplissement de l'individu* qui reste la seule fin que nous puissions nous proposer[10] ». On assiste à une « promotion de l'excellence individuelle » où aucune fin transcendante ne s'impose plus, mais où, au contraire, la vie même de l'individu devient la fin poursuivie. Chacun étant « l'entrepreneur de sa propre vie » et devant donc, à ce titre, la faire fructifier comme on fait d'un capital que l'on possède, l'excellence est alors la forme suprême de réussite et d'accomplissement de cette entreprise.

De ces multiples nuances que le temps et l'évolution sociale lui ont conférées, le concept d'excellence garde la trace : il ne désigne pas seulement « ce qui est en haut de l'échelle », quel qu'en soit le domaine, il n'est pas seulement l'expression directe des valeurs de concurrence et de compétition tous

9. J. Roman, *op. cit.*
10. *Ibid.*

azimuts qui forment la trame des rapports sociaux, il garde aussi en son fond « le besoin de symboliser par l'exception une sorte de transcendance [11] ». En ce sens, il a à voir avec l'absolu, avec une perfection qui n'est pas de ce monde, dans une démarche de nature un peu religieuse qui chercherait à faire passer dans nos tentatives de surpassement personnel quelque chose de l'excellence ou de la perfection divine. Le succès actuel du concept et sa généralisation pourraient alors s'expliquer par le fait que la notion d'excellence viendrait combler un manque : manque d'absolu, manque de Dieu, manque d'un référent ultime. L'excellence, en proposant, par une quête permanente de dépassement de soi et des autres, une forme d'absolu, serait alors une façon de combler ce manque.

Mais l'Absolu ainsi poursuivi est en quelque sorte un *absolu de soi-même*, et c'est précisément ce qui rend la recherche d'excellence redoutable, voire mortifère. Redoutable, dès qu'elle devient normative et didactique. Dangereuse, parce qu'elle a à voir avec ce que Louis Aragon appelait le « goût de l'Absolu » et qu'il décrivait dans *Aurélien* comme une terrible maladie, une passion dévorante qui « mange » celui qui la contemple, qui « prend » ceux qui s'y sont pris [12]. Mortifère, enfin, parce que le culte de soi-même, l'« héroïsation de soi-même » qu'elle sous-tend désormais condamne celui qui la poursuit à n'aimer, tel Narcisse, que l'image de lui-même : « C'est l'erreur mortelle du narcissisme que de vouloir [...], au moment de choisir entre soi-même et son double, donner la préférence à l'image. Le narcissique souffre de ne pas s'aimer : il n'aime que sa représentation [13]. »

N'est-ce pas pour toutes ces raisons, d'ailleurs, que Georges Dumézil déclarait dans une interview réalisée quelques mois avant sa mort que, pour lui, au fond, « l'idéal de l'homme, c'est le contraire de l'homme excellent ; [c'est] l'homme qui

11. M. Guillaume, « L'excellence sacrificielle », in *Autrement*, n° 86, *op. cit.*

12. L. Aragon, *Aurélien*, Paris, Gallimard, 1944.

13. Cl. Rosset, *Le Réel et son Double*, Paris, Gallimard, 1976. Cité par Marc Guillaume, « L'excellence sacrificielle », in *Autrement*, n° 86, *op. cit.*

sent son provisoire et ses limites, à savoir qu'il n'est pas excellent [14] » ?

Mais si nous avons ainsi retracé l'histoire et la palette de sens du concept d'excellence, ainsi que ses limites, il nous reste à voir quelles en sont les spécificités quand il s'applique aux organisations. Quelles sont les raisons d'être de l'excellence dans le domaine économique et quelle est la logique interne qui sous-tend le principe d'excellence dans l'entreprise ?

A la recherche de l'excellence dans l'entreprise

Si l'entreprise s'est emparée du concept d'excellence, c'est en référence à un contexte bien précis. Là encore, l'emploi du terme n'est pas nouveau, puisque plusieurs entreprises – nord-américaines notamment – l'avaient inscrit depuis longtemps au premier rang de leurs principes fondateurs. Ce qui est nouveau, c'est la généralisation du terme et son adoption par de nombreuses entreprises avec la même ferveur que celle avec laquelle elles avaient accueilli l'introduction des cercles de qualité et la recherche de la qualité totale.

Cette généralisation à tout crin du concept d'excellence recouvre en fait la fusion de deux courants dont l'origine et le fondement étaient au départ assez distincts : l'éthique du protestantisme et la recherche de la qualité.

L'éthique protestante

Le premier courant constitue ce que l'on pourrait considérer comme l'héritage de ce que Max Weber avait si bien décrit comme l'« éthique protestante » dans ses rapports avec l'« es-

14. Entretien avec G. Dumézil, in *Autrement*, n° 86, *op. cit.*

77

prit du capitalisme »[15]. Ce premier courant est très prégnant dans certaines entreprises nord-américaines encore très marquées par les attitudes et les principes moraux hérités de l'éthique protestante : IBM, Procter et Gamble, Digital Equipment, American Express en sont des exemples particulièrement nets.

Rappelons les principaux éléments de la démonstration de Max Weber. Frappé par le fait que, dans l'Allemagne du début du siècle composée en parties sensiblement égales de catholiques et de protestants, les chefs d'entreprise, les détenteurs de capitaux et le personnel technique et commercial hautement qualifié des entreprises modernes étaient en grande majorité protestants, Weber avait entrepris d'expliquer ce phénomène en opérant un rapprochement entre l'*éthique* du protestantisme et l'*esprit* du capitalisme. Il avait montré que ce qui caractérisait alors l'esprit capitaliste, c'était, d'une part, le désir d'accumuler toujours davantage (ce qui aboutissait à une volonté de production indéfinie), d'autre part, une austérité de comportement proche de l'ascétisme. Le propre de l'entrepreneur capitaliste était cette contradiction apparente entre un désir d'accumuler sans fin, sans limites, engendrant un travail sans relâche, et un certain ascétisme, une crainte de la dépense inutile et du paraître. Loin de chercher à profiter de son argent et à tirer des avantages de sa richesse, l'entrepreneur capitaliste semblait au contraire animé seulement par le sentiment apparemment irrationnel d'avoir bien fait sa besogne et d'avoir accompli sa vocation.

C'est sur ces derniers points que Weber avait opéré un rapprochement avec les fondements de la théologie et de la morale calvinistes, tels qu'il les avait retrouvés dans le texte fondateur de la doctrine : la *Confession de Westminster* (1647). D'après ce texte, le Dieu absolu et transcendant qui a créé le monde et le gouverne est incompréhensible et insaisissable à l'esprit des hommes. Or ce Dieu tout-puissant et mystérieux a prédestiné chaque homme au salut ou à la damnation sans que

15. M. Weber, *L'Éthique protestante et l'Esprit du capitalisme*, Paris, Plon, 1969.

ce décret pris d'avance puisse être modifié. Cependant, chaque homme, qu'il doive être sauvé ou damné, a pour devoir de travailler à la gloire de Dieu et de créer le royaume de Dieu sur terre. Enfin, les choses terrestres, la nature humaine, la chair appartiennent à l'ordre du péché et de la mort et le salut ne peut intervenir pour l'homme que par la grâce divine.

Que peut et que doit alors faire l'homme dans un monde interprété de cette manière, ignorant s'il est destiné au salut ou à la damnation éternelle ? Weber montre comment, pour surmonter cette incertitude, les calvinistes s'étaient alors efforcés de chercher en ce monde les signes de leur élection : ce signe, c'était la réussite et ils trouvaient ainsi dans le succès temporel, éventuellement le succès économique, la preuve du choix de Dieu. L'individu était alors poussé au travail afin de réussir et ainsi de surmonter l'angoisse dans laquelle l'entretenait l'incertitude de son salut.

Weber souligne le rôle des pasteurs dans cette attitude : confrontés aux tourments engendrés dans l'âme des croyants par la doctrine calviniste, ils avaient fini par élaborer deux types de conseils. D'une part, se considérer comme élu constituait un devoir et toute espèce de doute à ce sujet devait être repoussée comme tentation du démon, car une insuffisante confiance en soi découlait d'une foi insuffisante, c'est-à-dire d'une insuffisante efficacité de la grâce. D'autre part, afin d'arriver à cette confiance en soi, le travail sans relâche dans un métier était expressément recommandé comme le moyen le meilleur, car cela, et cela seul, dissipe le doute religieux et donne la certitude de la grâce : c'est l'activité temporelle sans relâche qui est capable de donner cette certitude et qui constitue le moyen approprié pour réagir contre les sentiments d'angoisse religieuse.

Ainsi, un travail rationnel, régulier et constant finit par être interprété comme l'obéissance à un commandement de Dieu et la réussite obtenue par un travail incessant est alors un signe de l'élection divine.

Weber souligne également la rencontre qui s'opère entre certaines exigences de la logique théologique et calviniste et certaines exigences de la logique capitaliste. En effet, la morale protestante commande au croyant de se méfier des biens du monde et d'adopter un comportement ascétique. Or, et c'est là que l'on comprend l'importance économique de cette disposition éthique, travailler rationnellement en vue du profit, tout en ne dépensant pas le profit, est une conduite nécessaire au développement du capitalisme, car elle permet, justement, un continuel réinvestissement du profit non consommé. C'est ici que s'opère avec la plus grande clarté l'affinité spirituelle qui existe entre l'attitude protestante et l'attitude capitaliste : le capitalisme implique en effet, outre l'organisation rationnelle du travail, que la plus grande part du profit ne soit pas consommée, mais épargnée, afin de permettre le développement des moyens de production. L'éthique protestante fournit ainsi une explication et une justification à cette conduite étrange, jamais apparue jusque-là dans l'histoire, consistant en une recherche du profit le plus élevé possible non pas pour jouir des douceurs de l'existence, mais pour la seule satisfaction de produire toujours plus (afin, ce faisant, d'apaiser ainsi l'angoisse religieuse).

On voit combien, dans cette démarche, éthique personnelle et travail acharné sont inextricablement mêlés. Réussite professionnelle et salut individuel appartiennent au même registre. Travailler, réussir, être le meilleur, exceller toujours plus dans son travail s'enracinent dans une même démarche visant à conjurer une angoisse existentielle. L'excellence est alors, dans cette acception, l'expression conceptuelle de cette spirale et de cette quête indéfinies d'un toujours plus et toujours mieux sur le double registre, étroitement fusionné, de la vie personnelle et de la vie professionnelle. Or c'est exactement cette démarche qui caractérise les entreprises nord-américaines dont nous parlions plus haut et dont nous approfondirons plus loin les fondements idéologiques. Tel est le premier courant fondateur du management par l'excellence.

Parabole des talents

On trouve dans la parabole des talents (Évangile selon saint Matthieu, XXV 14-30) l'un des soubassements de la démarche que nous décrivons. La parabole des talents est l'une des références majeures du calvinisme : celui qui ne fait pas fructifier son capital sera damné. Celui qui, au contraire, le fait fructifier « entre dans la joie du Seigneur ».

« C'est comme un homme qui, partant pour l'étranger, appela ses serviteurs et leur confia sa fortune[15]. A l'un il remit cinq talents, deux à un autre, un seul à un troisième, à chacun selon ses capacités, et puis il partit. Aussitôt[16] celui qui avait reçu les cinq talents alla les faire produire et en gagna cinq autres[17]. Pareillement celui qui en avait reçu deux en gagna deux autres[18]. Mais celui qui n'en avait reçu qu'un s'en alla faire un trou en terre et enfouit l'argent de son maître[19]. Après un long délai, le maître de ces serviteurs arrive et il règle ses comptes avec eux[20]. Celui qui avait reçu les cinq talents s'avança et présenta cinq autres talents : "Seigneur, dit-il, tu m'as confié cinq talents : voici cinq autres talents que j'ai gagnés[21]." – "C'est bien, serviteur bon et fidèle, lui dit son maître, en peu de choses tu as été fidèle, sur beaucoup je t'établirai ; entre dans la joie de ton seigneur[22]." Vint ensuite celui qui avait reçu deux talents : « Seigneur, dit-il, tu m'as confié deux talents : voici deux autres talents que j'ai gagnés[23]." "C'est bien, serviteur bon et fidèle, lui dit son maître, en peu de choses tu as été fidèle, sur beaucoup je t'établirai ; entre dans la joie de ton seigneur[24]." Vint enfin celui qui détenait un seul talent : "Seigneur, dit-il, j'ai appris à te connaître pour un homme âpre au gain : tu moissonnes où tu n'as point semé, et tu ramasses où tu n'as rien répandu[25]. Aussi, pris de peur, je suis allé enfouir ton talent dans la terre : le voici, tu as ton bien[26]." Mais son maître lui répondit : "Serviteur mauvais et paresseux ! tu savais que je moissonne où je n'ai pas semé, et que je ramasse où je n'ai rien répandu[27] ? Eh bien ! tu aurais dû placer mon argent chez les banquiers, et à mon retour j'aurais recouvré mon bien avec un intérêt[28]. Enlevez-lui donc son talent et donnez-le à celui qui a les dix talents[29]. Car à tout homme qui a, l'on donnera et il aura du surplus ; mais à celui qui n'a pas, on enlèvera même ce qu'il a[30]. Et ce propre à rien de serviteur, jetez-le dehors, dans les ténèbres : là seront les pleurs et les grincements de dents." »

Conseils indispensables
à celui qui veut devenir riche

Pour illustrer la mentalité capitaliste, Max Weber cite le texte de Benjamin Franklin Conseils indispensables à celui qui veut devenir riche, *dans lequel l'auteur prône un certain ascétisme, le travail sans relâche, la crainte de la dépense inutile et du paraître.*

Souviens-toi que le *temps*, c'est de l'*argent*. Celui qui, pouvant gagner dix shillings par jour en travaillant, se promène ou reste dans sa chambre à paresser la moitié du temps, bien que ses plaisirs, sa paresse ne lui coûtent que six pence, celui-là ne doit pas se borner à compter cette seule dépense. Il a dépensé en outre, jeté plutôt, cinq autres shillings.

Souviens-toi que le *crédit*, c'est de l'*argent*. Si quelqu'un laisse son argent entre mes mains alors qu'il lui est dû, il me fait présent de l'intérêt ou encore de tout ce que je puis faire de son argent pendant ce temps. Ce qui peut s'élever à un montant considérable si je jouis de beaucoup de crédit et que j'en fasse bon usage.

Souviens-toi que l'argent est, par nature, *générateur et prolifique*. L'argent engendre l'argent, ses rejetons peuvent en engendrer davantage, et ainsi de suite. Cinq shillings qui travaillent en font six, puis se transforment en sept shillings trois pence, etc., jusqu'à devenir cent livres sterling. Plus il y a de shillings, plus grand est le produit chaque fois, si bien que le profit croît de plus en plus vite. Celui qui tue une truie en anéantit la descendance jusqu'à la millième génération. Celui qui assassine (*sic*) une pièce de cinq shillings détruit tout ce qu'elle aurait pu produire : des monceaux de livres sterling.

Souviens-toi du dicton : *Le bon payeur est le maître de la bourse d'autrui.* Celui qui est connu pour payer ponctuellement et exactement à la date promise peut à tout moment et en toutes circonstances se procurer l'argent que ses amis ont épargné. Ce qui est parfois d'une grande utilité. Après l'assiduité au travail et la frugalité, rien ne contribue autant à la *progression* d'un jeune homme dans le monde que la ponctualité et l'équité dans ses affaires. Par conséquent, il ne faut pas conserver de l'argent emprunté une heure de plus que le temps convenu ; à la moindre déception, la bourse de ton ami te sera fermée pour toujours.

Il faut prendre garde que les actions les plus insignifiantes peuvent influencer sur le *crédit* d'une personne. Le bruit de ton marteau à 5 heures du matin ou à 8 heures du soir, s'il parvient à ses oreilles, rendra ton créancier accommodant six mois de plus : mais s'il te voit jouer au billard, ou bien s'il entend ta voix dans une taverne alors que tu devrais être au travail, cela l'incitera à te réclamer son argent dès le lendemain ; il l'exigera d'un coup, avant même que tu l'aies à ta disposition pour le lui rendre.

Cela prouve, en outre, que tu te souviens de tes dettes : *tu apparaîtras comme un homme scrupuleux et honnête*, ce qui augmentera encore ton crédit.

> Benjamin Franklin, *Advice to a Young Tradesman* (écrit en 1748), éd. Sparks, II, p. 87 *sq.* (les italiques figurent dans le texte de Franklin cité par M. Weber, *op. cit.*, p. 46-48).

De la qualité à l'excellence

Le second courant est, quant à lui, plus strictement économique. Il résulte de la nécessité dans laquelle se sont retrouvées les entreprises actuelles de mettre tous leurs moyens en œuvre pour faire face à l'intensification de la concurrence à laquelle elles sont soumises. Cette nécessité est la conséquence directe des divers « chocs[16] » qui ébranlent de l'extérieur et de l'intérieur l'entreprise contemporaine. Le premier est celui de la mondialisation de l'économie qui implique un élargissement tant de la consommation que de la concurrence. D'une part, comme le souligne bien Hervé Serieyx, le nombre de consommateurs potentiels d'un seul et même produit s'est considérablement accru du fait d'une uniformisation des modes de consommation. D'autre part, la concurrence au niveau des fabricants s'est elle aussi intensifiée et les fabricants européens de tel ou tel produit sont désormais en compétition avec leurs homologues asiatiques ou sud-américains. Les plus importants fabricants de whisky écossais, par exemple, sont japonais. De même, la concurrence des Coréens, qui fabriquent des voitures

---

16. H. Serieyx, « Les identités du troisième type », conférence prononcée au séminaire Culture et identité d'entreprise, Collège international de philosophie, 1988.

moins coûteuses tout en respectant les impératifs du zéro défaut, menace sérieusement les constructeurs japonais et, *a fortiori*, les Occidentaux.

Le second choc, tel que le souligne Serieyx, provient de l'inversion des rapports de l'offre et de la demande qui s'est produite dans les années soixante-dix. L'offre a en effet été multipliée du fait de l'entrée sur le marché des « nouvelles économies industrielles » (Taiwan, Hong-kong, Singapour, Corée du Sud...) et, de ce fait, la demande des consommateurs, n'ayant plus que l'embarras du choix, s'est faite plus exigeante. L'exigence de qualité, d'une qualité non pas seulement technique mais totale, s'est ensuivie avec toutes les formes qu'elle a prises depuis les cercles de qualité jusqu'à la mise en place des TQCS (Total Quality Control System), en passant par la poursuite des cinq zéros prônés par Archier et Serieyx (zéro panne, zéro délai, zéro défaut, zéro stock, zéro papier).

Il faut noter d'ailleurs ici la déviation de sens qui s'est produite dans la traduction par le concept de « qualité totale », au sens de « qualité sans défaut », des idéogrammes japonais signifiant littéralement « qualité ensemble », au sens de « qualité tous ensemble » [17]. Transparaît ici la différence de philosophie qu'il peut y avoir entre la mise en œuvre du TQCS dans les entreprises japonaises et son application dans les entreprises occidentales.

Quoi qu'il en soit, des deux côtés de l'océan, l'impératif est le même : l'exigence d'une qualité absolue est impérative pour la survie économique des entreprises, et cette exigence passe par la mobilisation de tous. Ce n'est plus seulement la mobilisation des corps qui correspondait aux exigences de l'époque taylorienne, ou celle des cœurs prônée à l'époque du mouvement des relations humaines, qui est ici en cause. *C'est la mobilisation totale de l'individu qu'il s'agit d'obtenir*, c'est non seulement son énergie physique et affective, mais aussi son énergie psychique qu'il s'agit de capter. L'entreprise devient ainsi un centre de « canalisation énergétique » : « Toutes les

---

17. Cf. sur ce point H. Landier, « Management : la nouvelle langue de bois », *Notes de conjoncture sociale*, mars 1988.

énergies disponibles doivent être *exploitées* par l'organisation, contrôlées par une autorité et intégrées aux systèmes et aux compétences afin de lui permettre d'atteindre ses objectifs. Plus il y a d'énergies rassemblées et exploitées, plus elles sont contrôlées et dirigées, meilleure est la productivité de l'organisation et la force qu'elle génère », écrivent Harmon et Jacobs, réfléchissant sur les secrets des meilleures entreprises américaines [18]. Mais, pour canaliser ces énergies hautement spécialisées, il faut mettre en œuvre des systèmes conçus avec soin : « Ces systèmes sont justement coordonnés entre eux et s'intègrent parfaitement à la structure et au fonctionnement de l'organisation. L'organisation, telle une lentille focale, permet à ces énergies de converger vers la réalisation de l'objectif prioritaire de l'entreprise : intégrer certains principes, poursuivre une mission et atteindre le but fixé. » La perfection de ces systèmes est atteinte lorsque l'entreprise arrive à créer une sorte d'homologie psychique entre elle et l'individu. On retrouve bien ce souhait de « fusion psychique » dans le passage suivant de Harmon et Jacobs : « Chez l'individu, l'orientation est déterminée par les principes, les motivations et les objectifs qui constituent le cœur de la personnalité que les psychologues appellent le "moi" ou la psyché. Toute entreprise a un *centre psychique* qui est constitué de convictions, principes, attitudes et de résultats à atteindre qui déterminent ses objectifs à court ou long terme. La structure, l'organisation hiérarchique de l'autorité, comme le caractère et la volonté chez l'individu, permettent *d'exploiter les énergies disponibles* et de les mettre au service des objectifs de la société. *Les systèmes dont elle est dotée, comme les traits de caractère d'un individu, sont les canaux à travers lesquels l'énergie circule*, les moyens habituels utilisés par l'organisation pour remplir ses différentes tâches. Ses compétences sont les moyens par lesquels elle *filtre les énergies* dont elle dispose afin qu'elles se concrétisent sous forme d'actions précises et pondérées. Tous ces éléments (convictions, valeurs, missions, attitudes, objectifs, structures,

18. Fr. Harmon et G. Jacobs, *Le Secret des meilleures entreprises américaines*, Paris, Businessman/Albin Michel, 1987.

autorités, systèmes et compétences) sont des composantes de *la personnalité de l'entreprise*[19], qui possède également une entité physique, c'est-à-dire des bâtiments, des machines, ainsi que d'autres biens matériels[20]. »

Cette nécessité où se trouvent les entreprises de capter – pour des raisons économiques – l'énergie psychique de leurs employés rencontre alors un phénomène sociologique dont nous avons déjà parlé et qui caractérise la société contemporaine : celui de la dilution des valeurs, de l'éclatement des structures traditionnelles (famille, Église...) qui canalisaient la vie des individus, celui de l'affaiblissement des grands systèmes de sens (religieux ou idéologiques) et du rejet par cette société d'une conception de la transcendance comme « suprahumaine ».

Comme le montre Yves Barel[21], le problème de la transcendance ne se traite plus désormais « aux hauteurs sublimes de la Nation, de l'Humanité, du Monde quand ce n'est pas le métasocial et le métahumain ». Il se pose à présent dans l'ordre de l'humain quotidien. On serait ainsi passé d'une sorte de « supra » transcendance à ce que Barel appelle des « petites transcendances », des transcendances du quotidien dont les idéologies d'entreprise destinées à « transcender » leur personnel sont l'une des manifestations.

Ainsi s'opère la conjonction entre les deux courants de l'excellence éthique et de la qualité totale : la recherche personnelle d'excellence, dérivée de l'éthique protestante, qui concevait le travail sans relâche et le succès temporel comme la preuve (et donc le moyen) du salut personnel, se joue désormais sur l'horizon temporel de l'existence individuelle et s'imprègne des valeurs d'agressivité et de concurrence impliquées par la logique de la survie économique. Ce n'est plus le salut « dans l'autre monde » qu'il convient d'assurer, ce n'est plus la « transcendance suprahumaine » qui est en jeu, c'est la réussite temporelle comme seul gage du sens de la vie et de l'accomplissement de soi dans un monde où les références à un au-delà se

19. Souligné par nous.
20. F. Harmon et G. Jacobs, *op. cit.*, 52.
21. Y. Barel, *La Société du vide*, Paris, Éd. du Seuil, 1984.

sont évanouies et où l'existence, avec sa finitude, demeure la seule certitude : le « tu n'es rien d'autre que ta vie » que prononce Inès, l'un des personnages de Sartre, à la fin de *Huis clos*, est l'expression de cette conception d'une vie strictement inscrite dans la temporalité limitée de l'existence humaine. A cette proposition existentielle, l'entreprise moderne ajoute « tu n'es rien d'autre que ta vie professionnelle », la carrière devenant l'élément organisateur de la vie personnelle, le principe qui lui confère un sens.

Ainsi, la nécessité économique de l'excellence au sens de la qualité totale se conjugue avec le besoin d'inscrire le sens de la vie dans l'horizon temporel de l'existence, pour conférer à l'excellence, dans la philosophie de l'entreprise, le statut de « fin ultime ». Elle équivaut en fait, comme le souligne Landier [22], au royaume de Dieu du christianisme et à la société sans classe de l'idéologie communiste. Elle apparaît comme le gage de la survie économique, tout comme celui du sens de l'existence. Elle est le moyen pour les entreprises de drainer les énergies individuelles en les projetant dans une quête indéfinie et en les canalisant par le biais des innombrables projets d'entreprise. Si ce concept de projet d'entreprise s'est autant et aussi vite banalisé, c'est bien parce qu'il se présente aussi comme projet de vie, individuel et collectif, et qu'il comble ainsi un manque en proposant aux individus un cadre et une voie où inscrire le sens de leur vie et en poursuivre la quête : la brochure destinée au personnel de Procter et Gamble, qui décline les grands principes de la société et qui s'intitule « Ce que nous voulons être : l'excellence par l'engagement total et l'innovation [23] », est une expression parfaite de cette démarche.

Tous les autres concepts sur lesquels repose la mise en place de ces nouvelles formes de management par l'excellence – motivation, mobilisation, management participatif... – finissent, en se combinant avec ceux de qualité, d'excellence et de projet d'entreprise, par constituer ce que Landier dénomme à juste titre une sorte de vulgate, indépendante du contexte

22. H. Landier, *op. cit.*
23. Cf. plus loin, chapitre V.

auquel ils s'appliquent, une langue de bois du management qui figure au catalogue de la plupart des cabinets de consultants et dans le discours des équipes de direction de la plupart des entreprises.

Reste posée, à travers toute cette démarche, ce qu'on pourrait appeler la question du sens. En effet, comme le souligne Jacqueline Palmade, si les auteurs de cette nouvelle théorie du management proposent comme nouveau sens à trouver à sa vie « celui de s'identifier au caractère de combativité et de performance, voire de toute-puissance des entreprises (le sens de la vie serait trouvé dans la "joie d'entreprendre" et dans le désir de "faire plus et mieux ensemble") », on peut se demander de quel sens il s'agit : « S'agit-il, comme semblent le suggérer les tenants du nouveau management, d'un sens qui ferait sens parce qu'il proposerait un surinvestissement du principe de réalité : la réalité de la survie économique ? S'agit-il d'un sens qui proposerait un investissement dans l'idée de progrès, idée corrélative du développement économique et technique ? S'agit-il d'un sens qui proposerait un surinvestissement des nouvelles technologies (comme maîtrise du temps, de l'espace et des hommes), sens que donnerait l'image de toute-puissance qui leur serait corrélative ? S'agit-il enfin d'un sens conféré par le seul plaisir d'emprise que donneraient les batailles gagnées[24] ? »

En fait, c'est bien l'éclatement des grands systèmes explicatifs « donneurs de sens » qui semble caractéristique de la postmodernité, et les organisations rempliraient alors une fonction de colmatage de l'anxiété corrélative de cette perte de sens. « Serions-nous, demande J. Palmade, dans une néotechnocratie désespérée qui serait déniée par la promesse d'une harmonie organisationnelle triomphante ?... Une telle promesse susciterait d'autant plus d'adhésion que, grâce aux processus de réassurance et de conditionnement positif de son discours (et de ses pratiques), elle colmaterait l'anxiété consé-

---

24. J. Palmade, « Le management postmoderne ou la technocratisation des sciences de l'homme », in *Organisation et Management en question*, collectif sciences humaines, Paris IX Dauphine, Paris, L'Harmattan, 1988.

cutive de la crise économique et de la crise identitaire caractéristiques de la société postmoderne [25]. »

En fait, plus que d'une perte de sens, c'est d'un *trop-plein de
sens* dont il faudrait parler à propos de la société postmoderne : le religieux ou le politique ne donnent plus *un sens* qui
dominerait une culture ou une société. Chaque individu, dans
la société postmoderne, est confronté à une multiplicité de
« producteurs de sens » : citons, en vrac, Rika Zaraï, l'abbé
Pierre, Bernard Tapie, Jean-Paul II, Mitterrand, Renaud,
Harlem Désir, Amnesty International, le professeur Schwart-
zenberg, Élie Wiesel, l'Église, la science, l'entreprise, etc. On
est submergé de messages sur le sens à donner à son existence
et, dans ce concert polyphonique et contradictoire, on perd *le*
Sens.

C'est cette dilution du sens humain que s'efforcent d'exploiter les organisations lorsqu'elles produisent des idéologies et
suscitent des pratiques qui visent à « réinsuffler du sens ».
Ainsi les « recettes motivationnelles » et toutes les formes de
management extrême qui fleurissent depuis quelque temps
sont les symptômes de cette fantastique quête de sens, médiatisée par l'organisation. Le glissement subtil qui s'est produit
entre la théorie du management par l'excellence et celle du
chaos management est en fait l'illustration même des déboires
de cette quête éperdue de sens et des phénomènes de fuite en
avant qu'elle génère.

---

25. J. Palmade, *op. cit.*

CHAPITRE 4

De l'excellence au chaos
ou les avatars
de la quête du sens

Un certain nombre de consultants développent leurs activités en proposant aux entreprises des séminaires pour rendre les managers plus performants. Management motivationnel, management de la qualité, management extrême... Des techniques variées inspirées de la psychologie comportementale, de l'analyse transactionnelle, des arts martiaux, de la philosophie hindoue, du vaudou, de la bioénergie... et de l'entraînement des commandos militaires sont utilisées. Sous des formes différentes sont ainsi proposés des programmes de formation qui consistent à mobiliser les hommes pour améliorer leur productivité et obtenir une adhésion profonde aux finalités de l'entreprise.

Les règles de l'excellence

Un bon exemple de l'orientation de ces approches nous est fourni par le CRECI (Centre de recherche et d'étude sur la croissance industrielle) : « Seuls les faits nous intéressent parce que seule manifestation du réel. Notre ambition est clairement d'amener les sciences humaines au niveau de précision et de fiabilité des sciences exactes », déclare son directeur, C. Lemoine [1]. Ainsi, le management des hommes devient une science exacte régie par quatre lois.

Loi du transfert motivationnel

La performance individuelle et collective dépend de la capacité du manager de sublimer et de transmettre sa passion. La réalisation des activités productives doit rencontrer le « plaisir de jouer » parce que c'est dans ce plaisir qu'on trouve « l'énergie qui rend actif, infatigable, intelligent et efficace ». Le manager doit communiquer la passion pour son entreprise, ses produits, ses objectifs et « inspirer motivation, combativité et investissement de soi chez ses collaborateurs ».

Le transfert motivationnel consiste à déplacer l'obligation du travail en amour pour l'entreprise. Au « il faut travailler », injonction du Surmoi, doit se substituer le désir de réussir. Il faut donc acquérir et transmettre la passion du travail par le plaisir de jouer et de gagner. C'est la mobilisation amoureuse pour l'entreprise qui produit l'énergie pour se battre, pour être plus performant. C'est toute la libido du sujet qui est sollicitée. Le désir est canalisé sur des objets productifs. La passion devient une obligation, ce qui produit une inversion des instances psychiques : le Ça prend la place du Surmoi par un transfert motivationnel : « il faut être passionné », « il faut aimer passionnément son travail ». Le travail se présente comme objet du désir par lequel le sujet est invité à trouver sa jouissance et à la partager avec d'autres. Le lien à l'entreprise est organisé sur le modèle de l'attachement amoureux. L'amour va transfigurer le travailleur en le rendant actif, infatigable et intelligent. C'est le rôle du manager que d'opérer ce transfert. En réaction contre le management participatif qui a favorisé la démission des leaders, il s'agit de favoriser la

---

1. Cité par D. Pourquery, in « Le modèle du CRECI : cinq règles d'excellence », *Autrement*, n° 86 : *L'Excellence une valeur pervertie*, janvier 1987.

« reprise d'autorité ». Derrière toute performance individuelle ou collective, il y a un manager. Pour que l'individu se dépasse, il lui faut la stimulation de l'exemple, l'encouragement de la part d'un homme qu'il admire et qui le conseille. Il faut une autorité avec laquelle il se sente en parfait accord. Selon le CRECI, qui a mis en matrice les événements de la vie des maréchaux napoléoniens : « Ils étaient invulnérables tant qu'ils étaient en phase avec le projet napoléonien, ils deviennent mortels dès qu'ils entrent en désaccord avec le manager. »

Dans ce contexte, l'autorité ne s'exerce pas sur le modèle hiérarchique. Il ne s'agit pas de réhabiliter les patrons autoritaires qui donnent des ordres, font respecter la discipline et exigent l'obéissance. Le manager doit être un leader qui sait mobiliser ses hommes autour d'un projet. C'est un animateur qui fait partager sa passion. C'est un chef qui sait galvaniser ses troupes pour les mener à la victoire.

Loi de la pression d'enjeu

Il faut adapter les demandes et les exigences aux capacités des individus. Des objectifs trop élevés suscitent l'angoisse et la peur de l'échec. Un « coefficient d'exigence » trop fort est le point de départ de la « spirale de démotivation ».

On trouve ici une critique de la direction par objectifs qui ne prend pas en compte les capacités et les compétences des individus. L'important est moins d'atteindre à tout prix des objectifs fixés *a priori* que de produire la motivation et d'entrer dans une spirale, sachant qu'à terme ce mouvement conduira l'individu à produire bien au-delà des objectifs préétablis. On inverse le rapport au travail : plutôt que d'organiser le travail autour de contraintes formelles fixées *a priori* en fonction des objectifs de production, on l'organise à partir des capacités du travailleur. Ces dernières sont développées par un système de stimulation constant et progressif qui le rend de plus en plus performant.

92

Loi de la ré-compensation performante

Il s'agit de valoriser en permanence les efforts accomplis par les managés afin de maintenir la motivation : les premiers résultats sont même valorisés pour amorcer la spirale de motivation : « Plus on dit à un managé qu'il est bon sur les points où il est bon, plus il devient bon sur ces points-là et les points adjacents. Plus on dit au managé qu'il est mauvais, plus il devient mauvais, même sur les points où il était bon. »

Le management motivationnel combine trois lois issues de la psychologie sociale. L'« effet Hawthorne », qui a montré que le fait d'être attentif aux résultats du travail améliore la productivité des agents concernés ; la « prédiction créatrice », qui montre que les croyances produisent des effets dans la réalité : le fait de faire croire à quelqu'un qu'il peut atteindre un objectif difficile crée les conditions pour qu'il le réalise ; et, enfin, l'importance des *strokes* positifs : le fait de donner des signes de reconnaissance positifs en réponse aux efforts consentis pour l'entreprise conduit l'individu à intensifier ses efforts. La motivation repose ici essentiellement sur la sollicitation narcissique. Il s'agit de donner en permanence des stimulations positives. Cela crée une mise sous tension dans la mesure où l'arrêt de la stimulation, en cas de baisse du rendement, produit une baisse du plaisir et un sentiment négatif vis-à-vis de soi-même. C'est donc pour retrouver le plaisir de la récompense et pour échapper à la mésestime de soi que l'individu cherche en permanence à améliorer ses performances. C'est lui qui devient alors le moteur du processus motivationnel. Il est conditionné pour être toujours plus performant, il est « condamné à réussir ».

A contrario, il s'agit d'éviter la spirale de l'échec qui retourne en son contraire les effets bénéfiques de la prédiction créatrice : le fait de se croire mauvais crée les conditions pour le devenir ; les *strokes* négatifs découragent et favorisent le désinvestissement. Le manager doit donc maîtriser parfaitement les techniques de réassurance pour éviter l'entrée des managés dans un cycle démotivationnel.

Loi de la sanction des hors jeux

Les règles du jeu sont précisées à partir de contrats de production remplis par chaque managé, assortis d'un plan d'action très précis mis en forme avec le manager. Ce sont ces règles qui définissent les critères selon lesquels les comportements et les performances vont être jugés : par exemple, si un commercial n'arrive pas à réaliser ses objectifs et qu'il demande l'aide de son manager, on dira qu'il est « en jeu » ; par contre, s'il essaie de dédouaner sa responsabilité en accusant la mauvaise conjoncture, on dira qu'il est « hors jeu ». Dans le premier cas, il ne sera pas sanctionné. Dans le second, il le sera impitoyablement : « La sanction doit être fulgurante et bien ciblée. Elle doit laisser toute sa place à la remise en jeu positive du managé. »

La notion de jeu est essentielle. On peut tout faire à condition d'accepter les règles du jeu. Outre le fait que le jeu permet de partager le plaisir de gagner, il institue une *obligation de participer et une adhésion aux règles*. A partir de ce moment, c'est l'individu qui devient responsable des échecs et des succès de son équipe. Il entre dans la compétition, il se prend au jeu et il est pris par le jeu. Les notions de travail, de productivité, d'exploitation, de rentabilité sont alors transformées : la réalisation des objectifs se transforme en épreuves qu'il s'agit de remporter sur le modèle de la compétition sportive. Les sanctions les plus graves sont donc réservées à ceux qui refusent de jouer, ceux qui se situent en dehors du cadre ou ceux qui détournent les règles du jeu sur d'autres objectifs. Le refus d'entrer dans la compétition est considéré comme une dissidence qui doit être sanctionnée immédiatement et sans appel.

L'exemple du CRECI est représentatif des discours et des pratiques de management s'appuyant sur le principe d'excel-

lence. La psychologie comportementaliste est mise au service de la cause managériale à partir de quelques principes :
— mettre les individus en tension sur le plan narcissique ;
— canaliser l'énergie ainsi mobilisée sur des objectifs productifs ;
— favoriser l'adhésion individuelle et éliminer les dissidents ;
— multiplier les signes de reconnaissance positifs.

L'obscurantisme et la pensée magique

« *Zen is good for business.* » Si le CRECI appuie sur la science comportementale ses pratiques motivationnelles, d'autres consultants proposent le recours à différentes techniques qu'ils puisent aussi bien dans les arts martiaux que dans les religions orientales, les rites primitifs, les savoirs ésotériques, les pratiques magiques ou les rites primitifs.

Deux articles récents passent ainsi en revue différentes méthodes utilisées dans les entreprises modernes pour former leurs cadres. Certes, ces articles mettent en exergue ce qu'il y a de plus extrême dans ces pratiques. Mais ils donnent à voir le développement de la pensée magique dans l'univers managérial. Après le culte de la mesure, de la rationalité mathématique et la « quantophrénie » qui caractérisaient l'univers technocratique, on développe maintenant l'apologie de l'irrationnel qui se caractérise par :
— le rejet de la théorie et de la science : les héros sont ceux qui expérimentent et non ceux qui réfléchissent ;
— l'apologie du faire, de l'épreuve, du pragmatisme, de l'action ;
— le recours à des pratiques magiques pour produire du sens (voyance, vaudou, astrologie, tarots...) ou à certains succédanés scientistes contestés (numérologie), ou plus fondés (programmation neurolinguistique, graphologie) ;
— la glorification de la pensée positive ;
— la recherche de techniques de mobilisation énergétique.

Les cadres deviennent-ils fous[2] ?

Arts martiaux, astrologie, zen, vaudou... Tous les moyens sont bons pour les remotiver. Une vague qui vient d'Amérique et déferle aujourd'hui sur nos entreprises...
Vous êtes des samouraïs ! parer, défendre, attaquer, banzaï ! Allez, répétez après moi : banzaï...

Dans les *workshop* (stage de développement de la personnalité), on fait de la relaxation collective avec d'étranges lunettes cosmiques, du *heavy fœtal* (caisson d'isolation sensorielle) ou encore de la visualisation positive : « Une technique très simple, affirme Shakti Gawain, l'un des maîtres de cette méthode en pointe. Il suffit de déployer son mental. De fermer les yeux, d'imaginer que l'on attire l'argent. Au fur et à mesure que l'on s'ouvre à sa propre énergie, on s'ouvre à l'abondance... »

Un P-DG téléphone à Danièle Rousseau, astrologue : « Nous avons un problème. L'équipe d'encadrement a des blocages, pourquoi ? »
Réponse de l'experte, après enquête : « Votre équipe a un seul problème, elle manque de Lions... »

Michel Genevière, responsable de séminaire au centre de formation du CNPF, applique la numérimétrie : « Prendre le nom du candidat, lui associer des chiffres. Puis calculer les chiffres clefs censés dévoiler sa personnalité... La numérimétrie a l'avantage de fournir des données objectives... »

Michel Gifford, responsable d'un service organisation informatique [...], tire des tarots pour recruter dans son service...

Danièle Léonard Blanc organise des « stages de ressourcement et de restructuration » en utilisant le vaudou, le bouddhisme, le taoïsme et commente : « Ce qui compte, c'est que les gens y croient. On ne peut plus travailler sans savoir ce que cela veut dire. C'est le nouvel âge, l'ère de l'esprit... »

2. Extraits d'un article de *L'Express* n° 162, 10-16 février 1989, par C. Agnus et R. Leblond, avec B. Fouchereau.

Chamanes d'entreprises [3]

Aujourd'hui, les cadres performants des entreprises les plus frimeuses doivent sauter dans le vide, plonger dans l'eau glacée, porter des buches, se barbouiller la gueule. Voici venu le temps des chamanes d'entreprise...

François Ceyrac, qui présida longtemps le syndicat des patrons, a préfacé le bouquin du numérologue Michel Saint-Simon, *L'Intelligence et le Pouvoir des nombres*. Par expérience, dit Ceyrac, la numérologie « apporte une contribution au progrès de la civilisation de l'entreprise »...

Certains chamans poussent leurs stagiaires dans le vide. C'est le *benjy* (se jeter d'un pont, la tête la première avec un élastique accroché a ses chevilles) : « C'est une faille, une espèce d'ouverture dans le rationnel. Celui qui réalise le grand saut se retrouve brusquement face à lui-même... »

Nous sommes en Californie. Dans une hutte d'Indiens, cinq cadres tous nus sont entassés. Ils essaient de ne pas se brûler aux pierres incandescentes qu'on vient régulièrement arroser d'eau. Ils sont noyés dans la vapeur, ils suent et serrent les dents pour tenir le coup, tandis qu'un sorcier sioux danse et psalmodie autour de la hutte... Bob Aubrey initie ainsi les cadres d'Apple : « Il y a quatre étapes dans cette initiation, me dit Aubrey. D'abord on prie pour soi. Puis on prie pour les autres. Ensuite on abandonne quelque chose qui nous empêche de progresser. Enfin, en silence, on communique avec le grand esprit... »

Le Centre des jeunes dirigeants d'entreprises a publié l'année dernière un guide de la spiritualité dans le business, *L'Entreprise métanoïaque*... Chacun apprend à connaître ses forces, son rôle, à savoir s'il est un guerrier ou un gestionnaire, etc.

Un des membres d'Eurequip raconte : « Nos entreprises se trouvent désormais dans la même situation que les primitifs. Elles vivent dans un environnement hostile. Elles doivent se battre. Un groupe de primitifs se structure autour de son totem... les entreprises modernes doivent trouver leurs propres totems... »

3. Extraits d'un article d'*Actuel*, n° 116, février 1989, par E. Johnson et J. Varandunil.

Retrouver des totems, entrer dans le *New Age* et l'« ère de l'esprit », autant de références qui fonctionnent sur l'idée d'un sens qui aurait existé et qu'il faudrait retrouver en revenant à des pratiques primitives. Face à la complexité du monde moderne, ces « chamans » proposent de retrouver la simplicité dans l'épreuve initiatique, dans la méditation sur soi ou dans les techniques de la voyance.

En fait, beaucoup de managers récusent ces pratiques et ressentent plus ou moins confusément leur aspect manipulatoire. Pourtant, elles se développent parce qu'elles proposent des « recettes venues d'ailleurs » : il s'agit de *réinsuffler du sens* dans un univers dominé par le matérialisme, le règne de l'argent et la logique productiviste : « Ce qui compte, c'est que les gens croient... » Et « les gens » ont besoin de croire, envie qu'on leur propose des explications rassurantes. La quête du sens, dont Nietzsche considérait qu'elle était une grave maladie, trouve ici des réponses : c'est en lui-même, par la découverte de ses limites et dans son rapport avec autrui, que le manager va trouver les ressources qui lui permettront de mener son équipe à la victoire, de prendre les bonnes décisions, etc. Pour cela, il lui faut sortir de son entreprise, sortir de lui-même, sortir de son environnement habituel pour découvrir une autre vie, une autre forme de connaissance, un autre univers dans lequel il aura accès à la vérité. C'est dans cet ailleurs qu'il trouvera le sens.

La pensée magique fonctionne sur ce même scénario : on postule un ailleurs, invisible par le commun des mortels. Et c'est dans cet ailleurs que l'on trouve les clefs explicatives de notre monde. Ce sont donc les « normaux » qui sont dans l'illusion tant qu'ils n'ont pas été initiés à la vraie connaissance. Ils sont dans les ténèbres de l'ignorance tant qu'ils n'ont pas subi l'enseignement du maître et les rites de passage qui vont lui permettre d'accéder à la lumière.

L'autre thème qui apparaît constamment est celui de la force, de la puissance. Il s'agit d'aller au-delà de soi-même, de vaincre ses peurs, de concentrer son énergie, de maîtriser ses faiblesses afin de trouver la force qui est en soi. C'est cette force qui permettra de vaincre et de gagner. C'est elle encore qui ouvre le chemin de l'efficience et de la performance.

Les individus sortent de ces séminaires « gonflés à bloc » et « avec une pêche du tonnerre ». Ils sont comme des champions dopés avant une compétition sportive. Ils ont le sentiment d'appartenir à une élite comme les chevaliers Jedi de *La Guerre des étoiles* : « La force est avec eux. »

Pour beaucoup, ce sentiment sera éphémère à la mesure du caractère cathartique de l'expérience. Si de l'énergie est ainsi libérée, elle n'est pas inépuisable, et le sujet risque d'autant plus de vivre cet épuisement sur le versant dépressif qu'il a vécu l'épreuve dans l'euphorie : lorsque le Moi a pu satisfaire une fois les exigences de l'Idéal du moi, ce dernier augmente sa pression pour obtenir à nouveau cette satisfaction. Le Moi est alors mis sous tension jusqu'au moment où il considère qu'il n'est plus à la hauteur et sombre dans la dépression.

Dans les pratiques religieuses courantes, ce risque est limité par le recours au Dieu qui vient protéger le moi « faible » par le pardon et la miséricorde : l'homme est faillible, il peut retomber dans le péché, il risque à tout moment de chuter.

Dans l'univers de l'excellence, la faiblesse est mal vue, la performance doit se renouveler, la quête de toute-puissance n'a pas de limites. C'est sans doute en réaction contre cette exigence impossible que, à l'instar de T. Peters, on est en train de passer du discours sur l'excellence à la pratique du « chaos management ».

De l'excellence au chaos management [4]

« *Pour s'en sortir, il faut vivre dans l'urgence permanente.* » Voilà le nouveau message du grand-prêtre de l'excellence managériale. « Pour augmenter les chances de survie, les leaders doivent avoir la passion du changement. » Si la passion

4. Cf. T. Peters, *Le Chaos management, manuel pour une nouvelle prospérité de l'entreprise*, Paris, Interéditions, 1988. Traduction de *Thriving on Chaos*, Alfred A. Knope, Inc, 1987.

est toujours de rigueur, il faut passer de la passion de l'excellence à la passion du changement. « Le changement doit devenir la norme », le paradoxe n'a rien de désarçonnant pour Tom Peters, qui aime manier avec vigueur l'art du management paradoxal.

Il s'agit donc d'une question de survie ! L'entreprise est menacée de toutes parts. La guerre économique fait rage. Il faut donc se mobiliser de toute urgence pour faire face au chaos et continuer malgré tout à être des gagnants. La logique du chaos management est simple. Peters la résume ainsi (p. 316) :

```
          ┌──────► – L'incertitude et la complexité ne font que croître
et l'on          – On ne peut vaincre l'incertitude et la complexité
          │        que par l'action
recommence – Celle-ci mène immanquablement à l'échec
          │      – Plus l'échec est précoce, mieux c'est
          └──────── – Il faut innover à une vitesse supersonique
```

Cette logique conduit T. Peters à proposer un certain nombre de thèses dont le caractère tautologique ou paradoxal est totalement assumé par l'auteur :

– le changement produit le changement ;

– l'action comme antidote à l'incertitude produite par l'action ;

– l'innovation permanente comme garant de la survie, donc de la stabilité ;

– l'échec comme nécessité de la réussite ;

– la création permanente d'un sentiment d'urgence pour trouver la sérénité ;

– la débrouillardise et l'empirisme comme concepts stratégiques clefs ;

– l'exaltation des performances ;

– la méfiance et le rejet vis-à-vis des théories, des concepts, des diplômes, des experts et de la paperasserie ;

– la production de l'adhésion par la « vision inspiratrice » du leader ;

– le culte du héros et du champion qui doit posséder l'énergie, la passion, l'idéalisme, le pragmatisme, la débrouillardise, l'impatience démesurée, le refus irréaliste de voir tout obstacle borner sa route, le sentiment d'amour-haine de la part de ses subordonnés...

Face au chaos total, à la concurrence effrénée, à la compétition internationale, la survie dépend de « milliers de champions fous, complètement hétérodoxes ».

L'univers de T. Peters est marqué par l'« état d'urgence », c'est la guerre, et tout le monde doit se mobiliser immédiatement pour combattre. La lecture de son livre est haletante, tant est grande l'angoisse qui suinte face au chaos. Le livre est un catalogue de prescriptions et même d'injonctions : « Il faut agir. » Le passage à l'acte est présenté comme une nécessité de survie.

Cette exaltation de l'acting-out nous conduit à interpréter le cycle du chaos management comme l'expression d'un mode défensif qui est de moins en moins performant, pour lutter contre l'angoisse chaotique qu'engendre le développement du capitalisme.

Double lecture du *Chaos management*	
Thèse de Peters	*Interprétation*
L'incertitude ne fait que croître.	L'angoisse ne fait que croître.
On ne peut vaincre l'incertitude que par l'action.	Il faut passer à l'acte.
Celle-ci mène immanquablement à l'échec (cf. p. 319) : « Devenez des fanatiques de l'échec. »	Celui-ci ne fait que réactiver l'angoisse.
Il faut agir de plus en plus vite.	L'acting-out permanant.

L'acting-out est un terme employé en psychanalyse pour désigner « les actions présentant une forme auto – ou hétéro – agressive[5] ». Dans le surgissement d'un passage à l'acte, le psychanalyste voit la marque de l'émergence du refoulé. Dans cette direction, on peut interpréter le glissement entre l'idéal d'excellence et l'obligation d'agir comme une mobilisation de plus en plus impérieuse contre l'angoisse.

Le Prix de l'excellence proposait de dévoiler les « secrets des meilleures entreprises » pour réussir : il s'agissait donc d'atteindre un but censé procurer la satisfaction attendue. L'ensemble du livre se construisait sur les moyens à mettre en œuvre pour atteindre cet idéal. *Le Chaos management* pose le changement comme une nécessité de survie, l'échec comme inévitable, et livre quarante-cinq « prescriptions pour un monde à l'envers ». L'ouvrage s'ouvre sur un constat : « L'excellence ne marche pas. » Même IBM présenté comme le fleuron de l'excellence est en danger : « Rien n'allait plus pour IBM en 1979. La société était florissante en 1982 et, en 1986, elle replongeait. En deux ans, People Express passe du modèle de la société *new look* à l'exemple même de l'échec[6]. »

L'idéal d'excellence s'effondre ! L'angoisse qui était canalisée sur la quête de l'idéal réapparaît massivement : nous sommes dans le chaos, l'incertitude est maximale, le monde est déréglé. Tout espoir de prévision est vain, la technologie nous dépasse, le déclin est inéluctable, la bureaucratie nous ronge... chaque page montre l'importance du mal. Au style idéaliste et moral du *Prix de l'excellence* se substitue un style impératif et guerrier (« il faut agir », « vous devez réagir »...) et la recherche des héros, des champions qui sauront sauver l'entreprise (et l'humanité ?) en péril.

---

5. Cf. Laplanche et Pontalis, *Vocabulaire de la psychanalyse*, Paris, PUF.
6. T. Peters, *Le Chaos management, op. cit.*, p. 9.

Les clefs du discours managérial

Ces différents exemples empruntés à la littérature managériale permettent de dégager la thématique commune qui est à l'œuvre dans un certain discours managérial.

La survalorisation de l'action

« *Ici, pas d'états d'âme, l'important c'est l'action.* » Être constamment en mouvement, tendu vers les objectifs fixés, capable de réagir immédiatement, mobiliser en permanence... La mobilisation devient un but comme si l'action était en elle-même une garantie de succès et d'efficience.

Le mythe de la réussite

« *You must be a winner.* » Réussir, gagner, être les meilleurs... le discours fonctionne sur une équivalence entre la réussite personnelle et la réussite professionnelle. Les deux vont de pair. La réalisation de soi-même passe par une réponse positive aux exigences de l'entreprise. C'est parce qu'elle a une bonne image de marque que l'individu se sent valorisé et sûr de lui. C'est elle qui lui enjoint d'être autonome, créatif, innovant. Elle lui permet de devenir un battant.

Le thème du challenge et de l'élitisme

« *You must be clearly outstanding.* » La concurrence est vécue positivement comme un moyen de se dépasser et de

103

prouver « qu'on est les meilleurs ». Les images de la guerre économique et de la compétition sportive reviennent en permanence : on construit ainsi un monde manichéen dans lequel il y a un ennemi ou un adversaire qu'il convient de battre : chacun doit alors se mobiliser pour gagner. Les meilleurs combattants seront récompensés parce qu'ils ont su relever le défi qui leur était lancé.

L'obligation d'être fort

« *Nous avons quand même le droit d'être faible !* » Dans cet « univers impitoyable » ne peuvent survivre que les puissants qui auront pu gagner la bataille économique (la guerre, elle, sera sans fin, puisque chaque victoire ne fait qu'exacerber un peu plus la concurrence). La puissance est en fait la valeur suprême, la finalité poursuivie qui se dissimule sous le masque de la réussite. A cette volonté de puissance de l'entreprise répond l'apologie du héros : produire des hommes capables de faire des coups, de monter des opérations fructueuses, de dynamiser l'entreprise, d'entraîner ses hommes sur les chemins de la réussite. Ainsi se répand le culte du souvenir des fondateurs prestigieux (Watson, Hewlett, Packard...), dont on célèbre la mémoire. Proposés comme figures d'identification à tous, le culte propage l'idée que chaque manager peut également devenir fort s'il s'en donne les moyens.

L'adaptabilité permanente

« *Je change de job tous les deux ans.* » Il faut être mobile, disponible au changement, capable de s'adapter à des situations différentes, prêt à affronter l'incertitude, mais une incertitude qui ne laisse pas de prise au doute sur le bien-fondé de l'action. Les fluctuations du marché, l'accélération des changements technologiques, l'introduction de la flexibilité comme norme d'organisation du travail... autant d'éléments qui contribuent à insister sur la mobilité des hommes et leur capacité d'adaptation. Le changement devient une valeur en soi. La résistance au changement est *a priori* négative.

L'équivalence entre progrès économique et progrès social

« *Ce qui est bon pour General Motors est bon pour l'Amérique.* » Le développement social et l'épanouissement des individus passent nécessairement par la réussite des entreprises. Celle-ci devient donc la finalité dernière sur laquelle toutes les énergies doivent se canaliser. L'augmentation des profits, signe de la réussite économique, est le moteur du bien-être général. L'économique et le social sont réconciliés par une dissolution du social dans l'économie. Le libéralisme productiviste se propose de faire le bonheur des « citoyens du monde » par l'accroissement des performances de son plus beau fleuron : l'entreprise managériale.

La conciliation entre l'intérêt individuel et l'intérêt de l'entreprise

« *Je suis mon propre patron.* » A la poubelle, la vieille théorie archaïque qui considère qu'il y aurait une contradiction entre le capital et le travail ! Le management, c'est la réconciliation de l'actionnaire et du travailleur par la création d'un hybride mi-patron, mi-employé, qui assimile les contraires. Le management propose une solidarité organique entre l'individu et l'entreprise par un intéressement direct aux résultats, par le développement de l'auto-actionnariat, par une culture d'entreprise qui sollicite la responsabilité individuelle et un système d'évaluation qui privilégie la mesure des performances individuelles.

105

Ces approches illustrent ce que Herbert Marcuse appelait l'univers du discours clos[7], un discours qui se ferme à tout autre discours qui n'emploie pas ses termes. Il s'agit :
- de gagner pour gagner ;
- de réussir pour réussir ;
- d'agir pour agir ;
- de grandir pour grandir ;
- de changer pour changer.

Bien sûr, derrière tout cela, il y a des exigences de survie : il s'agit de gagner, de réussir ou de changer *pour survivre*. Mais ce type de discours finit par constituer une sorte de vulgate qui se boucle sur elle-même et ne laisse aucune prise à une recherche de sens en dehors des critères qu'elle énonce : « On accepte ou l'on part. » Soit on adhère, soit on s'exclut. Il ne peut y avoir de troisième terme. Soit on est dedans et l'on est OK ; soit on est dehors et l'on n'existe plus (on est KO).

7. H. Marcuse, *L'Homme unidimensionnel*, Paris, Éd. de Minuit, 1968.

TROISIÈME PARTIE

Le système managinaire

Jacques Lacan, dans ses *Écrits*[1], critiquait le courant des relations humaines, aux États-Unis, qui, à partir des années 1950, utilisait la psychanalyse pour mieux *soumettre les individus à l'objectivation entrepreneuriale*, conception behavioriste et anhistorique qui infléchissait la psychanalyse « vers l'adaptation de l'individu à l'entourage social, la recherche des patterns de la conduite et toute l'objectivation impliquée dans la notion des *human relations*... C'est bien une position privilégiée par rapport à l'objet humain qui s'indique dans le terme de l'*human engineering* » (p. 246).

Ces conceptions sont sous-tendues par la tendance sociologique culturaliste qui ouvre aux convoitises des *ingénieurs de l'âme* l'idéal de conformité au groupe. La sublimation par le travail devient alors l'objet d'une nouvelle technologie qui, des relations humaines aux ressources humaines, introduit la logique du capital dans la gestion des processus psychiques inconscients.

On glisse ainsi d'une psychanalyse fondée sur le sujet (le JE) qui se construit dans un devenir en tant qu'être et acteur (sujet de l'historicité) à une psychologie fondée sur le MOI, qu'il convient d'adapter, d'objectiver, de comportementaliser.

C'est des États-Unis que nous viendra également l'idéologie de la « réalisation de soi-même » qui utilise la psychothérapie comme une gymnastique de la psyché, pour se maintenir en forme, comme moyen d'obtenir le *success* et même le *happiness*... autant de discours qui soumettent le moi à une série

1. J. Lacan, *Écrits*, Paris, Éd. du Seuil, 1966.

109

d'exigences : être bien dans sa peau, être en forme, être performant... autant de succédanés à l'exigence économique d'être rentable et à l'exigence sociale d'être conforme.

Ce débat introduit une différence fondamentale sur la conception de l'humain. D'un côté, une interrogation de type existentielle sur l'être : l'individu qui cherche à devenir sujet de l'inconscient et de l'historicité. De l'autre, une idéologie qui tend à réduire l'apport des sciences humaines à une interrogation de type opérationnel sur le fonctionnement humain : comment adapter l'individu à la société, au progrès et favoriser son intégration dans la famille, l'entreprise, l'école...

Cette question n'est pas nouvelle. Déjà Michel Foucault avait montré que l'ordre disciplinaire avait pour objectif de *rendre les individus dociles et utiles*[2]. Mais cet ordre était principalement centré sur le contrôle du *corps*. Avec le système managinaire, c'est le contrôle de la psyché qui devient essentiel. C'est le moi qui est l'objet du contrôle : il s'agit moins d'obtenir la soumission docile que l'adhésion volontaire active ; l'utilité obéissante que l'efficience et la rentabilité. Au confluent de l'individualisme et du capitalisme, le système managinaire réconcilie et exalte les vertus d'un moi autonome, puissant, performant, productif. L'idéologie de la réalisation de soi-même s'étaie sur la logique du profit et de la réalisation des objectifs de l'entreprise. L'épanouissement de la personne passe par les critères de la réussite professionnelle. Le rapport de l'individu à la société est médiatisé par l'organisation managériale. C'est au moment où cette médiation est tout entière accaparée par l'entreprise managériale que l'on peut parler de *système managinaire*.

Le terme « managinaire » est construit sur une condensation entre management et imaginaire. On sait que l'imaginaire, avec le réel et le symbolique, est l'un des trois registres essentiels du fonctionnement psychique pour J. Lacan. L'imaginaire rend compte du fait que l'enfant se constitue une image de son moi à partir de l'image renvoyée par le miroir. Cette reconnaissance du moi l'amène simultanément à reconnaître

2. M. Foucault, *Surveiller et Punir*, Paris, Gallimard, 1975.

l'image de l'autre et à différencier image et réalité. Mais son image reste toujours marquée par l'image idéale que les parents et l'entourage projettent sur lui. L'image que l'enfant se construit de lui-même est à jamais marquée par celle de l'enfant idéal, de l'enfant roi qui est investi du narcissisme parental[3].

C'est l'entrée dans l'ordre symbolique qui permet alors à l'enfant de maintenir une distance entre le moi et son image. Le symbolique médiatise la relation du sujet au réel, en particulier par l'accès au langage. Dans l'ordre managinaire, le symbolique tend à être accaparé par l'organisation elle-même dans la mesure où elle substitue son propre langage à celui des individus, ses propres règles à l'ordre légal, ses normes de fonctionnement à l'ordre social. Faute de tiers médiateur, le manager est renvoyé dans l'imaginaire, c'est-à-dire dans une relation duelle, dans un face à face avec l'organisation qui lui renvoie une image d'excellence, de toute-puissance, de perfection, de jeunesse, d'éternité, de richesse, d'expansion, de performance...

L'entreprise managériale, comme toute institution, se présente comme un système culturel, symbolique et imaginaire. Ce registre de l'imaginaire se donne à voir à partir de la capacité de l'institution à prendre les sujets au piège de leurs propres désirs d'affirmation narcissique et d'identification, dans leurs fantasmes de toute-puissance ou dans leur demande d'amour : « En leur promettant de tenter de répondre à leur appel (angoisses, désirs, fantasmes, demandes), elle tend à substituer son propre imaginaire au leur[4]. »

L'institution propose de répondre à ce qui, en chaque individu, s'interroge, souffre, espère, imagine... Ce faisant, elle structure les représentations mentales individuelles afin que celles-ci se modèlent sur sa culture : *l'adhésion se réalise par un branchement entre l'univers socioculturel de l'entreprise et l'univers psychosocial de la personne.*

Comme le souligne Castoriadis, « l'institution est un réseau

---

3. Cf. S. Leclaire, *On tue un enfant*, Paris, Éd. du Seuil, 1975.
4. E. Enriquez, « Le travail de la mort dans les institutions », *in* R. Kaes et Alii, *L'Institution et les Institutions*, Paris, Dunod, 1987, p. 62-94.

symbolique, socialement sanctionné, où se combinent, en proportions et en relations variables, une composante fonctionnelle et une composante imaginaire[5]. » L'entreprise n'est pas seulement un ensemble d'arrangements, d'aménagements fonctionnels destinés à produire des biens pour satisfaire des besoins. L'entreprise est un groupe social qui, comme toute société, tente d'apporter des réponses à un certain nombre de questions sur ses finalités et son existence. Elle doit produire du sens pour *s'humaniser* : « Le rôle des significations imaginaires est de fournir une réponse à ces questions, réponses que, de toute évidence, ni la "réalité" ni la "rationalité" ne peuvent fournir. »

L'univers du travail ne peut être analysé exclusivement dans ses aspects économiques, technologiques ou ergonomiques. Il a également une dimension imaginaire : « Le travail des hommes indique par tous ses côtés, dans ses objets, dans ses fins, dans ses modalités, dans ses instruments, une façon chaque fois spécifique de saisir le monde, de se définir comme besoin, de se poser par rapport aux autres êtres humains[6]. »

C'est la raison pour laquelle l'entreprise se définit comme une communauté, elle se donne un nom, un emblème, une devise.

Elle cherche à se définir une identité, une image à présenter au monde extérieur, une culture qui lui soit propre. Ainsi, l'entreprise, comme toute société, crée un système de représentation, un *imaginaire* « à travers lequel elle se reproduit et qui, en particulier, désigne le groupe à lui-même, distribue les identités et les rôles, exprime les besoins collectifs et les fins à réaliser[7]. »

La production idéologique de l'entreprise est donc un élément essentiel de son fonctionnement pour deux raisons majeures :

— elle donne ainsi une image d'elle-même qui est un élément déterminant de sa politique commerciale. A ce titre, le rôle du

5. C. Castoriadis, *L'Institution imaginaire de la société*, Paris, Éd. du Seuil, 1975.
6. C. Castoriadis, *op. cit.*, p. 206.
7. P. Ansart, *Idéologies, Conflits et Pouvoir*, Paris, PUF, 1977, p. 21.

marketing consiste à veiller à la cohérence entre l'image de l'organisation, la nature des produits et la politique de communication externe (publicité) ;

– elle offre un support, producteur de sens, qui canalise les espoirs et les désirs, colmate les angoisses et les doutes, en donnant à ses agents une raison de vivre.

P. Ansart montre que les idéologies, bien que phénomènes collectifs, s'étaient sur les structures psychiques individuelles, ce qui ne signifie pas qu'elles en émanent. Elles constituent une réponse possible aux manifestations pulsionnelles : « En fournissant aux attentes inconscientes les pôles d'investissement et de répulsion, l'idéologie politique résout le conflit psychique en imposant son mode de résolution. Elle permet au sujet de faire sien le discours collectif et de s'engager affectivement dans le jeu des introjections et projections collectives[8]. »

C'est ainsi que l'investissement dans l'idéologie politique permet aux individus de projeter leur haine sur un groupe, une classe, une nation désignée comme ennemi et, *a contrario*, de projeter leur amour sur leur groupe, leur parti, leur camp. Chaque individu se sent porté par un ensemble, d'où le *sentiment d'exaltation de soi* d'être ainsi pris dans un collectif qui n'est en fait que le prolongement de soi-même, une caisse de résonance pour son propre moi, un amplificateur de sa personne. La tentation est grande pour les individus de rechercher ainsi une instance, un appareil, une cause, un groupe qui leur permettent de sortir d'eux-mêmes et d'échapper ainsi au doute, à l'incertitude, à leurs propres limites.

Ceux qui y cèdent ne se rendent pas compte de la contrepartie qui leur est demandée : le risque d'être *assimilé*, au niveau psychique, par l'entité qui leur propose cet idéal et donc par ceux qui maîtrisent la production idéologique : « Les producteurs de discours structurent les affects collectifs et parviennent, avec plus ou moins de succès, à créer du consensus par le contrôle des flux affectifs. Il ne s'agit pas seulement de fixer un code de valeurs mais bien d'opérer une action permanente de captation des investissements vers les objets sociaux, de

8. P. Ansart, *op. cit.*, p. 216.

transférer les pulsions dans leurs différentes composantes sur les pratiques collectives[9]. » L'analyse de ce processus donne tout son sens aux messages de l'entreprise managériale sur la motivation : l'investissement dans le travail n'est plus une nécessité imposée par l'entreprise et le système de production, mais il répond à un besoin psychologique des individus : c'est pour lui-même qu'il va travailler, pour se réaliser, pour satisfaire ses propres désirs. Le rapport au travail se déplace du niveau socio-économique au niveau psycho-idéologique.

La force de l'idéologie managériale réside dans ce déplacement par lequel le travailleur n'a plus le sentiment d'être instrumentalisé par une organisation du travail contraignante, mais, au contraire, le sentiment d'être un sujet qui travaille pour son propre compte. On retrouve ici la définition d'Althusser, pour lequel « l'idéologie interpelle l'individu en sujet[10] ». C'est-à-dire qu'elle lui donne le sentiment de maîtriser son histoire, son devenir et ses conditions concrètes d'existence.

Ce renversement de perspectives par lequel le travailleur passe du statut d'objet à celui de sujet s'effectue de façon privilégiée par l'« inculcation d'identifications gratifiantes » à partir desquelles les sujets, n'obéissant qu'à eux-mêmes, « se conforment aux modèles imposés[11]. »

La conformité à ces modèles conduit chaque individu à devenir l'incarnation du système de valeurs de l'entreprise, à être reconnu par les autres comme le symbole de la réussite, de l'excellence. Il croit trouver par ce moyen la satisfaction de son besoin de reconnaissance, de son désir d'être aimé.

Le paradoxe est que l'individu croit alors être aimé pour lui-même, pour ses qualités, pour ses succès, alors que la reconnaissance ne lui est acquise qu'en tant qu'il symbolise le modèle de comportement prôné par l'entreprise.

9. P. Ansart, *op. cit.*, p. 217.
10. L. Althusser, « Idéologie et appareils idéologiques d'État », *La Pensée*, n° 151, juin 1970, p. 338.
11. P. Ansart, *op. cit.*, p. 217.

La production de l'excellence

Les fondements idéologiques : le principe d'excellence et l'exigence éthique

Nous avons vu précédemment que le principe d'excellence recouvrait en fait une gamme de situations assez variées, depuis l'exigence de qualité au seul niveau des produits jusqu'à une forme de système moral qui vise à englober la totalité de l'individu, en couplant de manière indissoluble exigence professionnelle et exigence personnelle, en articulant étroitement les systèmes de valeurs individuels et le système de valeurs de l'entreprise.

L'expression la plus achevée de ces systèmes se trouve, nous l'avons dit, dans les entreprises qui se sont construites et développées dans un contexte d'« éthique protestante », dont la spécificité est d'assimiler étroitement la réalisation et la réussite matérielles et financières au système moral et au développement personnel des individus. De tels systèmes exercent une emprise particulièrement puissante en enracinant au cœur même de l'individu la logique de construction, de dynamique et de réussite professionnelle qu'elles cherchent à susciter, en faisant de cette réussite (celle de l'individu et celle de l'entreprise) une nécessité non seulement économique mais morale.

Les entreprises qui ont formalisé de la façon la plus complète ces principes et les systèmes qu'ils génèrent se retrouvent donc souvent parmi les multinationales d'origine nord-américaine imprégnées de cette éthique protestante, telles que IBM, Procter et Gamble, American Express, Digital Equipment et bien d'autres encore. Toutes mettent au fronton et au premier plan de leurs valeurs ce principe d'excellence et de perfection et toutes sont, simultanément, l'expression la plus achevée et la plus complète du système capitaliste. On pourrait discuter sans fin quant au fait de savoir si les principes éthiques mis en avant par ces entreprises constituent un habillage idéologique d'une logique capitaliste de pouvoir, de compétition et de concurrence[1], ou s'ils correspondent vraiment à une préoccupation « morale ». L'important est l'*indissoluble entrelacement* de la dimension éthique et de la dimension économique, entrelacement dont Max Weber avait montré la puissance et le rôle qu'il avait joué dans le développement du capitalisme : c'est dans le sentiment d'angoisse suscité par l'incertitude du salut et la nécessité ressentie de conjurer cette incertitude et d'apaiser cette angoisse que les entrepreneurs protestants avaient puisé la force et la constance de leur investissement dans une réussite matérielle obtenue dans le travail. Mais c'est dans l'ascétisme de la morale protestante qui interdisait la jouissance du profit et entraînait son réinvestissement dans l'outil de production que le système capitaliste avait trouvé les conditions de sa naissance. C'est bien parce que ces deux éléments – réussite matérielle, investissement spirituel – étaient à l'origine indissolublement liés que le système capitaliste a pu connaître l'essor que l'on connaît. Et c'est bien aussi parce que les entreprises de l'excellence s'articulent sur cette notion morale de recherche d'une perfection sans limites qu'elles exercent une si forte pression sur les individus et connaissent des réussites aussi éclatantes.

Le mécanisme de ce principe est particulièrement clair et son soubassement moral particulièrement évident dans une entre-

---

1. C'est l'une des thèses soutenues, par exemple, dans *L'Emprise de l'organisation* (*op. cit.*), qui souligne la fonction de « consolidation idéologique » assurée par les « grands principes » de la société TLTX. Ce système de croyance empêche le conflit psychologique ressenti par l'individu d'éclater en un conflit externe et maintient la contradiction (entre le travailleur et l'entreprise) au niveau individuel.

prise comme IBM, par exemple. Le livret de « règles de conduite dans les affaires » rédigé par IBM pour ses agents s'ouvre sur l'affirmation des trois principes fondamentaux qui régissent toutes les activités d'IBM : le *respect de l'individu* (respect de la dignité et des droits de chaque personne à l'intérieur de la compagnie), le *service aux clients* (fournir aux clients le meilleur service possible), la *recherche de la perfection* (la conviction qu'une compagnie doit avoir pour objectif d'accomplir toutes les tâches d'une façon *exemplaire*). Un peu plus loin, le même document fournit la définition du terme « éthique » – « qui appartient à la morale, qui se rapporte au bien et au mal dans le comportement » – et précise que les collaborateurs d'IBM qui sont en contact avec les clients « doivent d'abord être guidés par l'idée que les règles éthiques et morales sont les mêmes au travail que dans la vie privée ». Tout le document développe un ensemble de règles de conduite de nature assez puritaine concernant le comporte-ment des agents dans toutes les situations de leur vie profes-sionnelle : comportements à la fois exigeants et modestes, à base de « loyauté partagée » entre l'individu et la compa-gnie, d'intégrité morale absolue (n'accepter aucun cadeau ni au-cune gratification de qui que ce soit, client ou fournisseur, au titre des relations d'affaires... sous peine de devoir les retour-ner ou de les verser à un organisme de bienfaisance local), d'humilité (« ne vous vantez pas : il ne faut pas se van-ter auprès des clients de ce que nous dépensons pour la recherche et le développement des produits, ni du nombre d'ingénieurs technico-commerciaux dont nous disposons à la compagnie pour assister nos clients »...), de discrétion totale, etc.

Ces principes d'excellence et de recherche de la perfection sont vraiment fondateurs. Ils sont la clef de voûte du fonction-nement interne de ces sociétés qui les poussent à toujours chercher à « être les meilleurs », à « faire toujours mieux ce qu'on a à faire », mieux que les concurrents bien sûr, mais surtout mieux *par rapport à soi-même*, ce qui montre bien que la recherche d'excellence se situe dans l'*absolu* et non dans le relatif. « Il y a l'idée d'être excellent *en soi*, par rapport à soi-même, sans référence, c'est un principe, une exigence morale, une façon de se comporter », explique un manager. « Une fois, ajoute-t-il, nous avions eu trois clients qui n'étaient pas contents et qui avaient écrit au président, et celui-ci avait râlé parce qu'il avait reçu trois requêtes de clients, et, dans notre réponse, nous avions dit que trois sur mille, ce n'était pas beaucoup. Il avait alors protesté au nom du principe d'excellence en disant que trois, c'est trop, *parce que ce n'est pas par rapport à quoi que ce soit.* Cet atout d'excellence, il est premier chez nous, il est lié à l'existence même de la société... A partir du moment où cette société existe, elle fera le dos rond s'il y a des difficultés économiques par exemple, mais elle ne sacrifiera pas son principe d'excellence... et d'ailleurs on peut aussi s'en servir comme une arme commerciale, parce que, *en effet, si on gagne, c'est parce qu'on est vertueux, c'est parce qu'on a raison.* Nous appliquons telle ou telle clause, *parce que nous avons raison*, et nous pouvons le démontrer... C'est un système très vertueux, fondé sur la croyance que le bon commerçant, c'est celui qui vend un produit de bonne qualité adapté aux besoins de ce client et dans le respect de ce client ; donc, il vaut mieux en vendre moins, mais que chacun soit bien vendu et bien installé et bien maintenu, c'est extrêmement clair... Le jour où on remettra en question ce principe-là, à mon avis IBM ne sera plus IBM, ce sera devenu une boîte banale... »

On perçoit bien, à travers ce passage, la dimension princeps de ce concept d'excellence et aussi le caractère tautologique de son soubassement moral : nous sommes les meilleurs parce que nous sommes vertueux, et si nous sommes vertueux et que nous gagnons, c'est parce que nous avons raison d'être vertueux. La vertu excellence est ainsi la *valeur en soi* qui reçoit sa confirmation et sa justification des succès mêmes qu'elle permet d'engendrer.

Les mêmes principes se retrouvent avec une force aussi intense dans bon nombre de ces multinationales nord-américaines imprégnées d'éthique protestante : dans certains cas, à la différence d'IBM, ce principe d'excellence, quoique figurant en bonne place, apparaît néanmoins comme au service d'un objectif premier de nature économique tel qu'« occuper la première place » ou « générer du profit ». Ainsi, chez Procter et Gamble, qui propose à ses employés dans un petit livre intitulé « *Notre raison d'être* », la recherche de « l'excellence par l'engagement total et l'innovation » et décline les principes moraux d'équité, d'égalité, d'intégrité personnelle, de responsabilité et d'honnêteté qui doivent accompagner la poursuite de l'objectif fondamental de la société qui est « d'occuper la première place dans tous nos domaines d'activité ». Ainsi, également, chez Hewlett Packard, qui souligne à peu près les mêmes qualités morales, mais les met clairement au service de l'objectif numéro un : le profit, en précisant bien qu'il s'agit là de « l'unique étalon de mesure véritablement essentiel de la performance de la société » et que ce n'est qu'en continuant à poursuivre cet objectif que la société sera capable de réaliser les autres.

D'autres sociétés semblent apparemment plus puritaines et, tout en axant leurs efforts sur un objectif très élevé de croissance annuelle – « la société ne sait pas vivre sans 15 % de croissance par an, c'est impensable autrement », dit-on à l'American Express –, le lient indissolublement à des objectifs moraux d'excellence et de perfection : « Le but social de l'entreprise est très moralisateur, c'est pas du tout de faire de l'argent, on ne dit pas ça, l'argent ! On dit nous sommes les pionniers, nous sommes là pour rendre service... Ces idées de service et d'intégrité, ce sont deux données fondamentales et ça rejoint l'idée première du fondateur. Et il faut être le plus fort, le plus parfait. Toutes les notes parlent de perfection, on reçoit sans arrêt des notes sur la notion de perfection, d'exigence envers soi-même et envers le client, parce que le client, c'est important, et ça jusqu'au plus petit échelon. »

Dans une entreprise comme Digital Equipment, la référence aux valeurs morales est encore plus accentuée et revêt un caractère quasi religieux. Aux États-Unis, le livre des grands principes de la compagnie, destiné aux employés, s'intitule en effet *The book* (la Bible), et, dans le journal d'entreprise, il arrive que Digital soit personnifiée par un prédicateur puritain[2]. Les valeurs essentielles y sont présentées comme devant se situer avant tout « à l'intérieur de nous-mêmes ».

Modestie, puritanisme, internalisation des valeurs, exemple moral imprègnent tout le texte : « Nous ne parlons pas de notre intégrité ou de notre moralité aux autres, ils les reconnaissent, tout simplement, dans ce que nous faisons et dans notre comportement. C'est en montrant l'exemple, en vivant les valeurs nous-mêmes que nous les faisons partager à l'intérieur et à l'extérieur... La pierre angulaire de tout cela, c'est que chacun d'entre vous doit, dans une situation donnée, ne pas se fier à un livre, mais à quelque chose qu'il a en lui. » Ce quelque chose que chacun a en lui, c'est *the right thing* : cela veut dire que chacun possède en lui quelque chose qui lui dit quelle est la voie, quel est le bon choix au moment où il a à le faire. Tout le texte insiste sur les valeurs que constituent l'apprentissage (*always learn*), l'innovation, l'enthousiasme, le fait de « travailler dur » et d'être « dur au travail » (« les gens paresseux ne peuvent pas survivre ici »), la simplicité. Il ajoute également que toutes les personnes doivent partager ces valeurs et avoir ainsi le même type de « mentalité de base »[3].

Avec ce dernier exemple, nous touchons un point essentiel concernant le principe d'excellence et le code éthique qui l'accompagne : c'est, en effet, par cette « internalisation des valeurs » de l'entreprise, cette intériorisation profonde des valeurs morales qu'elle met en avant qu'est produite l'adhésion au système.

Comme l'exprime fort bien un manager, « cette approche moralisatrice permet de mieux gérer les choses complexes, ça permet une mainmise exigeante et de faire fonctionner les hommes *comme un rouage*... parce qu'à ce moment-là ce sont des gens qui sont fiables puisqu'ils feront des choses que l'on peut définir à l'avance, sans que ce soit une obéissance de

---

2. Nous nous référons dans cet exemple à la très pertinente analyse développée par Roland Reitter. Note non publiée. Repris en partie dans R. Reitter, B. Ramanantsoa, *Pouvoir et Politique*, Paris, Mac Graw Hill, 1985.
3. Cf. R. Reitter, B. Ramanantsoa, *op. cit.*

l'extérieur, mais une obéissance *interne*, une obéissance liée à une culture interne, une culture d'excellence ».

L'obéissance interne par introjection des valeurs de l'entreprise constitue ainsi le premier temps du mécanisme de production de l'énergie psychique dans le système managinaire : l'adhésion au système. Le second temps est constitué par toute une série de dispositifs qui visent à mettre l'individu sous tension, afin qu'il entre véritablement dans un processus dynamique où il va mobiliser toute son énergie psychique au service du système auquel il adhère et la canaliser dans le sens voulu et suscité par l'organisation.

Ce sont ces dispositifs de mise sous tension que nous allons maintenant analyser.

La mise sous tension

Toute une part de ces dispositifs constitue en fait un prolongement du principe fondateur d'excellence et vise à placer l'individu en situation de mettre en œuvre ce principe dans ses actions quotidiennes.

Les dispositifs explicites

La formation

La formation interne est le premier de ces dispositifs. Elle vise à distiller (par exemple, au cours de « séminaires de culture interne ») les grandes valeurs de l'entreprise et ses principes fondateurs, à inculquer à l'individu les principaux éléments de la culture interne qui véhiculeront et feront vivre ces principes au quotidien, à lui enseigner les façons d'être, d'agir et de réagir auxquelles il pourra et devra avoir recours dans son existence professionnelle et surtout à unifier les

« mentalités de base » des employés de l'entreprise, afin de renforcer le processus d'adhésion de chacun et de tous à l'organisation, à ses valeurs, à sa mission, à ses objectifs. La plupart de ces cursus de formation s'articulent étroitement sur les valeurs dominantes de l'entreprise qui les met en place.

Ainsi, chez Hewlett Packard France, le cycle de formation interne destiné aux managers et aux superviseurs de l'entité commerciale s'intitule « POM », c'est-à-dire « Passion, Ouverture et Motivation ». Il est symbolisé par une petite molécule dont l'axe vertical, constitué de quatre boules, représente les quatre niveaux de hiérarchie d'HP (*supervisor, middle manager, functional manager et general manager*) et dont l'élipse centrale est constituée de cinq boules représentant les cinq étapes qui sont celles du succès pour les managers de HP. La première étape correspond à l'identification d'un but, la deuxième étape au partage d'une vision, la troisième au développement des plans d'action, la quatrième à la conduite de l'action et la cinquième à l'évaluation et au contrôle de ce qui a été réalisé. Les cinq étapes sont censées correspondre à la démarche qui doit être celle des managers HP, en tout cas, à celle qui conduit au succès. Elles symbolisent parfaitement le processus que nous avons décrit de mobilisation interne autour d'un but fondateur, puis d'adhésion partagée aux valeurs du système, avant la mise en œuvre de l'action dans le respect de certaines règles sans oublier l'évaluation et le contrôle de l'ensemble. Un tel dispositif a été explicitement conçu pour soutenir l'encadrement dans sa capacité de projection dans l'avenir et de production de l'enthousiasme et de l'énergie nécessaires pour mener à bien des actions à moyen ou à long terme : « Il faut dynamiser et maintenir le niveau d'énergie et d'enthousiasme sur une période assez longue, avec des objectifs à moyen terme, et c'est pour ça que ces trainings sont nécessaires », explique un responsable de formation.

*Les systèmes d'évaluation et
le management par objectifs*

Le deuxième dispositif formel de mise sous tension est bien sûr constitué par les systèmes formels d'évaluation qui reflètent bien, eux aussi, la double exigence – quantitative et qualitative – de dépassement permanent impliquée par le principe d'excellence.

Les échelles d'appréciation sur lesquelles sont fondés ces systèmes constituent bien souvent une formidable pression vers le haut. Ainsi, à l'American Express, deux des cinq items d'évaluation sont situés tout à fait *au-delà* de la réalisation des objectifs fixés : la première note, A, correspond à une évaluation *clearly outstanding* (hors du commun), elle n'est attribuée qu'exceptionnellement (1 % du personnel environ), « à ceux qui se sont montrés tout à fait exceptionnels dans l'exécution de leurs responsabilités, qui ont constamment réussi à faire face aux challenges les plus difficiles et ont démontré un niveau d'aptitude et de motivation excédant de très loin les attentes de leurs positions ». Comme l'expriment humoristiquement les employés de l'American Express, il faut, pour l'obtenir, « marcher sur les eaux ».

Mais la note suivante, B, correspond aussi à une évaluation *above expectation* (au-delà de l'attente) et elle est, elle aussi, très difficile à obtenir (10 % des employés environ), puisqu'il faut, pour cela, « avoir obtenu une performance nettement supérieure à celle des autres employés du même niveau, avoir constamment excédé les attentes et démontré des aptitudes et une motivation réelles pour faire face aux challenges les plus difficiles ». Quant à la note C – note médiane –, elle est attribuée à ceux qui ont rempli « toutes les exigences de leur job et ont démontré les connaissances et aptitudes nécessaires ainsi que la motivation pour améliorer leurs performances et leurs compétences ». On voit bien que cette note C, note médiane qui correspond donc à la bonne réalisation de tous les objectifs fixés, si elle est *explicitement* satisfaisante, est en fait, en réalité, *implicitement* insuffisante et ne constitue qu'un tremplin, une sollicitation à progresser vers le B et le A.

Quant aux critères d'évaluation adoptés par ces entreprises, ils intègrent en général parfaitement le principe d'excellence dans sa dimension immatérielle et qualitative : ainsi, à l'American Express, chaque individu doit rendre compte non seulement des accomplissements spécifiques qu'il a menés à bien (objectifs quantitatifs), mais de la performance accomplie dans la *façon* dont il a atteint ses objectifs et réalisé ses plans d'action.

Chez Hewlett Packard, le dispositif est complètement formalisé et l'exigence de qualité totale est intégrée, de la façon la plus mesurable possible, dans le système de « management par objectifs » (MBO) et, *a fortiori*, dans le système d'évaluation qui en découle. La démarche de qualité totale qui y a été adoptée a consisté à généraliser la relation clients-fournisseurs à l'intérieur même de l'entreprise : chaque service est ainsi à la fois tour à tour client et fournisseur des autres services de l'entreprise. Au niveau de chaque service est définie chaque année sa mission générale tant sur le plan permanent (à long terme) que sur le plan de l'exercice en cours. Sont ensuite définis les clients du service (qui peuvent se situer au niveau interne : d'autres services, par exemple) et les paramètres de succès, qui seront pris en compte pour évaluer si la mission du service a été accomplie. Ces paramètres de succès doivent intégrer trois dimensions : *économique* (par exemple, pour un service d'approvisionnement, la diminution des stocks), *qualité* (par exemple, une diminution du nombre de ruptures d'approvisionnement), *ressources humaines* (par exemple, une stabilisation du *turn over*). Des plans d'amélioration peuvent alors être mis au point qui prévoient explicitement les moyens et les méthodes à mettre en œuvre pour contribuer à la réalisation de l'amélioration souhaitée, les responsabilités de chacun dans la mise en œuvre des contributions nécessaires et, enfin, les « indicateurs de performance », qui permettront de juger la bonne réalisation de chaque contribution. L'évaluation portant sur la qualité est ainsi « objectivisée » au maximum, même quand elle ne porte pas sur des données quantifiables.

Par ailleurs, la définition – au niveau individuel – des

objectifs dont chacun doit répondre n'est jamais imposée d'en haut, mais toujours fixée avec l'individu qui doit s'engager personnellement sur la réalisation d'un certain nombre de points, et ce, en prenant bien soin d'évaluer préalablement de façon adéquate, – sans se sous-estimer ni se surestimer – sa capacité personnelle à remplir les objectifs sur lesquels il s'engage. Un tel dispositif mobilise donc, pour fonctionner, un investissement psychologique fort, une évaluation constante et pertinente de soi-même et une tension continue pour que la réalisation soit conforme à la prévision sur laquelle on s'est engagé. On voit bien comment, dans un contexte général de challenge et de dépassement permanent, un tel dispositif fait peser sur l'individu une forte pression en l'incitant à mettre la barre suffisamment haut pour répondre aux attentes de l'entreprise : « On est à la fois très aspiré, très "tchatché" à aller loin, à prendre des deals et des challenges importants et, d'un autre côté, on sait aussi qu'il faut bien négocier les deals qu'on prend parce qu'on n'aura pas le droit à l'erreur », explique un cadre de Hewlett Packard.

Le renforcement positif

Pour aider l'individu à accomplir les performances sur lesquelles il est conduit à s'engager, toute une série de dispositifs formels ont été mis en place pour l'inciter à faire toujours mieux.

Les uns sont de nature financière, comme les systèmes de primes qui récompensent les employés particulièrement performants ou comme les incitations financières qui existent dans beaucoup d'entreprises et permettent à ceux qui dépassent leurs objectifs d'accroître leurs revenus de façon exponentielle. « Une partie de votre salaire – 80 % – est en fixe et 20 % en variable. Si vous ne réalisez que 80 % de vos objectifs, vous ne toucherez que 80 %, mais si vous faites 110, vous toucherez 120, si vous faites 120, vous toucherez 140, si vous faites 150, vous toucherez 200... tout ça selon des règles bien précises », explique un manager de l'American Express.

Un autre dispositif concourt au même objectif : c'est le

principe de l'« autoactionnariat », qui permet aux employés d'acquérir des actions de l'entreprise à titre préférentiel ou qui leur en attribue à titre de récompense. Cette pratique ne peut bien évidemment qu'imbriquer plus étroitement encore objectifs personnels et objectifs organisationnels et enraciner chez l'individu le sentiment qu'en travaillant pour l'entreprise il travaille aussi pour lui-même.

Cette incitation financière à dépasser en permanence ses objectifs s'articule aussi sur un fort système de promotion interne auquel recourent la plupart de ces entreprises qui recrutent en général des personnels jeunes venant d'achever leurs études et fondent tout leur système d'avancement sur cette logique de promotion interne.

D'autres dispositifs – de nature non financière – sont fondés sur l'utilisation des signes de reconnaissance positifs. Peters et Waterman avaient souligné dans leur ouvrage à quel point les entreprises de l'excellence connaissaient la valeur de ces signes de reconnaissance et surtout la manière de s'en servir. « Les entreprises exemplaires nous enseignent que rien ne nous interdit de concevoir des systèmes qui renforcent en permanence cette notion : elles traitent leurs employés comme des gagnants. Leurs effectifs se distribuent normalement en manière d'intelligence, comme toute population nombreuse, mais la différence, c'est que leurs systèmes renforcent le sentiment d'être des gagnants plutôt que des perdants... Les systèmes des meilleures entreprises ne sont pas seulement faits pour fabriquer un grand nombre de gagnants ; ils sont aussi conçus pour fêter la réussite quand elle survient. Les entreprises font un usage extraordinaire de stimulants à caractère non financier[4] » : ainsi les « clubs des meilleurs vendeurs », qui existent dans toutes ces entreprises, ou le « club des 100 % », créé par IBM, ou la désignation au cours d'une réunion publique de la « meilleure secrétaire », etc., poussent continûment dans le sens du dépassement permanent de soi-même.

---

4. *Le Prix de l'excellence, op. cit.*, p. 77 et 78.

Les dispositifs implicites

Le toujours plus

Par-delà ces dispositifs formels, d'autres sont de nature informelle et peuvent se résumer dans la logique du « toujours plus », corrélative du principe d'excellence. Ce principe étant, par nature, infini (l'excellence est insatiable), l'individu sera sans cesse conduit et sollicité à se dépasser lui-même sans cesse, à faire toujours plus, toujours mieux ou toujours plus vite, à répondre toujours davantage aux sollicitations de l'entreprise. Cette exigence est particulièrement intense dans les sociétés de service où la satisfaction du client fait figure de devoir sacré à l'accomplissement duquel doivent tendre tous les efforts de chacun. « Dans le service, explique un manager de l'American Express, il faut être capable de sortir ses tripes pour servir ses clients. Il faut toujours apporter un plus. C'est ce qu'on appelle chez nous le *beyond the call of service*, au-delà du service normal... Ça crée des tensions parce que le niveau d'exigence est très haut. Les gens ont tendance à dire : "Le patron en veut toujours plus." Pour nous, en tant que manager, il faut toujours chercher la meilleure organisation, il faut toujours être à la recherche de la solution optimale, c'est ça qui fait le challenge. »

Cette exigence est particulièrement aiguë pour les individus placés dans des situations professionnelles qui constituent des « centres de profit » et qui doivent donc justifier en permanence de la réalisation des objectifs de profit qui leur ont été assignés. Pour ceux qui sont placés dans ce que l'entreprise considère comme des « centres de coût », l'exigence ne se situe pas en termes de profit financier, mais en termes de productivité par rapport au travail : elle est donc, de ce fait, moins immédiate mais tout aussi prégnante. « C'est en fait la combinaison de deux choses qui fait la difficulté, souligne un manager d'American Express, l'exigence dans le service et aussi l'exigence de rentabilité. Ce qui est difficile, c'est de faire les deux : vous pouvez donner un excellent service à quelqu'un en y consacrant quatre heures ! Ce qui est difficile, c'est de répondre en même temps à certains impératifs de rentabilité et donc de combiner les deux. Ça met une tension chez chaque individu. »

C'est dans la même logique de mise sous tension permanente que s'inscrit en effet ce dispositif de catégorisation en centres de coût et centres de profit. Le principe du toujours plus et la mesure des performances sont omniprésents, mais revêtent des formes différentes selon le lieu où l'on travaille : lorsqu'ils ne s'incarnent pas dans des objectifs de profit directement mesurables, ils se traduisent dans des objectifs de rentabilité et de productivité du travail. La logique du profit n'est donc plus uniquement d'ordre quantitatif et financier, elle revêt aussi une forme qualitative et s'étend à la mesure des contributions apportées à l'organisation en termes d'efficacité, de rentabilité, de rapidité du travail, etc.

Le management par l'implicite

Cette exigence informelle du « toujours plus » s'appuie et s'articule sur une exigence implicite de dépassement permanent, quel que soit le niveau demandé. On exige en fait de l'individu qu'il fasse toujours plus et qu'il aille toujours *au-delà* de ce qui lui est formellement demandé : « L'ambiguïté, c'est qu'on vous dit : "On vous donnera une mission, deux missions, trois missions, mais en fait on sera déçu si vous n'en faites que trois, c'est-à-dire qu'*on vous demande en réalité d'aller plus loin que ce qu'on vous demande.*" C'est dit sans être dit. *Ça doit être compris.* »

Les demandes, les exigences envers l'individu se situent donc pour une grande part *au niveau de l'implicite* et du non-dit, elles ne sont jamais formellement arrêtées, fixées, délimitées. Elles suscitent par là même une inquiétude continuelle, une angoisse de n'en avoir pas fait assez, une culpabilité permanente, tous mécanismes qui ne peuvent – tout aussi sûrement que les gratifications financières – qu'inciter les individus à se dépasser sans cesse pour surmonter l'angoisse du « pas assez » et les enferment ainsi dans la spirale infinie du « toujours plus ».

Cette inquiétude est d'ailleurs renforcée et légitimée par les dispositifs de contrôle informel qui renforcent les dispositifs formels et qui entretiennent une surveillance et donc une inquiétude permanente. Dans certaines sociétés, ce contrôle est poussé assez loin : « La notion de service est tellement dans la culture de notre entreprise, explique un manager, que le président va souvent au standard téléphonique pour répondre lui-même à des demandes, pour voir comment les employés répondent et ce que disent les clients... C'est important parce que nous sommes une société tournée vers le marché, c'est le marché qui nous guide. Donc, c'est important de voir la façon dont les employés répondent au client. » Ce type de contrôle informel renforce et amplifie les effets du contrôle formel de qualité qui s'applique avec une rigueur égale aux critères quantitatifs et aux critères qualitatifs : « Quantitativement, vous devez par exemple répondre en moins de trois secondes au téléphone. Qualitativement, *on doit vous entendre sourire au téléphone.* »

Le management par la sublimation

Une autre forme, moins angoissante et plus positive pour l'individu, de ces modes implicites de management consiste en ce qu'on pourrait appeler le « management par la sublimation », que dépeint ainsi un manager d'IBM : « J'ai vraiment l'impression que c'est un principe universel, c'est-à-dire que les gens aiment bien être sublimés. Je m'aperçois que, quand j'ai quelqu'un à manager, j'arrive assez facilement à faire vibrer cette corde et, dès que j'arrive à la faire vibrer, je suis tranquille, les objectifs seront remplis et même dépassés... Pour ça, il faut formuler n'importe quelle demande de manière tout à la fois exigeante et valorisante en fixant un but à atteindre et en laissant une marge de liberté pour l'atteindre. Ça incite les gens à se dépasser, ça les motive, ils sont heureux, ils sont contents et ils concourent à l'édifice commun. »

La compétition permanente

Enfin, la mise sous tension effectuée dans ces entreprises repose également fortement sur la compétition généralisée qu'elles instaurent : compétition externe, par rapport au marché, mais aussi compétition interne, entre les équipes, entre les individus, afin de galvaniser les énergies et les talents. Ainsi, des pratiques telles que le classement et l'affichage des chiffres d'affaires mensuels réalisés par les vendeurs contribuent à entretenir un climat permanent de compétition. Comme le montrent très bien Peters et Waterman dans leur livre, ces entreprises manient là encore en permanence « l'ambiguïté et le paradoxe » afin de mettre en compétition les équipes, comme si elles étaient les entrepreneurs de leur propre secteur d'activité, et ainsi de mieux les impliquer dans l'entreprise. Autrement dit, comme le montre A. Ehrenberg [5], il s'agit d'étendre le modèle compétitif à la gestion du facteur humain. « La compétition apparaît comme une forme de régulation des comportements beaucoup plus efficace que le vieux bâton et la vieille carotte » des systèmes hiérarchiques classiques.

Avec cette notion de paradoxe, nous pénétrons déjà dans ce qui constitue le principe moteur du fonctionnement de ces systèmes managinaires. Nous allons maintenant présenter ce système de gestion par le paradoxe permanent, qui constitue, à notre sens, l'une des spécificités du fonctionnement psychique sollicité dans le cadre du système managinaire.

5. A. Ehrenberg, « Héroïsme socialement transmissible », *Autrement*, nº 86 : *L'Excellence, une valeur pervertie*, janvier 1987.

CHAPITRE 6

La mobilisation psychique

Avant de présenter la logique paradoxale à l'œuvre dans les entreprises que nous décrivons, il nous faut tout d'abord pénétrer plus avant dans ce qui constitue le moteur du fonctionnement psychique individuel, tel qu'il est sollicité dans ce type d'entreprise.

L'adhésion passionnelle

Le moteur du système, c'est donc un investissement personnel à forte intensité que nous désignons sous le terme d'*adhésion passionnelle*. Le *manager performant* ne doit pas, en effet, se contenter d'adhérer au système mécaniquement, en respectant ses normes, ses principes, ses valeurs et ses règlements. Il doit s'y investir lui-même tout entier et y vouer toute la passion dont il est capable, dans sa double dimension corps et âme, physique et psychique, charnelle et spirituelle. Ce type d'entreprise, comme l'explique un manager d'IBM, « ça couvre bien au-delà des relations contractuelles qu'on devrait normalement avoir avec son travail... Travailler pour gagner de l'argent, avoir des responsabilités, y faire face et, si on fait des erreurs, risquer d'être sanctionné, bref, un truc formel, mécanique. Non là, c'est avoir *l'estomac et le cœur liés à ce qu'on fait*... C'est peut-être le propre de ces entreprises du troisième type comme est la mienne, qui essaient *d'aller au-delà* et de s'attacher les individus où qu'ils soient et de quelque personnalité qu'ils soient ».

Le mode de fonctionnement psychique qui caractérise le cadre des entreprises managinaires, c'est donc le *mode passionnel*, avec la même plénitude, mais aussi, potentiellement, les mêmes excès et les mêmes ravages que ceux que suscite la passion amoureuse. « C'était vraiment passionnel, exprime une femme cadre à l'American Express, c'était vraiment une histoire d'amour entre moi et cette organisation. » « Si vous laissiez faire, explique une autre femme, manager chez Hewlett Packard, l'entreprise vous mangerait. Elle vous mangerait, mais elle vous donnerait autant que ce qu'elle vous mange... à condition que vous acceptiez le même mode de fonctionnement qu'elle... Une emprise très forte, quelque chose qui bouffe beaucoup mais qui rend énormément. »

La passion, dans l'entreprise de l'excellence, doit en effet, et avant tout, être maîtrisée et contenue en permanence, ce qui constitue une certaine forme de paradoxe puisque le propre de la passion est de se nourrir d'elle-même, de se consumer sans limites, d'aller jusqu'au bout de soi sans maîtrise et sans frein. « Une des clefs de voûte du système, c'est de pouvoir jouer avec et de pouvoir se détacher aussi vite qu'on s'attache. Mais ça coûte de se décoller, comme dans une histoire d'amour », explique un cadre de Hewlett Packard.

Faute de savoir gérer sa passion et l'investissement/désinvestissement corrélatif que nécessite cette gestion, l'individu se retrouve alors – tout comme dans le processus de la passion – dans les affres du désespoir amoureux : « Quand l'autre ne répond pas, explique la femme cadre mentionnée plus haut, on reste seul comme ça, sur le bord du lac. » Cet « autre » dont elle parle, cet « autre » qui ne répond pas, c'est l'organisation qui ne répond pas à votre amour, à vos avances, à tout ce que vous avez investi sur elle et qui vous laisse aller, les bras ballants et lourds de tout l'amour inassouvi que vous lui destiniez et dont elle ne veut plus.

C'est d'ailleurs spontanément le terme de « chagrin d'amour » qu'utilise un cadre masculin d'IBM pour évoquer un problème dans le déroulement de sa carrière : « Dans cette entreprise, dit-il, il est difficile d'avoir des relations neutres, ce sont des *relations affectives profondes*, et en l'occurrence, je suis un petit peu déçu, comme un *chagrin d'amour.*

Au processus individuel de *passion maîtrisée* répond en fait, du côté de l'organisation, un processus de *passion contrôlée*, c'est-à-dire que l'investissement passionnel est voulu, recherché, suscité, mais aussi encadré étroitement par l'organisation. Il est encouragé pour parvenir au niveau de production d'énergie psychique nécessaire pour faire tourner l'organisation, mais il est contrôlé pour éviter les débordements dévastateurs où l'individu, consumé dans sa passion, ne peut plus constituer un facteur de progression pour l'entreprise.

La passion organisationnelle est donc doublement sous surveillance : dans sa production d'abord, dans ses excès ensuite. Le caractère profondément paradoxal du processus est tout entier contenu dans cette formule d'une jeune femme manager : « On nous juge tout le temps, est-ce que vous adhérez ou pas, c'est l'œil de Moscou en permanence, on examine si votre comportement est en cohérence avec le système et ils ont trente-six méthodes pour découvrir si vous n'adhérez plus. Ou si vous adhérez un peu... beaucoup... ou passionnément. *Et il est dans l'intérêt de chacun d'adhérer passionnément.* » Une adhésion passionnée, à fournir par obligation, par intérêt, ou par crainte de représailles..., voilà bien l'essence même d'une injonction contradictoire, c'est-à-dire d'une injonction porteuse de deux messages dont le second contredit le premier et auxquels on ne peut obéir simultanément, car, si l'on obéit à l'un, on ne peut, en fait, que désobéir à l'autre... comme dans l'injonction fameuse « soyez spontané » qui ne peut être respectée, puisque, précisément, la spontanéité ne peut être produite dans la contrainte. Il en est de même de la passion dont le ressort intime est profondément antinomique de toute forme de contrainte, fût-elle au service de ses propres intérêts.

Or c'est précisément ce tour de force auquel parviennent les entreprises du système managinaire par toute une série de dispositifs qui, tout à la fois, suscitent ce mécanisme d'adhésion passionnée tout en le liant étroitement aux intérêts de l'individu, l'enfermant ainsi dans un système bouclé dont il est bien difficile de sortir. « Nous sommes les esclaves dorés », expliquent certains cadres, conscients de ce mécanisme d'asservissement.

Mais si la production de la passion est ainsi suscitée et contrôlée par l'organisation, son niveau l'est tout autant, car c'est la dialectique adhésion-frustration qui est productrice d'énergie et, comme telle, doit être entretenue pour ne pas tomber dans les excès d'une adhésion qui ne serait qu'une reddition sans condition. Dans cette situation, en effet, l'individu, n'ayant plus rien à préserver de lui-même, ne trouverait plus en lui les ressorts internes nécessaires à sa dynamique personnelle, à sa créativité et à sa progression interne dans l'entreprise.

L'organisation doit donc être objet d'adhésion et d'identification *jusqu'à un certain point* : « Les seuls patrons qui arrivent sont ceux qui se sont identifiés totalement à l'organisation, qui se sont perdus en elle. Mais, paradoxalement, il y en a un grand nombre qui se perdent... Ils se sont identifiés à l'organisation et, à ce moment-là, ils sont lâchés par elle parce qu'ils ne sont plus intéressants, ils sont devenus des *coques vides*. Ils ne fonctionnent plus que comme des haut-parleurs de l'organisation, ils n'apportent plus la *chair vivante*. Donc, *c'est de votre révolte que se nourrit l'organisation* », observe un manager.

C'est donc la dialectique fascination-révolte, idéalisation-déception, adhésion-frustration qui est le moteur du fonctionnement psychique sollicité dans les entreprises du système managinaire. L'agressivité, le manque et l'angoisse générés dans ces processus alternatifs et contradictoires sont en effet les éléments de progression interne qui conduisent chaque individu à vouloir se dépasser sans cesse et déployer toujours plus d'énergie dans l'entreprise, pour combler une insatisfaction, compenser une déception, conquérir une nouvelle preuve d'amour, apaiser une angoisse, dépasser le paradoxe qui constitue souvent le cœur de la logique organisationnelle des entreprises de ce système.

Le système paradoxant

L'enchaînement paradoxal

Il est frappant, en effet, de constater à quel point le fonctionnement de ces entreprises repose sur une sorte de paradoxe permanent, en sollicitant constamment des comportements ou des sentiments de nature opposée ou qui, pour s'accomplir, impliquent la négation de l'un des termes même qui les sous-tendent. « La liberté, à IBM, c'est de choisir les *types de contrainte* auxquels *on adhère librement* », explique un manager. « On a droit uniquement à la réussite, on est *condamné au succès* », précise un cadre de Hewlett Packard. « Dans cette entreprise, on est *obligé* de communiquer *librement* », commente un autre cadre. « *Il est dans l'intérêt de chacun d'adhérer passionnément* », expliquait la femme manager que nous mentionnions plus haut... Passion sous surveillance, obligation d'être libre, condamnation au succès, liberté contrainte... telles sont quelques-unes des multiples injonctions paradoxales qui jalonnent le fonctionnement interne de ces entreprises. Injonctions paradoxales et non simplement contradictoires, puisque, répétées de multiples fois sous les registres les plus divers, elles finissent par se boucler en un système de double contrainte permanente auquel l'individu ne peut échapper.

Rappelons les trois éléments (tels que les présente Watzlawick [1]) qui doivent être réunis pour qu'existe une situation de double contrainte dans la communication. Il faut tout d'abord que deux ou plusieurs personnes soient engagées dans une relation intense ayant une grande valeur vitale, physique et/ou psychologique pour l'une d'elles, pour plusieurs ou pour toutes. Ensuite que, dans un tel contexte, un message soit émis, structuré de manière telle que :

1. P. Watzlawick, J. Helmick-Beavin, D. Jackson, *Une logique de la communication*, Paris, Éd. du Seuil, 1972.

a) il affirme quelque chose ;

b) il affirme quelque chose sur sa propre affirmation ;

c) ces deux affirmations s'excluent.

« Ainsi, si le message est une injonction, il faut lui désobéir pour lui obéir ; s'il s'agit d'une définition de soi ou d'autrui, la personne définie par le message n'est telle que si elle ne l'est pas et ne l'est pas si elle l'est... Enfin, dernière condition, le récepteur du message est mis dans l'impossibilité de sortir du cadre fixé par ce message, soit par une métacommunication (critique), soit par le repli. On ne peut pas *ne pas* réagir au message mais on ne peut pas non plus y réagir *de manière adéquate* (c'est-à-dire non paradoxale) puisque le message est lui-même paradoxal. »

Or, si nous reprenons terme à terme les trois éléments constitutifs de la double contrainte, nous constatons qu'ils sont en tout point présents dans les systèmes organisationnels que nous avons décrits, à la différence près – et elle est importante – que le dialogue ne s'effectue pas entre deux personnes, mais entre l'individu et l'organisation à laquelle il appartient. Nous avons montré tout à l'heure à quel point la relation qui l'unissait à cette organisation était effectivement intense (adhésion passionnelle...). Or, dans le cadre de cette relation, l'organisation exige de lui qu'il adopte un comportement ou qu'il développe des sentiments dont la logique même est profondément contradictoire et que l'on ne peut adopter ou éprouver sans vivre de plein fouet le paradoxe qui les accompagne. Enfin, et c'est en cela que le système est un peu plus que simplement contradictoire, il ne s'agit pas d'injonctions fortuites ou conjoncturelles dont on pourrait se libérer au prix d'une désobéissance à l'un des termes proposés, mais d'un processus permanent et sans cesse renouvelé dont on ne peut pas sortir... d'autant moins qu'on adhère en général profondément au système qui les génère : « Je me suis souvent senti prisonnier de ce système, explique un manager d'IBM, je pensais : "Je voudrais pouvoir faire une bêtise"... mais on ne peut pas sortir du système, de la même manière qu'on ne peut pas sortir du référent », ajoute-t-il.

La force de ces systèmes organisationnels est en effet d'avoir suffisamment assis et fondé leur légitimité pour que ceux qui les investissent ne puissent échapper aux paradoxes qu'ils sécrètent. Ceux qui ont placé leurs références ultimes dans de tels systèmes sont alors condamnés à vivre un enchaînement de paradoxes et à tenter de s'en accommoder. Ils en éprouvent souvent, au minimum, un malaise : « Ça coûte en termes d'énergie, d'espoir, de désillusion. Je suis bien et mal à la fois au niveau de l'être », exprime un cadre de Hewlett Packard. « C'est parfois agréable d'être enserré dans une toile parce qu'il y a des moments où on est bien et d'autres où on est mal », précise un autre cadre. Les individus placés dans ces systèmes semblent vivre ce qu'on pourrait appeler des « situations paradoxantes », c'est-à-dire que l'organisation sécrète des paradoxes dont, à première vue, il ne paraît pas possible de sortir : « Il y a dans ce système une sorte de dialogue impossible à la base... c'est-à-dire d'adhésion et de répulsion simultanées, c'est au deuxième degré que le système est traumatisant », explique un cadre d'IBM. Une femme manager chez Hewlett Packard exprime ce sentiment encore plus directement : « En termes de fonctionnement, c'est très fermé, Hewlett Packard, c'est-à-dire qu'il n'y a pas d'échappatoire. C'est très paradoxal, *on est toujours dans un paradoxe. Je me demande comment on ne devient pas tous schizophrènes.* Il faut croire qu'il y a quelque chose de plus qui fait qu'on est capable d'un choix ! »

Quel est, précisément, ce *plus* qui permet aux employés de ces entreprises de ne pas basculer dans la schizophrénie ? Et d'abord, pourquoi mentionner ce terme ? Pour le comprendre, il nous faut souligner le rapprochement que l'on peut opérer entre la relation que l'individu entretient avec l'organisation, telle que les extraits rapportés plus haut la relatent, et la relation de communication entre la mère et son enfant telle qu'elle apparaît selon Bateson et l'équipe de Palo Alto dans le processus de la schizophrénie.

Dans l'élaboration théorique qu'ils avaient consacrée en

1956 à ce processus, Bateson, Jackson, Haley et Weakland[2] avaient présenté comme prototypique d'un type de relation producteur de schizophrénie le comportement affectif profondément contradictoire et perturbant d'une mère à l'égard de son enfant. Ils en donnaient un exemple particulièrement évocateur : « Un jeune homme qui s'était assez bien remis d'un accès aigu de schizophrénie reçut à l'hôpital la visite de sa mère. Il était heureux de la voir et mit spontanément le bras autour de ses épaules ; or cela provoqua en elle un raidissement. Il retira son bras ; elle demanda : "Est-ce que tu ne m'aimes plus ?" Il rougit et elle continua : "Mon chéri, tu ne dois pas être aussi facilement embarrassé et effrayé par tes sentiments." Le patient ne fut capable de rester avec elle que quelques minutes de plus ; lorsqu'elle sortit, il attaqua un infirmier et dut être plongé dans une baignoire... Il est évident que cette issue aurait pu être évitée si le jeune homme avait été capable de dire : "Maman, il est clair que c'est toi qui te sens mal à l'aise lorsque je te prends dans mes bras et que tu éprouves de la difficulté à accepter un geste d'affection de ma part." Mais pour le patient schizophrène, cette possibilité n'existe pas : son extrême dépendance et son éducation l'empêchent de commenter le comportement "communicatif" de sa mère, alors que, pour sa part, elle n'hésite pas à commenter le sien... »

Systématisant cet exemple, Bateson et ses collègues montrent bien que la situation familiale du schizophrène présente en général les caractères suivants :

« – un enfant dont la mère est prise d'angoisse et s'éloigne chaque fois que l'enfant lui répond comme à une mère aimante... L'existence même de l'enfant revêt pour elle une signification particulière : son angoisse et son hostilité s'éveillent chaque fois que se présente le danger d'un contact intime avec son enfant ;

– une mère qui juge inadmissible ses propres sentiments

2. G. Bateson, D. Jackson, J. Haley et J.H. Weakland, « Vers une théorie de la schizophrénie », in *Vers une écologie de l'esprit*, Paris, Éd. du Seuil, 1980, t. II.

d'angoisse et d'hostilité envers son enfant (par respect du devoir ou des « bons principes », etc.).

– l'absence dans la famille de quelqu'un – un père fort et intuitif par exemple – qui puisse intervenir dans les relations entre la mère et l'enfant et soutenir ce dernier face aux contradictions invoquées plus haut. »

Dans une telle situation, l'hypothèse de Bateson et de ses collègues est que la mère du schizophrène émet simultanément deux ordres de messages. Le premier consiste en un comportement d'hostilité ou de repli à chaque tentative de l'enfant pour s'approcher d'elle. Le second est un comportement simulé d'amour ou de rapprochement chaque fois que l'enfant répond à son comportement d'hostilité ou de repli, ce qui permet à la mère de dénier son agressivité et son manque d'intimité avec l'enfant. « Le problème de la mère est d'arriver à maîtriser sa propre anxiété en contrôlant, par le rapprochement ou le repli, la distance qui la sépare de son enfant. Autrement dit, dès qu'elle commence à éprouver de l'affection et à se rapprocher de son enfant, elle se sent en danger et, en quelque sorte, "obligée de s'éloigner de lui", mais d'autre part, elle ne peut pas assumer cet acte hostile et, pour le nier, elle "doit" simuler l'affection et le rapprochement. » De plus, la mère utilise les réponses de l'enfant pour affirmer que son comportement à elle est un comportement d'amour tout en condamnant son comportement à lui : le poids de la contradiction – inhérente à la mère – est ainsi reporté sur l'enfant qui se voit contraint de l'assumer.

Par certains aspects, la relation entre l'individu et l'organisation s'apparente à la relation mère-enfant que nous venons de relater : le malaise suscité par les exigences contradictoires de l'organisation (« je suis bien et mal à la fois au niveau de l'être »), le sentiment « d'adhésion et de répulsion simultanées » qu'évoquent certains vont dans ce sens.

Mais on ne peut pas pousser l'analogie jusqu'au bout, car ces entreprises ne génèrent pas, en général, de processus du même ordre. Si elles sont paradoxantes, elles ne sont pas, en général, *schizogènes*. Pour comprendre cette distinction, il faut analyser la relation individu-organisation à deux niveaux : celui de l'*injonction* organisationnelle, celui du *système* organisationnel. En effet, si, à un premier niveau, les injonctions contradictoires suscitées par l'organisation forment une sorte d'enchaînement de nature paradoxale, le second niveau, celui du système organisationnel, offre, quant à lui, des échappatoires à cet enchaînement. C'est la raison pour laquelle nous préférons parler de système *paradoxant* et non de système *paradoxal*. Paradoxant, parce que l'individu est obligé d'endurer en permanence les pressions contradictoires que génèrent ces organisations, mais non paradoxal en ce sens que l'individu peut sortir du paradoxe en se soumettant au système.

La sortie du paradoxe et la soumission au système

Dans le processus décrit par l'équipe de Palo Alto, l'un des éléments créateurs de la schizophrénie était le fait qu'il n'était pas possible à l'enfant de fournir une réponse *adéquate* ; il était toujours, quoi qu'il fasse, *insatisfaisant pour sa mère*. Là, au contraire, l'individu peut fournir une réponse adéquate : pour sortir du paradoxe, il lui faut simplement jouer le jeu du système et en accepter les lois, autrement dit ne pas raisonner dans l'absolu, mais dans la logique du système auquel il appartient. Comme l'exprime un manager d'IBM, « l'analogie peut se faire avec un piano, c'est-à-dire que les touches sont préréglées et vous n'y pouvez rien. Donc vous ne devez pas chercher à changer le ton d'une touche de piano IBM, mais par contre vous pouvez, à partir de là, faire du rock, du jazz ou du classique et donc utiliser ces touches préréglées pour exercer votre propre liberté à travers ces règles ». Donc, à partir du moment où l'adhésion « idéologique » et passionnelle au système est suffisamment forte pour que l'on puisse accepter d'exercer sa liberté à travers les contraintes du système, on peut en quelque sorte gérer le paradoxe et mettre toute son énergie à faire basculer la contradiction sur son versant positif. En travaillant toujours plus dans le sens voulu par l'organisation, en jouant le jeu prôné par le système et en acceptant de se dépasser dans le cadre des limites qu'il instaure, l'individu parvient – moyennant une forte tension – à sortir du paradoxe et à se sentir par exemple plus libre que contraint, plus satisfait qu'angoissé par l'obligation de réussite, plus stimulé qu'inhibé par la contradiction, etc.

Autrement dit – et c'est là toute la différence avec le processus décrit par Bateson –, *l'individu peut fournir la réponse adéquate attendue par l'organisation-mère, il peut être un « enfant » satisfaisant pour l'organisation.* Et, contrairement à l'enfant qui, ne pouvant jamais fournir de réponse satisfaisante, est sans cesse repoussé par sa mère et ne peut jamais être gratifié par elle, l'employé soumis aux contraintes de l'organisation peut recevoir de sa part toutes sortes de gratifications : elle le félicite, le récompense, le valorise narcissiquement et l'encourage à continuer. En acceptant de dépasser les tensions contradictoires que lui inflige sans cesse l'organisation, en s'efforçant en quelque sorte de les sublimer et de mettre toute son énergie dans l'accomplissement des objectifs organisationnels, l'individu peut non seulement sortir de la logique paradoxante infligée par le système, mais surtout y trouver son compte en termes de gratifications financières, statutaires et surtout narcissiques.

Cela implique néanmoins deux conditions : il faut d'abord accepter les contraintes et les tensions imposées par le système. Or on a vu plus haut que le caractère très fermé de ces systèmes, sans échappatoire autre que l'adhésion ou la soumission, était souvent vécu de manière assez contradictoire – à la fois positive, mais aussi parfois douloureuse ou révoltée –, à la mesure des tensions éprouvées. Si l'adhésion affective et idéologique au système n'est pas suffisante, il est alors impossible d'endurer le paradoxe et la seule issue est dans la sortie du système.

Il faut ensuite savoir malgré tout mesurer son investissement pour ne pas tomber dans la fascination stérile qui transforme l'individu en une coque vide que l'organisation, n'en ayant plus l'usage, est alors obligée de rejeter. L'organisation peut, dans ce cas, se révéler schizogène pour l'individu, en fonction du degré d'attachement psychique que celui-ci lui porte. C'est en effet quand le degré d'investissement personnel sur l'organisation devient d'une intensité telle que l'individu ne peut plus opérer aucune distanciation dans son rapport à l'organisation ni y introduire quelque élément tiers que ce soit qu'il devient alors prisonnier d'un système clos qui, ne lui fournissant plus les gratifications affectives et narcissiques dont il a besoin, ne lui donne plus les moyens d'exister et le condamne alors à la folie ou à la mort symbolique.

Mais, surtout, l'ensemble de ce processus génère chez l'individu des tensions très fortes en l'obligeant à gérer en permanence un double mouvement de refoulement et de sublimation dont nous allons tenter à présent de décrire le mécanisme.

La combustion du corps et de l'esprit

Témoignage

« Pour nous, managers, qui prenons en charge quelque chose de complet, eh bien, il est normal de ne pas déjeuner ou de ne pas dîner ou alors c'est pour dire *qu'on reste encore humain* et qu'on est obligé de... qu'on a un corps et qu'on a des faiblesses, quoi... et qu'on est bien obligé de le faire. Mais sinon, ne pas dormir, ne pas manger, c'est normal. *On est hors de son corps* quand on est dans la boîte. On est dévoué à la boîte et c'est le critère numéro un pour être manager, pour être un des leaders de la boîte. C'est une espèce de *transfusion de sang*, hein, et *le système* fonctionne comme ça, alors je pense qu'au bout d'un certain temps *il s'autogénère*... Je crois que, compte tenu de cette formidable *pression sur soi* qui *vous vide de votre sang*... comment réagit l'individu ?... d'autant plus que l'individu dont je parle est un individu ambivalent, puisqu'il est à la fois porté par cette organisation et par cette identification qui est faite à cette organisation et en même temps il sait qu'il est un individu. Alors, il a un problème à la fois de se préserver et de se donner complètement... et enfin il me semble qu'il y a des *relations amoureuses* qui sont comme ça, c'est-à-dire à la fois *ça décante l'individu*, il n'est à la fois plus seul et il est à la fois davantage seul et, en même temps, il participe à l'autre... On est quand même atteint suffisamment profondément, secoué dans les tréfonds, pour être obligé de *sortir ses tripes*, et ses tripes, on ne peut les sortir autrement qu'en les rationalisant. Le discours officiel est un discours rationnel, donc, tout ce qui est irrationnel, on est obligé de l'inclure, de le formaliser ou de trouver un cheminement qui soit plausible... Dans la mesure où on a des responsabilités hiérarchiques immédiates avec les hommes, à ce moment-là on attend de vous des *réactions stéréotypées, des réactions de système*. Tout ce qui pourrait laisser croire que c'est soi, en tant qu'homme, qui réagit n'est pas admis. Il faut que vous soyez interchangeable. Mais, en réalité, si vous êtes là, si on vous a mis là et si on vous laisse, c'est pour *vos tripes, vos réactions de tripes*, mais la manière de l'exercer doit être *rationnelle, interchangeable, justifiable* auprès de n'importe qui... *On ne peut pas vraiment avoir son corps*, on est obligé de se contraindre à quelque chose de rationnel. L'exigence de rationalité est une exigence très grande... On ne peut pas rester indifférent, *on a la peau dedans*, ce qui fait que, notamment au bout d'un certain temps, on n'est pas simplement un employé de l'organisation, *on fait partie de cette organisation* et on aimerait donc être reconnu... Moi j'ai toujours dit qu'il aurait fallu des *hochets*, des *légions d'honneur*, des systèmes complets comme les États ont su le faire. »

Essayons à présent de repérer les différents thèmes qui ressortent de cet extrait d'interview. Ils sont au nombre de quatre :

– Le thème le plus frappant est le *thème « corporel », voire « vampirique »*. Toutes les expressions employées dans le texte sont très significatives à cet égard : le système, par une « formidable pression sur soi », vous « vide de votre sang », il opère une « transfusion de sang » entre l'individu et lui, il oblige à « sortir ses tripes », à avoir « des réactions de tripes », on est obligé d'avoir « la peau dedans » et, d'une façon générale, « on ne peut pas avoir son corps », on est « hors de son corps » quand on est dans l'entreprise, on ne peut s'abandonner à la faiblesse des exigences humaines, tandis que, simultanément, l'entreprise se nourrit de ce corps et, à partir de là, « s'autogénère ».

On assiste en fait à un double processus : d'une part, un processus de refoulement du corporel (ne pas manger, ne pas dormir, etc.) comme si une maîtrise complète de toute pulsion vitale était nécessaire pour mieux se mettre au service de l'organisation et en constituer un agent idéal, dépourvu de tout besoin et de toute faiblesse humaine ; d'autre part, un processus simultané de retour du corporel refoulé sous la forme de fantasmes de dévoration ou de vampirisation. Ce corps, dont on a sublimé les exigences pour se mettre en accord avec la logique contraignante et « ascétique » du système, est fantasmé comme vidé, pompé, aspiré, consommé par ce dernier qui s'en nourrit et s'en régénère.

Dans l'imaginaire individuel, tout se passe comme si, pour exister, pour se personnaliser, pour devenir vivant et prospérer, le système, entité immatérielle et abstraite, avait besoin de dérober leur chair (*les tripes*), leur *sang*, leur *peau* aux individus qui le composent. Ce fantasme de vampirisation (et l'angoisse évidente qui le sous-tend) évoque le thème de la dévoration par une entité abstraite (et féminine) traité dans certains romans de science-fiction, tels *Gwendoline*, de Stephan Wul, ou *Planète Mamie*, de Maurice Limat, dans lequel la Mère Planète dévore ses habitants ou absorbe le héros dans un amour fusionnel total au sein d'une existence sans activité, sans créativité, totalement isolée des autres hommes et complètement fondue dans l'amour de la planète Mère.

– Le deuxième thème, très proche, est celui de l'*identification-incorporation* avec la notion d'ambivalence qui l'accompagne. Le premier aspect de ce processus est en effet celui de l'illusion fusionnelle : on fait partie de l'organisation, on en est un élément (puisqu'on lui a donné son corps et qu'on a « la peau dedans ») et, à ce titre, on en attend de la reconnaissance et de l'amour. En même temps, on l'a incorporée (« introjectée », diraient les psychanalystes), elle est en chacun de nous, elle fait partie de notre moi le plus intime, tout comme nous sommes partie intégrante de l'entité qu'elle constitue.

Mais le second aspect de ce processus est marqué par l'ambivalence, puisque l'individu sait malgré tout – rationnellement – qu'il est un individu et qu'une véritable fusion est impossible, voire dangereuse. On voit là l'amorce du troisième thème.

– Ce troisième thème, très apparent aussi, est en effet celui de l'*investissement amoureux*, voire de la combustion passionnelle, avec là aussi l'angoisse sous-jacente de perte de soi-même dans le don à l'autre, d'anéantissement de soi dans l'objet aimé. C'est pourquoi il faut savoir gérer la tentation fusionnelle et, tout à la fois, « se préserver et se donner complètement », comme dans une relation amoureuse qui vous « atteint profondément », vous « secoue dans les tréfonds », vous procure à certains moments l'espoir (et l'illusion) de n'être « plus seul » et, à d'autres moments, vous confronte au lourd constat de l'être davantage encore. Il n'y a donc pas le corps d'un côté, l'esprit de l'autre. C'est l'ensemble, cœur et corps liés, qui se consume pour l'organisation.

– Enfin, le dernier thème est ce qu'on pourrait appeler le *thème « totalitaire »*, où, derrière les processus psycho-affectifs décrits, on voit apparaître le système de l'organisation avec ses exigences normalisatrices de fonctionnement qui nécessitent de produire de l'interchangeable, du rationnel, du stéréotypé, des « réactions de système », bref, une certaine façon de robotiser les individus, de les faire fonctionner comme des rouages interchangeables pour les utiliser à ses fins.

Mais – et l'interviewé le souligne bien – le système ne peut fonctionner « qu'avec les tripes de chacun » (« si on vous a mis là, c'est pour vos réactions de tripes »). Tout se passe comme si l'ensemble du fonctionnement humain de l'entreprise constituait un immense système de transformation où on enfournerait d'un côté, pêle-mêle, un certain nombre d'inputs – des pulsions, des émotions, des frustrations, des désirs, des fantasmes, de l'amour, de la haine, de la fureur, des rejets, de l'irrationnel, etc. – et d'où ressortiraient de l'autre côté, après mixage et transformation, des outputs, sous forme d'attitudes plus ou moins stéréotypées, de comportements de systèmes, de façons d'être socialement admises, d'actions de management strictement normées[3].

Max Pagès[4] définit l'emprise comme un système articulant ensemble trois processus : un processus politique de domination délimitant des rôles et des appareils de pouvoir ; un processus inconscient de fantasmatisation caractérisé par la prégnance de fantasmes de toute-puissance, de possession et de destruction ; un processus d'inhibition des échanges corporels et émotionnels entre dominants et dominés.

C'est bien un phénomène de ce type qu'on voit à l'œuvre ici et que l'on peut décrire comme un processus *socio-psycho-corporel*, c'est-à-dire liant ensemble des éléments de structure sociale (ici, le système organisationnel avec ses exigences), des éléments psycho-affectifs (l'investissement émotionnel « amoureux ») et des éléments corporels ou plutôt ressentis (ou fantasmés) au niveau du corps : sentiment de devoir « sortir ses tripes », d'être « vidé de son sang », etc. Plutôt que de l'inhibition, dont parle Pagès, au sens de blocage des échanges émotionnels et corporels, il s'agit plutôt d'une canalisation des processus corporels et émotionnels dans le sens voulu par l'organisation : autrement dit, les émotions, les désirs, les pulsions, les souffrances (la libido) ne doivent pas s'exprimer comme tels, ils sont à la fois indispensables, car ils constituent la force énergétique de base (le carburant) de l'entreprise, et inutilisables à l'état brut. Ils doivent être travaillés par l'entreprise et projetés sur les objectifs par le biais d'un processus de sublimation dont l'exigence d'excellence constitue l'un des fondements.

Cependant, lorsque l'interviewé parle des « légions d'hon-

3. Nous approfondirons plus loin la notion de « système psychique organisationnel » pour tenter de théoriser cette approche.
4. Max Pagès, « L'emprise », *Bulletin de psychologie*, t. XXXVI, n° 360, p. 503-509.

neur » ou des « hochets » que l'entreprise, pour aller jusqu'au bout de sa logique, devrait donner à ses employés, on identifie bien la dimension sous-jacente de répression, d'infantilisation et de manipulation sur laquelle repose le système de récompenses de l'entreprise : le hochet, c'est bien en effet l'objet qui fait tenir tranquille, qui calme l'agitation du *bébé* (c'est-à-dire d'un être par excellence soumis, non autonome et totalement dépendant) et qui polarise son attention en la détournant de la faim qui lui tenaille le ventre ou de tout autre malaise ressenti. Que les hochets deviennent plus tard des médailles, un voyage aux Bahamas ou une prime pour acheter une machine à laver[5], ils n'en remplissent pas moins la même fonction.

Mais le bon fonctionnement de la mécanique que nous avons décrite repose sur un fantastique processus de refoulement : refoulement de l'irrationnel, du corporel et de l'émotionnel, bien sûr, mais aussi refoulement de l'angoisse sous-jacente à l'ensemble des processus en cause. En fait, c'est sur une tension perpétuelle entre le *soft* et le *hard*, entre le désir sollicité et gratifié par l'entreprise et l'angoisse qu'elle suscite, que repose le fonctionnement de ces entreprises.

Le *soft* et le *hard* : le désir et la mort

En langage informatique, le *soft*, c'est le doux, l'immatériel, par analogie avec le software ou logiciel, tandis que le *hard*, c'est le dur, le matériel, par analogie avec le hardware, c'est-à-dire la machine. Par extension, dans les entreprises que nous décrivons, le terme *soft* est utilisé pour décrire tout cet immatériel qu'est la qualité de la vie et des relations dans l'entreprise, le bonheur d'y travailler, l'ambiance générale faite de tutoiement, de convivialité, de succès et de prospérité.

---

5. Ainsi chez 3M, où les objets pouvant être gagnés, à la suite de l'accomplissement de telle ou telle performance, sont présentés sur un catalogue que mari et femme peuvent consulter afin de faire leur choix.

Le paradis du « soft »

Le *soft*, c'est tout le versant séducteur de l'entreprise, c'est tout ce par quoi elle suscite et comble le désir, c'est l'image de jeunesse et de prospérité qu'elle donne d'elle-même et, ce faisant, qu'elle renvoie à chacun. On en trouve une assez bonne description chez Hewlett Packard, par exemple, avec le fameux concept du *HP way*, qui désigne une façon d'être et de vivre dans l'entreprise, pleine de charme et de promesses et qu'on ne pourrait, semble-t-il, trouver nulle part ailleurs : « HP est une boîte où on respire cet esprit de communication, cet *esprit relationnel fort*, où on communique, où on va vers l'autre. C'est une relation affective... *le président*, quand on le voit, *on le tutoie*... Cette ambiance, ça vient du tutoiement, de beaucoup de choses qui nous obligent à avoir ce type de *relations très consensuelles*. C'est une relation sociale. Quelque chose aussi qui *suscite le désir* chez nous, c'est qu'il y a, je crois, *beaucoup de jeunes*. Il y a beaucoup de types qui sont jeunes, il y a un sens de la communication qui est partout, il y a l'autonomie dans le travail, *une autonomie très forte*. Il y a des choses qu'on peut faire et pas ailleurs. *C'est une manière d'être*... quand vous avez la communication, l'autonomie dans le travail, l'*urban space*, le tutoiement, les pauses café telles qu'elles se passent ici, quand vous avez la manière dont on vous donne les informations, tous les mois on vous donne les informations concernant le groupe et on se réunit, tout le personnel, pour un petit déjeuner, ... tout ça, ça ne peut pas laisser indifférent, c'est une manière de concevoir l'entreprise... Quand vous avez la possibilité de voir votre président et de lui dire : "Salut, j'ai besoin de te voir...", c'est une manière d'être... *ça n'a pas de prix*... parce que *je peux toucher mon président* du directoire, je peux lui dire : "J'ai envie de te voir", il me dit : "On va prendre un café." J'ai jamais connu ça avant. Ça c'est un plus. C'est une manière de vivre en convivialité et ça c'est important, *ça a son coût, ça*. Ce type de vie permet une créativité parce qu'on est dans une ambiance pour le faire. En plus, c'est une boîte qui est dans le top, qui a *une bonne image* avec son chiffre d'affaires, et *sa croissance*, et puis il y a la possibilité d'acheter des actions, on a des informations sur le plan du dollar... Il y a mille choses qui font qu'on se sent informé en permanence, *on gagne du fric et on le sait*. Il y a aussi les autres principes, la qualité, la satisfaction du client... Tout ça, ça donne un état d'esprit que, moi, j'apprécie profondément. Un truc comme ça, moi, j'adhère complètement... Très honnêtement, je suis malheureux quand je vais dans une autre boîte maintenant et que je vois des trucs fermés, des bureaux fermés. »

Communication, jeunesse, profit, convivialité, prospérité... Un président que l'on tutoie, qu'on peut « toucher », qui propose un café quand on a besoin de ses conseils, comment ne pas voir en lui presque un ami et récupérer par cette proximité un peu de son prestige et de sa puissance ? Comment n'être pas séduit par une telle approche ? Tout est fait dans l'entreprise pour donner à chacun le sentiment que la richesse, le pouvoir, l'amour, la jeunesse éternelle sont là à portée de main, qu'ils sont partie constitutive de l'entreprise et qu'en être membre, c'est s'en assurer à jamais la jouissance. Le modèle est si fort, si séduisant, si prometteur qu'il s'étend d'ailleurs, pour beaucoup, hors de l'entreprise : « Certains parlent de famille en parlant d'HP. Je crois que c'est vrai. Il y en a qui s'identifient tellement au mythe du *HP way* ou du challenge permanent qu'ils mettent ça dans leur vie familiale, qu'ils se fixent des objectifs. Il y en a aussi qui passent leurs week-ends dans des centres de loisir dans lesquels il y a des gens d'HP, ils partent en voyage organisé HP, ils font du sport avec des gens d'HP. »

Le fantasme des morts-vivants

Le contrepoint de ce mirage de bonheur et de succès, c'est l'obligation d'être fort, c'est l'impossibilité de perdre ou de s'avouer faible, c'est la contrainte des objectifs que l'on doit coûte que coûte réaliser et ce d'autant plus qu'on les a soi-même déterminés, c'est la nécessité de relever les challenges et de gagner : « C'est quelque chose de très dur, de très compétitif sous un aspect très *soft* », commente un manager. Dans la logique du gagnant-gagnant, on ne peut, par définition, qu'être gagnant. Malheur à ceux qui ne suivent plus le rythme ou qui échouent : « Le revers de ce côté *cool*, relations informelles, sympa, ouvert, c'est que, quand vous n'êtes pas sur vos objectifs, c'est très, très dur. C'est très fermé et il n'y a pas d'échappatoire. Quand vous n'êtes pas sur les objectifs qu'on vous a fixés, vous êtes mal, très, très mal. C'est *qui perd gagne, c'est quitte ou double*. Quelquefois, il y en a qui doublent, alors c'est fabuleux, et puis, d'autres fois, il y en a qui tombent, et là ils tombent très, très bas. »

Le revers du *soft*, c'est le *hard*, c'est tout ce qu'il faut faire pour mériter le *soft*. Le revers du désir et du succès, c'est la fin du plaisir, c'est la dureté du système, c'est le conflit permanent. Le *hard* de l'entreprise, c'est la peur de ne plus faire partie du cercle doré de ceux qui sont promis à la jouissance du succès, c'est la menace de ne plus exister parce que l'entreprise ne vous reconnaît plus comme vivant, c'est l'angoisse de devenir ce que, à l'intérieur de l'entreprise, on appelle un « mort-vivant ».

Le mort-vivant, c'est celui qui, parce qu'il était devenu moins performant ou parce qu'un jour il a disjoncté et qu'il faut donc le ménager, se voit obligé d'accepter, sous couvert d'une promotion, un travail non opérationnel, dont tout le monde sait pertinemment qu'il correspond à une mise sur la touche : « On vous confie un vague rôle de conseiller et on vous demande de réfléchir à la stratégie de développement de tel ou tel truc, on vous enlève le côté opérationnel, c'est présenté officiellement comme une promotion, mais tout le monde sait très bien que ce n'est pas ça... Alors le type remercie, il dit : "Je suis très heureux. Je vous remercie de me permettre de mieux réfléchir." En fait, il n'a plus les tripes pour pouvoir donner toute la dimension qui consiste à se battre, et le type, il est mort. Alors il y a des gens qui n'ont pas la force de refuser ça et qui vont lâcher, et le jour où les gens lâchent, ils sont morts dans la boîte, c'est ce qu'on appelle des morts-vivants. Alors, quand ça arrive à quelqu'un, on se dit : "Est-ce que, moi, j'aurai la force de dire que je ne peux pas accepter ça parce que le jour où j'accepte, ça veut dire que, ce jour-là, on est mort ?" »

Ce type d'angoisse – la peur d'être un homme « fini » – est aussi présent dans d'autres circonstances, lorsque, par exemple, la promotion attendue n'est pas attribuée. « Il y avait un type, il devait être promu, tout le monde le savait, et le jour de l'annonce des promotions, il n'est pas cité... depuis, personne ne lui parle plus. » Tout comme elle est pourvoyeuse de vie, de reconnaissance, de plaisirs, d'existence, l'entreprise signe aussi l'arrêt de mort de l'individu non conforme ou plus performant, de celui qui n'a plus les « tripes » suffisantes pour se battre. C'est cela aussi le *hard* de l'entreprise, cette impossibilité d'exister en dehors de sa logique, cette obligation permanente de compétitivité entretenue par tout un système de succession potentielle : « Dès l'instant où vous vous sentez faible, même si ce n'est que passager, c'est quelqu'un d'autre qui prend la relève. Et puis, de toute façon, c'est prévu parce qu'à tout poste il y a le successeur potentiel qui est constamment formé pour prendre la relève. Tout est prévu, à la limite l'organisation boucle le cercle. »

C'est cette dialectique entre le *soft* et le *hard* qui fait avancer, cette tension contradictoire entre, d'un côté, le désir suscité en permanence par la promesse du succès et du bonheur et, de l'autre, l'angoisse d'être chassé du paradis et de n'être plus qu'un mort en sursis. Ainsi se « boucle le cercle » et, de désir en angoisse, de contradiction en paradoxe, se construit le mode de fonctionnement psychique de l'homme managérial.

A qui la faute ?

Accusé de « faute grave »

Un technicien d'IBM s'est donné la mort

Orléans, de notre correspondant

Un technicien d'IBM, M. Michel Lecordier, âgé de trente-neuf ans, s'est donné la mort, vendredi 26 janvier, sur un parking de la gare des Aubrais, près d'Orléans (Loiret). Quelques heures plus tôt, il s'était rendu à une convocation de la direction pour un entretien préalable à une mesure disciplinaire. Dans une de ses poches, on a retrouvé une lettre et ces mots : « *Depuis déjà de nombreuses années, je n'avais plus d'illusions sur la compagnie IBM [...]. Aller jusqu'à déshonorer sans motif fondé une personne, cela s'appelle de la paranoïa [...]. C'est un immense panier de crabes où tous les coups sont permis [...]. La compagnie arrivera-t-elle à survivre à cette mutation de la personnalité des gens qu'elle emploie ? Je ne sais pas et, d'ailleurs, je m'en fous et elle m'a eu : j'espère au moins que cela profitera à l'auteur de ce crime, car c'est bien un crime qui vient d'être effectué contre ma personne : un crime envers un innocent...* »

M. Lecordier était entré à IBM en 1974, à Saint-Jean-de-Braye et avait été muté récemment dans l'établissement IBM de Val-de-Fontenay, et était bien noté. La direction d'IBM France évoque pourtant une « *faute professionnelle grave* ». « *IBM s'interdit par principe de rendre publics les éléments d'un dossier mettant en cause l'un de ses collaborateurs* », ajoute M. Jean-Louis de Turkheim, directeur de la communication. M. Lecordier aurait été soupçonné notamment d'avoir « *utilisé des privilèges d'accès de gestion pour mettre en place une procédure susceptible de causer des dommages à la compagnie IBM* ».

La CFDT, qui a assisté le technicien lors de cet entretien qui a duré une heure et demie, estime que « *la direction a lancé une enquête répressive* » sans tenir compte de « *la complexité des outils informatiques* ». Elle s'élève aussi contre « *la brutalité de la procédure* » menée par la direction, qui « *a refusé un second entretien* » a M. Lecordier, lui ôtant ainsi la possibilité de « *présenter sa défense* ».

Régis Guyotat
Le Monde, 1ᵉʳ février 1990

L'éthique de l'excellence consiste à associer des éléments qui ne font pas toujours bon ménage : le profit et l'intégrité. Est-ce une illusion ? Michel L. semble le penser, lui dont l'honnêteté est mise en cause et qui ne trouve d'autre réponse à ces accusations que dans la mort.

Pourquoi une issue si extrême ? La lettre donne quelques éléments :

1) *La désillusion* : l'idéal que représentait la compagnie s'est effondré. Michel L. n'y croit plus. Derrière l'image de perfection pointe « le panier de crabes où tous les coups sont permis. ».

2) *Le déshonneur* : Michel L. est accusé de faute professionnelle grave. Dans un univers où l'honnêteté et la perfection sont représentées comme des valeurs cardinales, cette accusation correspond à un péché mortel. Mais l'univers protestant ne connaît ni la confession ni l'absolution. Il ne propose aucun compromis, aucune issue.

3) *La confusion* : au moment de sa mort, Michel L. se demande si la compagnie arrivera « à survivre à la mutation de la personnalité des personnes qu'elle emploie », et il ajoute : « Elle m'a eu », comme s'il était possédé de l'intérieur. Mais la compagnie est-elle aussi menacée de mort par les transformations internes qu'elle produit chez ses employés ? Dans ce jeu d'identification croisée, de projection et d'introjection, la mort rôde, sans que l'on ne sache plus très bien qui est la victime, qui est l'assassin : en se tuant, Michel L. menace la survie de la compagnie, mais en l'accusant, c'est la compagnie elle-même qui, selon Michel L., a commis un crime.

4) *Le retournement de l'agression contre soi* : c'est effectivement un cycle paranoïaque qui se met alors en marche : l'amour se transforme en haine, la victime en bourreau, le persécuté en persécuteur, l'assassin en innocent et l'innocent en meurtrier. A qui la faute ?

IBM, modèle d'intégrité, se trouve accusé d'assassinat. Michel L., technicien « bien noté », se trouve accusé de faute grave... Comme dans des histoires passionnelles qui tournent mal, chacun accuse l'autre des pires crimes. Et, lorsque la violence du ressentiment est à la mesure de l'intensité de l'amour passé, on ne peut trouver l'apaisement que dans la mort.

Le bien est devenu mal, l'éthique se trouve sens dessus dessous : la recherche de la perfection et le respect de l'individu, vertus de l'excellence, sont alors confrontés à la condamnation et à la mort.

CHAPITRE 7

L'homme managérial

Tentons à présent de tracer le portrait de l'homme nouveau, tout à la fois produit par le type de systèmes que nous venons de décrire et producteur de ces systèmes. Cet homme naît, à notre sens, au point de rencontre de deux tendances qui se développent parallèlement et se répondent d'ailleurs l'une l'autre.

L'*Homo psychologicus*

La première tendance est celle de la *montée du narcissisme* repérée tant par les sociologues et les philosophes américains et français – Richard Sennett, Christopher Lasch, Gilles Lipovetzsky, etc. – que par les psychanalystes (Didier Anzieu, Jean Bergeret, Béla Grunberger, Otto Kernberg, André Green, etc.). Il semble que l'on assiste à ce que certains considèrent comme une mutation anthropologique, c'est-à-dire au « surgissement d'un profil inédit de l'individu dans ses rapports avec lui-même et son corps, avec autrui, le monde et le temps, au moment où le capitalisme autoritaire cède le pas à un capitalisme hédoniste et permissif [1] ». Cet individu nouveau se caractérise par une recherche effrénée de réalisations personnelles tant au niveau du corps qu'à celui de l'expression de soi-même.

1. G. Lipovetzsky, *L'Ère du vide*, Paris, Gallimard, 1983, p. 56.

Le surgissement de ce Narcisse des temps modernes – dont Sennett situe l'apparition après la Seconde Guerre mondiale – serait à mettre en relation avec la désertion généralisée des valeurs et des finalités sociales qui régissaient plus ou moins l'existence sociale jusqu'à cette date. Jusque-là, en effet, il existait ce que l'on pourrait appeler de « grands systèmes de sens » religieux, puis politiques qui apportaient une « métaphore extérieure » que tout sujet pouvait reprendre à son compte[2]. Ces systèmes maintenaient et « contenaient » l'individu au sens fort du terme en donnant des limites pour autant que les sujets adhéraient aux contenus de la métaphore qu'ils proposaient. Ces systèmes religieux ou politiques, ayant engendré, au nom de leur idéologie, des résultats en contradiction avec leur discours humaniste, ont abouti à la négation de leur propre visée : quand ils n'ont pas provoqué des guerres religieuses ou politiques, des génocides, de la tyrannie ou de la dictature, ils ont été en tout cas dans l'impossibilité de les arrêter.

Cette remise en question des grands systèmes de sens se marque aussi dans la dépolitisation et la désyndicalisation qui prennent dans nos sociétés des proportions importantes. Elle se retrouve aussi dans le fait que les causes encore capables de galvaniser les énergies se font de plus en plus rares, comme le note Lipovetzsky : « Toutes les hauteurs s'effondrent peu à peu, les grandes questions philosophiques, économiques, politiques ou militaires soulèvent à peu près la même curiosité que n'importe quel fait divers. Seule la sphère privée semble sortir victorieuse de ce raz de marée apathique. Veiller à sa santé, préserver sa situation matérielle, se débarrasser de ses complexes, attendre les vacances, vivre sans idéal, sans but transcendant est devenu possible. »

La société qui se dégage de ces mouvements serait ainsi, selon Lipovetzsky, une société « sans idole et sans tabou », qui n'a plus d'image glorieuse d'elle-même, plus de « projet

---

2. Cf. sur ce point S. Ginestet Delbreil, *L'Appel de transfert et la Nomination, essai sur les psychonévroses narcissiques*, Paris, Interédition, 1987.

historique mobilisateur », une société régie par l'« ère du vide », un vide « sans tragique et sans apocalypse ».

Parallèlement, ou plutôt consécutivement à cet effondrement des grands systèmes de sens et à la disparition des projets mobilisateurs, le narcissisme contemporain est aussi la conséquence de ce que Lipovetzsky appelle le « procès de personnalisation » qui a promu et incarné la valeur fondamentale de l'accomplissement personnel et qui, « en évacuant systématiquement toute position transcendante, engendre une existence purement actuelle, une subjectivité totale sans but ni sens, livrée au vertige de son autoséduction ». Sennett, quant à lui, souligne la montée de l'individualisme et la destruction du domaine public, liées à une nouvelle culture « capitaliste, laïque et urbaine ». Pour lui, « le moi de chaque individu est devenu son principal fardeau », et se connaître soi-même est devenu un but, une fin en soi, un moyen de connaître le monde.

Pour ces deux auteurs, le développement de la psychanalyse est l'une des causes de l'intérêt démesuré porté par chacun à son moi. Selon Sennett, « l'avènement de la psychanalyse s'est fondé sur la conviction que la compréhension des processus internes du moi, détachée des idées transcendantales de démon ou de péché, allait permettre aux hommes de se libérer de ces horreurs. Il serait possible de se libérer et de participer plus pleinement, plus rationnellement à une vie placée hors des limites de nos propres désirs ».

De ces différents phénomènes résulte l'émergence d'une nouvelle forme d'individualité « à la sensibilité psychologique déstabilisée et tolérante, centrée sur la réalisation émotionnelle de soi-même, avide de jeunesse, de sports, de rythme, moins attachée à réussir sa vie qu'à s'accomplir continûment dans la sphère intime » (Lipovetzsky). Le narcissisme serait la principale structure psychique constitutive de cette personnalité postmoderne que Lipovetzsky appelle l'« Homo psychologicus » et qui désigne un individu à l'affût de son être et de son mieux-être, renfermé sur lui-même, à la recherche de son épanouissement et de plus en plus indifférent à l'autre, avec lequel il devient incapable d'établir une relation. On pourrait dire, reprenant l'expression de Richard Sennett[3], que l'*Homo psychologicus* développe une vision du réel « dans laquelle l'autre n'est qu'un miroir du moi ».

Tous les mouvements dont les journaux se sont faits récemment l'écho sont l'illustration des deux formes extrêmes de ce narcissisme contemporain : la première est celle du « cocooning », qui marque ce repli sur les valeurs de l'intimité et du foyer, l'autre est celle de la « folie de l'extrême », à laquelle *Le Nouvel Observateur* a consacré un numéro en janvier 1989 et qui illustre bien cette forme ultime de recherche de réalisation de soi-même par l'aventure individuelle, comme palliatif de l'absence de grands projets mobilisateurs ou comme recherche d'une nouvelle transcendance : « Le monde est trop petit, la vie est trop courte. Il faut du jamais vu, du jamais tenté. Du superlatif. Qu'importe qu'on risque sa peau, pourvu qu'on ait l'ivresse. L'important, c'est de frapper fort, cher aussi. Médiatisée, sponsorisée, l'aventure extrême envahit tout : les écrans, la pub et les esprits. Ceux qui n'y participent pas en rêvent : voir le succès d'*Ushuaïa*. Un gigantesque shoot à l'adrénaline. Le Paris-Dakar ? Une randonnée. La Transat ? Une partie de canotage. Le chic 89, c'est de dévaler l'Annapurna à planche à roulettes ou de descendre les chutes d'Iguaçu en baignoire[4]. » Analysant cette « culture du vertige », le sociologue Paul Yonnet en souligne bien le caractère foncièrement narcissique. Dans cette forme d'aventure, il ne s'agit plus, en effet, de découvrir un extérieur, mais, avant tout, de produire de l'autonomie : « C'est l'individu lui-même qui devient le théâtre premier de l'exploration... Sportif ou aventurier, l'homme de l'extrême ne nourrit pas l'ambition de rencontrer d'autres hommes, sinon furtivement ou occasionnellement. L'homme de l'extrême se donne d'abord rendez-vous à lui-même[5]. »

---

3. R. Sennett, *Les Tyrannies de l'intimité*, Paris, Éd. du Seuil, p. 261.
4. « Le culte de l'extrême », in *Le Nouvel Observateur*, mars 1989.
5. Paul Yonnet, in *Le Nouvel Observateur*, avril 1989.

Une nouvelle transcendance

Or, parallèlement à cet affaiblissement des grands systèmes de sens traditionnels et à l'explosion narcissique qui lui est corrélative, il est justement une institution qui s'affirme de plus en plus, nous l'avons dit, comme porteuse de sens, de projets et d'identité : c'est l'entreprise.

Celle-ci, dans un contexte général d'affaiblissement des rapports sociaux, constitue bien ce « foyer de production identitaire[6] », ce lieu social central où se cherche un nouvel état de la régulation des rapports sociaux. L'entreprise « tend désormais à devenir une des instances centrales de la société, au même rang que l'école par exemple » et à « incarner l'institution dans notre société ou au moins à représenter le repère institutionnel central. D'où, par extension, l'idée que l'entreprise serait de plus en plus porteuse aujourd'hui d'effets sociétaux, source des représentations collectives et que, réciproquement, le système social serait aujourd'hui plus qu'hier en résonance avec la vie de l'entreprise[7] ».

Mais le parallèle entre cette montée de l'entreprise comme lieu social central et la remise en question des grands systèmes de sens dont nous parlions précédemment n'est pas fortuit : cette montée est l'une des conséquences de cette remise en question.

En effet, face au déclin ou à l'éclatement des autres grandes institutions qui régissaient la vie sociale et personnelle – l'Église, la famille[8] –, face à la dilution générale des repères et au flou social environnant, l'entreprise s'affirme comme l'un des lieux possibles et stables d'investissement vers lequel chacun se retourne parce qu'elle est pourvoyeuse de signes, de repères, de croyances, de projets. Sur elle pèsent les

6. Selon l'expression de R. Sainsaulieu et D. Segrestin, « Vers une théorie sociologique de l'entreprise », *Sociologie du travail*, n° 3, 1986.
7. R. Sainsaulieu et D. Segrestin, *op. cit.*
8. Cf. V. de Gaulejac, N. Aubert, *Femmes au singulier*, Paris, Klincksieck, 1990.

investissements les plus divers : on lui demande à la fois « de relancer l'économie et le commerce extérieur, de créer des emplois, de devenir un lieu de formation et d'épanouissement, de participer à la vie de la Cité[9] ». Mais on lui demande aussi et simultanément de répondre à l'angoissante question : « Qui sommes-nous ? Où allons-nous ? Et pourquoi ? »

Simultanément, nous l'avons vu, l'entreprise elle-même, plongée dans un contexte économique de plus en plus concurrentiel et difficile, a besoin plus que jamais qu'on s'investisse en elle et qu'on mobilise pour elle toutes les ressources d'énergie : elle s'efforce donc de répondre aux demandes diffuses qui s'adressent à elle en se présentant le plus possible comme entité « transcendante », pourvoyeuse de valeurs, de culture, de morale, de buts et d'avenir. Le contrat traditionnel fondé sur la contrepartie travail-rémunération ne suffit plus. Il faut désormais impliquer et motiver tous les membres de l'entreprise, les rassembler autour d'un faisceau de valeurs admises par tous, les convaincre de la pertinence du projet de l'entreprise. Car l'entreprise constitue maintenant l'un des relais possibles de la politique ou de la religion et, à ce titre, elle est pourvoyeuse de « projets mobilisateurs » en tout genre, destinés à réveiller et à stimuler les énergies.

Il n'est pas vrai, par conséquent, que l'homme contemporain tourne en rond, Narcisse à la recherche effrénée de lui-même errant dans l'« ère du vide » dont parle Lipovetzsky. Il s'est simplement produit une recomposition des lieux d'investissement entre le politique, le religieux et l'économique, l'accent étant désormais mis sur le travail et la carrière. Désormais, la quête de sens, la recherche d'investissement et d'accomplissement de soi, la poursuite de réalisation personnelle ont aussi pour cadre l'entreprise, et celle-ci n'est plus seulement le lieu de la production et du travail, mais aussi celui de l'investissement de l'imaginaire, de la recherche du plaisir, de la lutte contre l'angoisse.

9. F. Torres, « L'entreprise postmoderne », *Autrement*, n° 100, septembre 1988, p. 24.

L'*Homo psychologicus*, lorsqu'il s'inscrit dans l'entreprise managériale, trouve alors une organisation à son image. Il devient ce qu'on pourrait appeler un *homme managérial* qui situe ses espoirs, ses attentes et ses projets dans l'entreprise, qui y poursuit ses valeurs et son accomplissement personnel, qui tente d'en retirer sens et signification *et dont l'imaginaire est devenu objet de management, élément à manager pour en tirer motivation, implication, énergie et productivité.*

Si l'entreprise devient ainsi le « lieu social central » et le « foyer identitaire » dont nous parlions, c'est donc par la rencontre de deux démarches, parallèles et complémentaires : celle de l'individu, en quête de sens et de réalisation de soi, qui s'investit tout entier dans l'une des dernières institutions qu'il perçoit comme susceptible de les lui procurer ; celle de l'entreprise en quête de ressources mobilisables et qui déploie tout un discours séducteur pour attirer et galvaniser les énergies au service de ses propres objectifs.

L'homme managérial

L'homme managérial est donc issu de ce double mouvement : un mouvement dont il est producteur et qui le porte vers l'entreprise pour y trouver une réponse à l'angoisse du vide, pour y projeter et y poursuivre ses besoins de croire, de se réaliser et de s'accomplir ; un mouvement dont il est le produit et par lequel l'entreprise le « travaille », l'« agit » et le modèle au niveau de ses valeurs, de ses croyances, de ses projets, de ses idées, de ses images internes, bref, de son « imaginaire ».

Dans le premier sens, l'homme managérial est l'une des versions de la personnalité narcissique, il est la forme que prend la personnalité narcissique quand, au lieu de tourner à vide, elle choisit l'entreprise comme lieu de projection et d'investissement. Dans le second sens, l'homme managérial est *produit* par l'entreprise, à l'issue du mouvement de mobilisation des imaginaires dont nous parlions au début de cette étude.

Si nous tentons maintenant de décrire les caractéristiques de cet homme managérial, la première que nous mentionnerons est *cette quête de l'Absolu sur le versant narcissique.* L'homme managérial adhère à l'entreprise parce qu'il y voit le moyen de satisfaire une exigence interne qui le dépasse. Un manager décrit ainsi le mécanisme qui l'a poussé à entrer dans l'entreprise où il accomplit sa carrière : « Ce dont j'avais besoin, c'était d'être en quelque sorte *fanatisé* par le don de soi pour quelque chose qui vous dépasse... C'était l'exigence qui me plaisait, c'était l'attitude, le fait de dire : "Écoutez, on cherche à faire mieux, on cherche à faire très bien, et maintenant à vous de définir ce que c'est que le très bien." Je trouvais ça très chouette, très motivant... *J'étais comme une moule qui cherchait son rocher*, et mon rocher, c'était le fait *d'avoir une exigence qui me dépasse*. C'est une possibilité de vivre réellement dans sa chair ce qu'on est, de sublimer l'ensemble et de *le soumettre à ce Dieu, ce Dieu instantané, ce Dieu qui fait partie de soi*, qui n'est pas quelque chose de froid, d'inaccessible et de lointain, c'est une vision très concrète, très réelle, qui mobilise le tout et qui donne un sens... C'est une espèce d'aliénation, mais *une aliénation qui est un plaisir*, parce qu'*on se noie dans une espèce de principe qui est en soi* mais qui est objectivisé, donc qui, d'une certaine manière, *répond à l'angoisse de l'existence.* »

Ce passage souligne trois points importants caractérisant l'homme managérial : le premier est le *fanatisme*. L'homme managérial est peu ou prou fanatique ou fanatisé. En effet, si l'individu ne possède pas suffisamment ce désir d'être « fanatisé par le don de soi pour quelque chose qui vous dépasse », l'entreprise s'emploiera à le susciter : tous les mouvements actuels dont nous avons parlé de formation au « management de combat » ou les stages de survie organisés par certaines entreprises, dans lesquels on s'entraîne à marcher sur les braises ou à sauter en parachute[10], sont des exemples de cette production du « fanatisme d'entreprise » dont parle Edgar Morin[11].

Le deuxième élément important est le *narcissisme* : cette exigence à laquelle on se soumet, ce n'est pas une exigence transcendante, c'est un « Dieu instantané », un « Dieu *en soi* », comme l'exprime très bien le manager interrogé. L'absolu n'est pas (n'est plus) dans une transcendance extérieure à soi, à laquelle on se soumettrait, il est dans cette exigence intérieure d'accomplissement total de soi-même, de réalisation de l'absolu que l'on porte en soi et dans lequel « on se noie »... avec plaisir, tel Narcisse qui se noie avec délices dans sa propre image. On voit bien là que l'entreprise est le moyen de cette absorption en soi-même, dont parle Richard Sennett, et qui est le propre du narcissisme... et aussi son danger... Selon Sennett, en effet, le sens du mythe de Narcisse n'est pas de dénoncer les dangers de l'amour de soi. Il s'agit plutôt du danger de la projection, du danger qu'il y a à se rapporter au monde comme si le réel pouvait être appréhendé à travers des images du moi... « L'absorption en soi du héros l'empêche de savoir ce qu'il est et ce qu'il n'est pas ; elle le conduit à sa propre destruction[12]. »

On touche bien là le danger de cette identification extrême suscitée par les entreprises du système managinaire : lorsque l'identification à l'organisation devient totale, on s'y noie avec délices comme en son propre moi. Mais nous reviendrons sur cet aspect des choses.

Le troisième élément important est la forme que prend le narcissisme quand il choisit l'entreprise comme moyen d'accomplissement : ce n'est pas, contrairement aux schémas de Lipovetzsky, un narcissisme qui tourne à vide : c'est un narcissisme *éthique*. En ce sens, on peut prolonger la formule proposée par Richard Sennett et dire que *le narcissisme qui*

---

10. A l'école HEC, l'inscription dans la section « entreprendre » comporte le saut en parachute.
11. Rapporté par E. Enriquez, *L'Événement du jeudi*, n° 219, janvier 1989.
12. R. Sennett, *op. cit.*, p. 260.

sous-tend la « morale » de l'excellence est l'éthique protestante des temps modernes. Narcissisme et éthique protestante obéissent, dans ce cas, à la même logique : tout comme l'entrepreneur protestant investissait dans son travail, pour échapper au silence de Dieu et pour voir dans sa réussite les signes de son élection et de son salut, l'homme managérial investit dans l'entreprise pour échapper au vide social, au manque de référent, au manque de sens et pour voir dans son travail et sa carrière les signes de son accomplissement personnel. L'accomplissement personnel dans un travail et une carrière est devenu maintenant, tout comme aux débuts du capitalisme, la seule façon de voir qu'on a conquis un absolu, et qu'on sera sauvé, mais sauvé non par rapport à un Dieu extérieur et transcendant, mais bien par rapport à soi-même, par rapport à ce Dieu « instantané », ce « Dieu en soi », ce Dieu « narcissisé », pourrait-on dire, dont on parlait plus haut. Le référent n'est plus dans l'autre monde, il est dorénavant terrestre : l'auto-accomplissement est la seule justification de l'existence. Derrière l'« éthique de la besogne » prônée par le protestantisme, tout comme derrière la réalisation de soi, exprimée par le narcissisme, un même moteur, l'angoisse de l'existence, le silence de Dieu.

Une autre caractéristique du fonctionnement de l'homme managérial, complémentaire de la précédente, tient à sa relation au succès et à l'échec. L'homme managérial a besoin, pour se sentir exister et pour se rassurer, de se vivre comme un gagneur. Il cherche le défi, le challenge et la difficulté, car c'est dans la satisfaction de franchir l'obstacle qu'il savoure le plaisir de l'existence : « Il faut trouver le dépassement de soi nécessaire, l'accroissement dont on a besoin, trouver le bon "gap", explique une femme manager. Moi, ce que je n'aime pas, c'est qu'on mette la barre au niveau moyen. Je supporte pas bien, c'est ce que j'appelle le nivellement par le bas, le moyen, j'aime pas. Je préfère qu'on me mette la barre un petit peu plus haut. Dans les négociations, j'ai toujours tendance à en demander un peu plus. »

D'ailleurs, les entreprises qui pratiquent la « motivation

extrême[13] » recherchent explicitement ce type d'individus. Ainsi, le chef d'entreprise Bernard Magrez, qui proclame : « Je ne recrute que des gens que l'échec rend malades, ceux pour qui *perdre est un péché*. Chez ces hommes, la défaite fait monter l'adrénaline et la volonté de trouver des solutions. » Pendant les entretiens, dit-il, « je provoque les gens, je les attaque. Les vrais "émotionnels", on le voit bien, se transforment physiquement, crispent les mâchoires, serrent les dents, deviennent pourpres. Ce sont ces hommes-là qu'il me faut[14] ».

Les trois pôles fondamentaux autour desquels s'articule le fonctionnement de l'homme managérial (croyance, narcissisme, éthique) sont constamment présents dans le discours du management qui prône la survalorisation de l'action, la réussite, le challenge, le défi, l'obligation d'être fort, l'adaptabilité permanente et, sous-jacente à tout cela, l'exclusion du doute.

Conséquence de ce culte du succès, l'homme managérial a besoin, pour se réassurer, de renforcements narcissiques : d'où le fait que les entreprises s'emploient à renforcer sans cesse en lui le sentiment d'« être un gagnant » par toute une série de signes, de preuves, d'insignes de reconnaissance destinés à le conforter sur la voie du succès et à renforcer son attachement à l'entreprise. « Motivation... décernez-leur des médailles », titrait l'hebdomadaire *Challenges*, dans l'un de ses numéros... D'où, également, le fait qu'elles polissent leur image au travers de celle qu'elles lui renvoient de lui-même : un homme jeune, séduisant, dynamique, motivé et, surtout... bien dans sa peau.

L'injonction à être bien : « Me demander à moi si je suis bien dans ma peau ? »

En 1984, IBM publiait une publicité dans tous les grands hebdomadaires, dans laquelle on voyait un jeune homme

13. Selon l'expression d'Éric Mayer, « Motivation extrême », in *Autrement*, n° 100, septembre 1988, p. 144.
14. Cité par E. Mayer, *op. cit.*

décontracté et sympathique. Négligemment appuyé sur un piano à queue, il tenait un verre de whisky à la main. Sur le piano, une partition de Mozart. Le décor évoque une villa avec un jardin, et l'ensemble des objets qui l'entoure, un style de vie moderne et l'aisance dans tous les registres : familiale, corporelle, culturelle, économique... Le jeune homme inspire la confiance en soi, l'intelligence tranquille et le dynamisme. Il regarde le lecteur en face en lui disant : « Me demander à moi si je suis bien dans ma peau ? » Cette question, en gros caractères, est complétée par le sigle IBM, qui semble disparaître en tout petit dans un coin de la page.

Cette publicité est une illustration de l'homme managérial. Ce qui est vendu par IBM ne concerne plus l'informatique, mais l'image d'un homme, d'un style de vie, d'une entreprise fondée sur le mythe de la réussite. Ce mythe fonctionne sur une série d'équivalences : réussite personnelle ⇒ réussite professionnelle ; image de soi = image de marque = image de l'entreprise ; réalisation de soi-même = faire carrière à IBM.

L'image véhicule un certain nombre de messages à usage externe et interne. A l'extérieur, il s'agit de montrer qu'IBM est une entreprise dynamique, attractive, performante à partir de l'identification à la jeunesse et à la réussite. A l'intérieur, il s'agit de montrer que travailler à IBM représente le bonheur et l'épanouissement personnel.

La question posée par la publicité : « Me demander à moi si je suis bien dans ma peau ? », propose une représentation de l'entreprise tellement incontestable qu'il est signifié explicitement qu'il serait tout à fait saugrenu et même incongru d'en douter : l'homme que l'on voit ne peut en aucun cas être mal dans sa peau, ce n'est donc pas nécessaire de lui poser la question.

La formulation dénie la possibilité de questionner, et donc de douter : on communique ainsi l'évidence et la certitude. Celui qui appartient à IBM ne peut manquer de confiance en lui, se sentir mal, être faible ou inquiet. On voit ici la fonction de la dénégation, que cette phrase a pour fonction d'opérer. C'est bien parce que ce modèle véhicule la possibilité d'être mal que la question est évoquée. Elle est alors transformée par l'*injonction à être bien* qui s'adresse à l'ensemble des agents d'IBM : vous devez être bien dans votre peau. Il faut donc être excellent dans tous les registres de son existence. Pas seulement dans le travail, mais également dans sa tête, dans son corps, dans sa vie. Les signes de la réussite ne se comptabilisent plus seulement au niveau de l'avoir, mais au niveau de l'être. C'est donc la personnalité tout entière qui est concernée par cette injonction : il faut se sentir bien.

L'illusion narcissique trouve ici son accomplissement : ce n'est plus seulement la personne qui est invitée à s'identifier à l'image de perfection et de toute-puissance de l'entreprise. C'est l'entreprise qui montre son image incarnée dans un homme jeune, beau, intelligent et riche qui lui ressemble comme deux gouttes d'eau : Narcisse a trouvé son double ; l'entreprise est devenue le miroir de son Moi. Comme le montre R. Sennett, « cette société est structurée de telle façon que l'ordre, la stabilité et les gratifications ne sont possibles que si les gens considèrent les situations sociales comme des miroirs du Moi [15] ».

Ici, l'image d'IBM se reflète dans l'image idéale de ce jeune homme auquel chacun d'entre nous est convié à ressembler. Par ce jeu de miroir, nous sommes invités à résoudre nos difficultés, à échapper au malaise, à sortir de l'inquiétude, à oublier nos angoisses et à rentrer dans un monde sans conflit, harmonieux qui nous promet la réussite, la jeunesse et le bonheur.

De l'autre côté du miroir, les choses ne sont pas si simples, et on risque de trouver, en contrepoint, un reflet négatif de cette image de réussite. Ainsi, il y a quelques années, dans le cadre d'un séminaire auquel participaient des cadres, nous avions proposé la production d'un dessin collectif sur l'entreprise. Était apparu alors un corps blessé, mutilé, écorché. Sur le côté était dessinée une pharmacie de secours, avec une canne et des lunettes d'aveugle. La légende indiquait : « Signe de soutien des ambitieux handicapés ». Un peu plus loin, le dessin

---

15. R. Sennett, *Les Tyrannies de l'intimité*, Paris, Éd. du Seuil, 1979, p. 263.

représentait un groupe de manifestants brandissant une banderole : « Nous avons le droit d'être faibles ».

L'injonction à être bien est si forte qu'elle est rarement mise en question par des mots. Dans les contacts directs avec des employés d'IBM, la tonalité dominante est toujours positive. Il faut des circonstances particulières pour que s'expriment des aspects négatifs. C'est le cas pour ceux qui en sont sortis, pour ceux qui se retrouvent sur une voie de garage ou pour quelques marginaux qui se vivent comme de « vilains petits canards ». L'intérêt du dessin est qu'il permet d'exprimer plus directement des éléments inconscients : le sentiment d'être blessé à l'intérieur, la possibilité d'avouer sa faiblesse, l'impression que l'ambition, comme l'amour, est aveuglante... Plus profondément s'exprime la difficulté de dissocier le moi et l'entreprise, comme si l'un était noyé dans l'autre, comme si l'autonomie du moi ne fonctionnait que grâce aux moyens que l'organisation lui offre pour se réaliser.

La personnalité narcissique

On retrouve ici les symptômes décrits par Didier Anzieu à propos des personnalités narcissiques, dont il affirme qu'elles constituent un phénomène nouveau, en développement constant, qui représenterait actuellement plus de la moitié de la clientèle psychanalytique : « Ces malades souffrent d'un manque de limites : incertitudes sur les frontières entre le moi psychique et le moi corporel, entre le Moi et le Moi idéal, entre ce qui dépend de soi et ce qui dépend d'autrui, brusques fluctuations de ces frontières accompagnées de chutes dans la dépression, indifférenciation des zones érogènes, confusion des expériences agréables et douloureuses, indistinction pulsionnelle qui fait ressentir la montée d'une pulsion comme violence et non comme désir, vulnérabilité à la blessure narcissique en raison de la faiblesse ou des failles de l'enveloppe psychique, sensation diffuse de mal-être, sentiment de ne pas habiter sa vie, de voir fonctionner son corps et sa pensée du dehors, d'être le spectateur de quelque chose qui est et qui n'est plus sa propre existence[16]. »

La symptomatologie de l'homme managérial recoupe bien des aspects du tableau clinique dressé par Didier Anzieu. Cela n'a rien d'étonnant si l'on considère les rapports étroits entre l'idéologie de la société postmoderne et les modèles proposés par l'entreprise managériale : recherche de toute-puissance, ambition démesurée, éclatement des repères identitaires, abolition des sentiments de limites, exigence de performances, obligation d'être fort, exigence du toujours plus, recherche de l'excellence... L'absence de limites ou plutôt la fluidité des frontières entre l'individu et l'organisation, entre le dedans et le dehors (ce qu'Anzieu décrit en termes de faiblesse de l'enveloppe psychique) sont l'un des points centraux de notre recherche : *l'entreprise managériale tire son efficacité de sa capacité à mobiliser l'appareil psychique sur les objectifs de l'organisation.*

Dans ces conditions, il n'est pas surprenant que l'univers managérial provoque des maladies du narcissisme et en particulier des syndromes dépressifs qui surviennent dès que le sujet entre en conflit avec l'entreprise. J. Bergeret montre bien que l'angoisse survient chez les personnalités narcissiques, lorsque la « relation d'objet » est menacée, parce que la perte de l'objet est vécue comme un effondrement interne[17]. Chez l'homme managérial, la menace s'accomplit lorsque l'objet « entreprise » vient à manquer.

La caractéristique du fonctionnement psychique des personnalités narcissiques est de vivre en faisant coexister un Moi parfaitement adapté à la réalité extérieure et un Moi soumis aux exigences narcissiques internes. Le Moi se clive en distinguant deux secteurs dans le monde extérieur : un Moi autonome, adapté, en relation avec autrui, et un Moi modélisé sur l'organisation qui lui sert de support. Tant que ces deux parties

16. D. Anzieu, *Le Moi-Peau*, Paris, Dunod, 1985, p. 7.
17. Cf. J. Bergeret, *La Personnalité normale et pathologique*, Paris, Dunod, 1974, p. 142.

du Moi sont en concordance, la personne se vit fondamenta-lement comme étant bien dans sa peau, et rien ne peut ébranler cette confiance en soi. Le danger vient lorsqu'il y a dissocia-tion, lorsqu'un événement vient briser cette confiance. Nous reviendrons longuement dans le prochain chapitre sur ces processus qui provoquent l'effrondrement et la dépression. Il nous fallait pourtant aborder ici cette question pour illustrer en quoi *la personnalité narcissique constitue le soubassement psychique de l'homme managérial.*

En effet, c'est la menace constante de la perte de l'objet d'amour qui conduit ces personnalités à rechercher dans leur travail des moyens de se défendre contre le risque de dépres-sion. Ce que propose l'entreprise, c'est de répondre à cette inquiétude psychologique en proposant un modèle de compor-tement adapté à ses objectifs de productivité :

— ainsi, la survalorisation de l'action, la tension continuelle pour atteindre les objectifs, l'urgence dans l'organisation du travail, l'activisme incessant sont des moyens efficaces de lutte contre la dépression ;

— de même, la mobilité permanente, les changements d'or-ganisation demandent une adaptabilité permanente et une disponibilité aux changements externes qui évitent d'avoir à s'adapter durablement à une situation stable ;

— la course à la carrière, les politiques d'évaluation et de promotions centrées sur la production de signes de reconnais-sance (cf. les « *strokes* positifs [18] » en analyse transactionnelle) sont autant de « preuves d'amour » dont a besoin le narcissi-que pour combler son immense besoin d'affection et de séduction.

Ces différentes caractéristiques expliquent pourquoi le modèle du fonctionnaire et du bureaucrate est toujours évoqué en termes négatifs par l'homme managérial : on ne l'aime pas, il est statique, il est inactif, il est moche, il donne une mauvaise image, il semble mal dans sa peau et insatisfait. C'est l'antimo-dèle par excellence... et pourtant, il n'est pas menacé par l'angoisse de perdre son objet d'amour (c'est-à-dire l'organisa-

18. E. Berne, *Des jeux et des hommes*, Paris, Stock, 1975.

tion qui l'emploie), puisqu'il bénéficie précisément de la sécurité de l'emploi. S'il n'est pas envié, malgré cet avantage considérable, c'est qu'il ne porte pas sur lui les marques de la reconnaissance et de l'amour de l'organisation et que, pour cette raison, il ne pourra jamais être « bien dans sa peau ».

De l'*Homo hiérarchicus* à l'homme managérial

Ces différentes composantes qui caractérisent l'homme managérial l'opposent non seulement aux employés des organisations bureaucratiques, mais, d'une manière plus générale, aux employés de celles qui sont fondées sur la hiérarchie, l'ordre pyramidal et les systèmes disciplinaires.

Dans ses analyses des systèmes bureaucratiques et technocratiques, Michel Crozier avait bien noté une conséquence de ce mode de fonctionnement. Parlant des employés, il observe que tout se passe comme s'ils avaient souscrit un contrat psychologique tacite, leur permettant de dire à leurs employeurs : « Vous avez fait de nous des exécutants, nous obéissons donc sans chercher à comprendre le pourquoi des décisions ; mais, en échange, nous exigeons de rester libres, c'est-à-dire de ne pas être engagés psychologiquement dans la marche des opérations[19]. »

Cette remarque n'est sans doute qu'à moitié juste. L'obéissance, même si elle n'entraîne pas l'adhésion, nécessite un minimum d'engagement psychologique. Stanley Milgram a bien montré l'extraordinaire emprise psychique de l'autorité dans des situations où, pourtant, l'organisation n'a pas de caractère permanent[20]. Les structures hiérarchiques exigent l'obéissance et la soumission par une sollicitation permanente du respect des interdits qui exerce une pression de type surmoïque : il s'agit d'obéir aux ordres, de se montrer docile,

19. M. Crozier, *La Société bloquée*, Paris, Éd. du Seuil, 1970.
20. S. Milgram, *Soumission à l'autorité*, Paris, Calmann-Lévy, 1974.

de respecter les cadences et les horaires... d'être avant tout un homme soumis à la hiérarchie, ce qu'on pourrait finalement appeler un « homo hierarchicus[21] ».

Mais ces formes d'organisation, et sur ce point nous rejoignons la remarque de M. Crozier, ne demandent pas un investissement psychologique au-delà du respect de l'ordre et de la soumission à l'autorité : les motivations au travail sont faibles, les demandes de participation peu fréquentes, l'adhésion aux objectifs fixés n'est pas exigée. L'important, comme le souligne Michel Foucault, est de rendre les corps dociles et utiles[22] sans se préoccuper outre mesure des états d'âme.

Plus encore, dans les systèmes très hiérarchiques, les individus mettent en place des mécanismes collectifs de défense pour se protéger du risque de dépendance psychique en utilisant les ressources du système contre lui et en tentant d'exploiter les processus d'instrumentalisation à leur profit : respects scrupuleux des horaires, refus de prendre des initiatives, utilisation et même renforcement des dysfonctionnements pour bloquer la production, investissement sur les droits acquis, solidarité collective contre la hiérarchie, etc.

On ne peut donc dire qu'il n'existe aucun engagement psychologique dans ce type de système. Celui-ci existe bel et bien, mais il n'est pas centré sur la production, sur les résultats ou sur les objectifs fixés par l'organisation. L'investissement se porte sur les moyens de résister au système disciplinaire, de détourner les dispositifs organisationnels pour son propre compte, de défendre ses intérêts, d'établir des réseaux de relations qui échappent au pouvoir hiérarchique, d'utiliser l'organisation à des fins personnelles, etc.

C'est dans cette résistance que l'individu récupère une zone de liberté, en réaction à l'état « agentique » (selon l'expression de Stanley Milgram) auquel toute structure hiérarchique tend à le réduire.

---

21. Il va de soi que le terme s'entend ici dans un sens radicalement différent de celui que propose L. Dumont dans son livre *L'Homo hierarchicus*.

22. M. Foucault, *Surveiller et Punir*, Paris, Gallimard, 1975.

171

Comparaison des caractéristiques psychiques dominantes de l'*Homo hierarchicus* et de l'homme managérial

Appareil psychique	*Homo hierarchicus*	*Homme managérial*
Dominante structurelle de la personnalité	Lignée névrotique	Lignée narcissique
Noyau constitutif	Œdipe	Narcissisme
Instance dominante sollicitée	Surmoi	Idéal du moi
Conflit central	Surmoi = Ça	Idéal du moi ≠ Moi
Nature de l'angoisse	Castration	Perte d'objet
Sentiments privilégiés	Culpabilité	Peur d'échouer, sentiment de ne pas être à la hauteur
Symptôme	Inhibition	Dépression
Mécanisme de défense	Refoulement, sublimation	Clivage entre un moi « adapté » et un moi « narcissique »
Nature des identifications	Identification à des personnes, à un métier, à un statut	Identification à une entité, à un système, à des images, à des logiques d'action
Type d'investissement	Investissement sur le faire et sur l'avoir	Investissement sur l'être et sur l'idéal

172

Ces quelques remarques permettent de comparer les personnalités de l'homme managérial et de l'*Homo hierarchicus* en reprenant à notre compte la distinction proposée par Béla Grunberger sur les repères métapsychologiques spécifiques des fonctionnements « névrotiques » ou « narcissiques »[23].

Comme toute tentative de schématisation, nous avons conscience du caractère abrupt et peu nuancé de cette présentation. Elle permet pourtant d'opposer deux idéaux types de personnalités produites par deux modèles d'organisation et, par-delà, par deux formes sociales : la société industrielle et la société postmoderne. Il est certain que ces deux types coexistent actuellement dans notre société et qu'il s'agit de tendances dominantes. Si l'on peut prédire une disparition progressive de l'*Homo hierarchicus* et un développement de l'homme managérial, des composantes de l'un et de l'autre coexistent dans la personnalité de la majorité de nos contemporains, produisant des configurations originales qui ne peuvent se laisser réduire à une opposition simple entre deux modes de fonctionnement psychique. L'intérêt du schéma est de montrer que certaines organisations sollicitent un certain type de personnalité en favorisant tel ou tel comportement et qu'à l'inverse, selon leurs caractéristiques psychologiques, les individus sont plus ou moins attirés et plus ou moins aptes à vivre dans tel ou tel type d'organisation. Il y a là une continuité entre les caractéristiques dominantes des organisations et celles des individus qui les produisent et les composent. L'homme managérial est à ce titre à la fois le producteur et le produit du système managinaire.

23. B. Grunberger, « Préliminaires à une étude topique du narcissisme », *Revue française de psychanalyse*, n° 22, 1958, p. 269-296. Le terme névrotique indique ici une dominante structurelle du fonctionnement psychique et non une pathologie.

Streen

Il est comme le roi d'un pays pluvieux
Riche, mais impuissant, jeune et pourtant très vieux
Qui, de ses managers, méprisant les courbettes
S'ennuie dans son travail et aussi dans sa tête.
Rien ne peut l'égayer, ni la courbe des ventes
Ni ratios, ni cash-flows qui, sans arrêt, augmentent.
Des vendeurs agités, le club des cent pour cent
Ne distrait plus le front du cadre performant.
Ses objectifs mensuels le laissent indifférent.
Ses collaborateurs, si affairés, pourtant,
Ne savent plus trouver les motivations
Qui permettaient, avant, de le mettre en pression.
Le profit faiseur d'or n'a jamais vraiment pu
A sa quête idéale apporter la vertu,
Et dans la lutte ouverte pour prendre des marchés,
Et dont le capital s'en trouve tant gonflé,
Il ne peut plus chauffer ce corps lourd à présent
Où coule au lieu de sang l'eau verte de l'argent

D'après Baudelaire,
Spleen, Les Fleurs du mal,
poème LXXVII.

Le streen* est le mélange douloureux du stress permanent, auquel sont confrontés les managers condamnés à réussir, et du spleen ressenti par ceux qui courent après un idéal qu'ils n'arrivent jamais à saisir (syndrome de celui qui monte un escalator descendant). Le streen conjugue le stress lié à la pression du travail et le spleen lié à la dépression qui s'établit lorsque l'écart entre l'image de soi et la réalité interne devient trop conflictuel.

* L'expression est empruntée à M. Cicurel qui définit le streen comme le « mélange douloureux du stress des jeunes adultes piétinant aux portes du succès et du spleen des sexagénaires crânant pour masquer la mélancolie d'un combat d'arrière-garde ». (*La Génération inoxydable*, Paris, Grasset, 1989.)

QUATRIÈME PARTIE

Les brûlures de l'idéal

« Lorsque Thésée eut tué le Minotaure, Minos, irrité, enferma Dédale et son fils dans le labyrinthe. Mais Dédale, qui n'était pas à bout de ressources, fabriqua pour Icare et pour lui des ailes, qu'il fixa aux épaules de son fils et aux siennes avec de la cire. Puis tous deux s'envolèrent. Avant de partir, Dédale avait recommandé à Icare de ne pas voler trop bas et de ne pas s'élever non plus trop haut. Mais Icare, rempli d'orgueil, n'écouta pas les conseils de son père ; il monta dans les airs, si près du soleil que la cire fondit et que l'imprudent fut précipité dans la mer [1]. »

« Moi, je me suis un peu brûlé les ailes, c'est comme si je m'étais approché trop près de la lampe », confie un manager.

Le danger qui guette l'homme managérial n'est-il pas, comme dans l'histoire d'Icare, celui de se brûler, de s'approcher trop près du soleil de l'excellence ?

1. Le mythe d'Icare raconté par P. Grimal, *Dictionnaire de la mythologie*, Paris, PUF, 1979.

CHAPITRE 8

Les maladies de l'excellence

La brûlure interne ou la maladie de l'idéalité

Depuis quelques années, un nouveau concept est apparu pour rendre compte d'une maladie spécifique qui atteint nombre de nos contemporains dans le cours de leur vie personnelle ou professionnelle : c'est celui de *burn out*, traduit en français par le terme « brûlure interne », d'incendie interne. La brûlure interne, c'est la maladie de l'épuisement des ressources physiques et mentales qui survient lorsqu'on s'est trop évertué à atteindre un but irréalisable qu'on s'était fixé ou que les valeurs de la société nous avaient imposé.

Une personne « brûlée » ressemble, selon le créateur du concept, Herbert Freudenberger[1], à un immeuble détruit par le feu. « Ce qui était auparavant un complexe plein de vie n'est plus maintenant qu'une structure déserte. Là où il y avait un édifice bourdonnant d'activités, il ne reste plus que quelques décombres pour nous rappeler toute la vie et l'énergie qui y régnaient. Peut-être quelque pan de mur reste-t-il encore debout, peut-être distingue-t-on encore quelques fenêtres ; peut-être même que toute la structure extérieure est encore intacte, mais si vous vous hasardez à l'intérieur, vous serez frappé par l'ampleur de la désolation qui y existe... Les gens sont parfois victimes d'incendie, tout comme les immeubles. Sous l'effet de la tension produite par la vie dans notre monde

---

1. H. Freudenberger, *L'Épuisement professionnel, la brûlure interne*, Gaëtan Morin, 1985.

complexe, leurs ressources internes en viennent à se consumer comme sous l'action des flammes, ne laissant qu'un vide immense à l'intérieur, même si l'enveloppe externe semble plus ou moins intacte. »

La personne brûlée souffre d'une profonde fatigue et d'une frustration aiguë, « causées par sa dévotion envers une cause, un mode de vie ou une relation qui n'a pas produit la récompense attendue... Chez cette personne, la tension s'accumule jusqu'à ce qu'il en résulte inévitablement un épuisement de ses ressources, de sa vitalité, de son énergie et de ses capacités de fonctionnement [2] ».

La particularité de cette maladie est qu'elle atteint en général des gens nourrissant un idéal élevé et ayant mis le maximum d'efforts en œuvre pour atteindre cet idéal. La plupart de ceux qui deviennent la proie de cette maladie sont des gens qui ont travaillé énergiquement pour atteindre un but : « Leur horaire est toujours plein et, quel que soit le travail à faire, on peut être certain qu'ils feront toujours plus que leur part. Ce sont généralement des leaders qui n'admettent pas qu'ils ont des limites et ils se brûlent à force d'exiger trop d'eux-mêmes. Tous ces gens avaient de grands espoirs et n'ont jamais voulu faire de compromis en cours de route [3]. »

En fait, si cette maladie atteint cette catégorie de personnes, c'est parce qu'elle est, spécifiquement, la *maladie de l'idéalité*. Selon Freudenberger, il est pratiquement impossible qu'une personne sans grand idéal ou qu'un individu vivant au jour le jour parvienne jamais à cet état. Les risques d'incendie semblent exclusivement limités aux hommes et aux femmes dynamiques « qui ont des aptitudes de leaders et de nombreux objectifs à atteindre », quelle que soit d'ailleurs la nature de ces objectifs, que l'individu les ait placés dans son mariage, dont il exige qu'il soit des plus réussis, dans son travail, qui doit être parfaitement accompli, ou dans ses enfants, pour lesquels il espère une réussite brillante. Bref, il s'agit de gens qui s'engagent à fond dans tout ce qu'ils entreprennent, qui en éprouvent

2. H. Freudenberger, *op. cit.*
3. H. Freudenberger, *op. cit.*

d'ailleurs pendant longtemps une profonde satisfaction et qui ont témoigné jusque-là d'une énergie à revendre.

Le sentiment de brûlure interne ne se produit en général pas d'un seul coup, il s'installe peu à peu, le feu couve longtemps avant de flamber d'un seul coup, et des personnes qui avaient été pendant la plus grande partie de leur vie pleines d'enthousiasme, d'énergie et d'optimisme se mettent progressivement à éprouver une grande lassitude et une absence de vitalité. « Leur énergie se transforme en ennui, leur enthousiasme en colère et leur optimisme en désespoir. »

Ce mal semble lié à la société dans laquelle nous vivons. Il paraît découler de la lutte constante que nous menons pour donner un sens à notre vie : les idéaux d'excellence qui caractérisent notre société semblent ici directement en cause. La nécessité de travailler énergiquement, de « jouer serré », de parvenir à l'excellence, de tendre vers un plus grand succès, de s'accomplir toujours davantage et de fournir toujours plus d'efforts est à l'origine de ce phénomène. L'individu se trouve en quelque sorte enfermé dans une spirale infernale, obligé de courir toujours plus vite dans une vie où tout change si rapidement qu'il ne reste plus rien de stable sur quoi s'accrocher pour reprendre son souffle : « Un peu comme Alice au pays des merveilles, nous nous apercevons maintenant "qu'il faut courir de toutes tes forces pour pouvoir rester au même endroit. Si tu veux aller ailleurs, il te faudra courir au moins deux fois plus vite"[4]. » Tel est en effet le « coût élevé du succès » qui nous conduit à exiger de plus en plus de nous-mêmes, épuisant par là toute notre énergie : « Si nous voulons maintenir notre position, nous devons exceller en tout temps. » Ainsi s'épuisent nos ressources internes et se produit peu à peu l'incendie qui nous consume.

D'après Freudenberger, de tels ravages ne se produisent cependant pas sans raisons. Ils surviennent lorsque la vie ou le travail n'apportent plus aux individus la récompense qu'ils en attendaient. En effet, la vitalité qui les soutient dans leur course au succès ne s'appuie pas sur rien, elle ne vient pas du

4. H. Freudenberger, *op. cit.*

180

néant, elle a besoin de nourriture, et cette nourriture, c'est la récompense obtenue pour les efforts fournis : lorsque la vie ou le travail n'apportent plus ces récompenses, leur énergie s'effrite et l'incendie éclate.

En fait, ces phénomènes se produisent chez des individus pourvus d'un Idéal du moi élevé et que cet idéal amène à développer une image d'eux-mêmes en décalage avec leur personnalité réelle. Un tel idéal s'est souvent forgé dans l'enfance, parfois – mais pas toujours – à l'instigation des parents qui entraînent l'enfant à se surpasser pour se conformer à une image idéale. La pression qui pousse à « devenir quelqu'un d'autre » peut aussi être interne et déclenchée par l'admiration portée à telle ou telle personne idéale.

Le rôle, dans l'édification de la personnalité, de ces mécanismes d'identification sous la pression de l'Idéal du moi est connu depuis longtemps et n'a rien de pathologique. Ce qui semble nouveau, par contre, dans les phénomènes d'épuisement et de brûlure interne qui affectent ainsi nos contemporains, c'est le caractère excessif et insatiable des exigences internes que s'impose l'individu pour réussir dans un environnement de plus en plus compétitif, morcelé et difficile. De plus, la peur et la honte qui s'attachent à l'échec dans la société narcissique qui nous entoure sont des sentiments omniprésents qui empêchent l'individu d'échapper à la pression du succès, à l'aspiration vers le haut, à l'exigence de réussite tous azimuts. Le Surmoi n'est plus l'instance distinctive du bien et du mal, il se présente comme un impératif de succès qui, s'il n'est pas accompli, déchaîne contre le Moi une critique implacable. En ce sens, on pourrait dire qu'il n'est plus là que pour se mettre au service d'un Idéal du moi qui serait un idéal de célébrité et de réussite à tout crin.

Dans un tel contexte, l'individu est, plus qu'avant, conduit à développer et à poursuivre une image de lui-même en conformité avec des standards extérieurs d'excellence et de réussite, au détriment de sa personnalité réelle. Comme l'écrit Freudenberger, c'est au moment où « notre façade destinée à "affronter le monde" commence à pousser notre véritable moi en coulisses que les problèmes commencent. Par la suite, le fossé entre ce que nous sommes et ce que nous semblons être devient de plus en plus sérieux. Nos valeurs, notre manière de fonctionner, notre sens de la moralité et de la justice même deviennent complètement faussés. Nous essayons d'adapter nos vrais standards à notre façade, sans succès, jusqu'à ce que, finalement, le véritable Moi abandonne la lutte et se tourne vers le moi-image. C'est son dernier espoir pour parvenir à ses fins. Dans un même temps, l'image a de plus en plus besoin de renforts extérieurs pour compenser ce qu'elle ne peut plus obtenir de l'intérieur, car le véritable Moi est considéré maintenant comme une entité sans opinion valable ». Lorsque les signes de succès qui assuraient le maintien et le renforce-ment de la personnalité conforme se mettent à faire défaut, celle-ci, privée de ce qui la justifiait, s'effondre, et le ravage est alors à la mesure de l'envahissement qui s'était opéré au détriment de la personnalité réelle, reléguée aux oubliettes.

Essayons à présent d'expliquer en termes psychanalytiques les processus décrits par Freudenberger : il semble que se produise, sous la pression de l'Idéal du moi, nourri d'exigences personnelles ou sociétales, une sorte de clivage du Moi en deux instances : le moi-image et ce que Freudenberger appelle le « véritable moi », le moi réel. Ce moi-image n'est autre en fait que le Moi idéal, c'est-à-dire un Moi idéalisé, un Moi porté à son maximum de toute-puissance, un Moi identifié à des idéaux élevés de réussite et de toute-puissance [5].

Dans cette dialectique entre Moi idéal et Moi réel, on a en quelque sorte une instance – le Moi idéal – qui ne peut survivre qu'à deux conditions : la première est le soutien du Moi (le Moi réel dont parle Freudenberger, c'est-à-dire en fait le Moi non idéalisé, non confondu avec son image, le Moi en tant qu'instance médiatrice entre les autres éléments de l'appareil psychique), qui accepte de jouer le jeu du Moi idéal ; la seconde est la réassurance fournie par les signes de succès extérieurs qui viennent conforter le Moi idéal dans les choix qu'il a opérés et l'effort qu'il a entrepris.

Quant au Moi (ce que Freudenberger appellerait le Moi

5. Sur le Moi idéal, cf. J. Laplanche, *L'Angoisse*, PUF, p. 347-348.

réel), il s'efforce en quelque sorte de suivre le Moi idéal dans les hauteurs où celui-ci s'efforce de l'entraîner en gérant comme il peut ses propres exigences, en faisant taire les pulsions, en refoulant l'angoisse suscitée par les défis incessants auxquels le Moi idéal cherche en permanence à répondre pour assurer et conforter son existence. Lorsque les buts envisagés se révèlent irréalisables ou que l'environnement de vie ou de travail ne fournit plus la réassurance narcissique indispensable au Moi idéal, celui-ci s'effondre sur le Moi, et ce avec d'autant plus de fracas que le décalage entre les deux instances était devenu grand et que le Moi non idéalisé (le Moi « réel ») avait été profondément refoulé.

En fait, on peut comparer ce processus à celui de la perte d'objet ou plutôt de la perte du Moi dont parle Freud dans « Deuil et mélancolie »[6]. Dans ce texte, en effet, Freud montre bien comment se produit, après la perte de l'objet aimé, une identification du Moi à l'objet abandonné ou perdu. « L'ombre de l'objet tombe sur le Moi », nous dit Freud, et la perte de l'objet aimé se transforme en fait en une perte du Moi.

Dans le processus que nous avons décrit, l'objet perdu, c'est le Moi idéal en tant qu'il s'était complètement investi dans l'objet-organisation, en tant qu'il s'était identifié à l'idéal organisationnel. Lorsque l'organisation se retire, lorsqu'elle ne manifeste plus l'amour et la reconnaissance, le Moi est en quelque sorte écrasé par cette perte. Et, comme dans le deuil et la mélancolie, le sujet doit, après la phase brutale de l'effondrement, affronter une phase mélancolique (cette phase de perte de vitalité, d'ennui et de désespoir dont parle Freudenberger) qui correspond à l'identification à l'objet perdu que constituait l'organisation pour le Moi idéal. Le Moi de l'individu, amputé d'une partie de lui-même – son Moi idéal –, ne parvient plus pendant quelque temps à fonctionner, tout comme, dans la mélancolie, la perte de l'objet aimé consume le Moi.

Privé de la « locomotive » que constituait le Moi idéal (quelles que soient les acrobaties que celui-ci lui faisait réali-

6. S. Freud, « Deuil et mélancolie », in *Métapsychologie*, Paris, Gallimard, 1974.

ser), le Moi ne parvient plus à avancer jusqu'à ce qu'il ait pu reconquérir la place que le Moi idéal lui avait peu à peu confisquée.

Ainsi, c'est ce clivage qui consume peu à peu toute l'énergie du Moi qui s'épuise à se hisser aux hauteurs exigées par le Moi idéal. Mais lorsque celui-ci, sous l'assaut de la réalité, s'effondre et retombe sur le Moi, c'est alors l'amoindrissement de celui-ci et son incapacité temporaire à fonctionner sans le moteur du Moi idéal qui confère à l'incendie interne son caractère dévastateur.

Pour bien comprendre ce processus, il nous faut donc creuser plus avant l'articulation entre deux niveaux : celui, externe, de l'organisation avec ses exigences et ses normes de fonctionnement et celui, interne, du fonctionnement psychique. C'est ce que nous allons faire à la lumière d'un cas concret illustrant les enjeux et les effets de cette « maladie de l'idéalité ».

L'histoire de Noémie

Après des études supérieures, Noémie rentre, par petites annonces, dans la filière française d'une multinationale adepte des principes d'excellence. Elle y exerce pendant neuf ans, à sa pleine satisfaction, des fonctions de gestion financière et comptable. Pendant toute cette période, elle travaille sous la responsabilité d'un patron – celui qui l'a recrutée – qu'elle estime et qui l'estime : « On m'estimait beaucoup, on reconnaissait ma valeur, et ça c'était pour moi très fondamental. Il faut avouer que je travaillais énormément, il m'arrivait de travailler sept jours sur sept et même le dimanche, de commencer à 7 heures du matin pour arrêter à 1 heure du matin ; donc, c'était vraiment un investissement professionnel très fort... mon objectif personnel, c'était de réussir... de réussir cette carrière. »

Quand on lui demande d'où lui venait cette volonté de

réussir, elle la situe spontanément dans son origine familiale et dans une volonté d'affirmation et même de revanche féministe par rapport à l'oppression professionnelle dont la gent féminine de sa famille a si longtemps été victime : « Je pense que j'ai quelque part envie de venger toutes ces femmes qui sont derrière, derrière les hommes, et qui n'avaient jamais rien à dire et qui ne faisaient jamais rien d'autre que de faire des enfants et des sales boulots, sans qu'on les apprécie. J'avais trop vu de femmes autour de moi broyées par le système. C'était une façon de venger ma mère, ma grand-mère, et pour moi, c'était la meilleure structure, car c'est une entreprise qui reconnaît beaucoup les femmes. Et je suis restée dans cette entreprise parce qu'il y avait cette reconnaissance. »

Les prémisses de l'idéalité sont posées : Noémie a un idéal – venger les femmes opprimées –, et pour cela, il lui faut réussir. Elle a trouvé une entreprise qui lui en offre l'occasion et qui, pendant plusieurs années, lui permet de satisfaire cet idéal en lui octroyant régulièrement les signes de reconnaissance indispensables que ses consœurs n'ont pu connaître. Elle fournit, quant à elle, un travail assidu dont elle souligne le caractère – déjà à l'époque – presque excessif par son perfectionnisme : « Je me demandais trop de choses à moi-même, parce que personne ne m'obligeait à être perfectionniste, à avoir tant d'exigences envers moi et envers les autres. »

Au bout de quelques années se produit un important changement dans la stratégie de la filiale où travaille Noémie : l'entreprise s'agrandit considérablement et passe en peu de temps de 400 à 2 000 personnes. Cette mutation entraîne d'importantes réformes, les structures se rigidifient et perdent leur caractère « artisanal », ce qui entraîne, notamment, un changement dans le statut de Noémie, qui perd, à ce moment-là, beaucoup d'autonomie : « On me prenait du pouvoir, je n'avais plus mon budget, je n'étais plus autonome, je ne pouvais pas augmenter quelqu'un de cinquante francs, alors qu'en fait pendant des années j'avais géré des gens à coup de carottes, d'augmentations, et ça je ne le pouvais plus, je ne pouvais plus agir et j'étais complètement coincée. »

Cette première atteinte aux prérogatives de Noémie se

double d'un conflit assez violent avec l'un de ses collègues qui – du fait de la réorganisation de l'entreprise – se retrouve en position de supérieur hiérarchique de Noémie : « On avait deux façons de voir les choses, il m'avait souvent reproché d'être perfectionniste, d'être dure, d'aller trop au bout des choses, mais tant qu'on a été égaux, ça a très bien marché. Après, il a voulu me faire plier, et je l'ai très mal supporté... *Mais ce qui m'a fait le plus mal, c'était qu'on reconnaisse ce type*, alors qu'il n'avait jamais rien fait de notoire. Quand il y avait de grands besoins, de grands problèmes, il n'était pas là. Quand il fallait résoudre un scénario catastrophe, il n'était pas là, il arrive juste au moment où tout est bon... *et qu'une organisation comme ça le reconnaisse, je crois que ça m'avait brouillée*, quoi ! »

Noémie se retrouve donc dans une situation où, d'une part, elle est privée des possibilités d'action qu'elle avait auparavant, d'autre part, elle se retrouve sous la coupe d'un homme qui veut la faire plier et qu'elle méprise, alors que toute sa démarche professionnelle a jusque-là consisté à venger – par sa réussite – les femmes de sa famille courbées sous l'oppression des hommes.

Le reproche qu'elle adresse à l'organisation de « reconnaître un type comme ça ! » est à la hauteur de l'investissement qu'elle avait placé en elle et de l'attachement qu'elle lui portait pour lui avoir permis de réaliser ce qui était son idéal : réussir professionnellement et prendre sa revanche en tant que femme : « A travers lui, j'avais un rapport passionnel vis-à-vis de toute l'organisation, et le reproche que je lui faisais à lui, c'était en fait envers cette organisation qui vous promet quelque chose... et puis on n'y arrive pas... »

Noémie éprouve donc un sentiment de frustration envers cette organisation tant aimée, qui, tout à coup, lui préfère ce qu'elle juge être un médiocre et surtout ne lui donne plus – comme avant – ce qu'elle attendait. Le processus de désillusion, de désidéalisation plutôt, est entamé. La brûlure interne commence.

Elle se manifeste par l'une des formes les plus classiques de ce phénomène et qu'on retrouve dans la plupart des cas de perte d'objet : la dépression, due à la déception, à la chute de l'idéal investi dans l'organisation, qui retombe sur le Moi et le dévalorise : « Moi qui adorais cette structure, ce clan, je vivais beaucoup pour l'entreprise... et là j'arrivais le matin ou même le soir à traîner un maximum de façon à me réveiller tard et puis d'y aller vraiment à reculons. C'était arrivé à un point... ça devenait physique, rien que l'idée d'aller au travail, c'était des crises de larmes, je me mettais à pleurer. »

Les problèmes empirant, Noémie finit par craquer complètement. La description qu'elle fait de sa « chute » est tout à fait saisissante par le vécu physique qu'elle retrace et qui évoque à la perfection tant le clivage entre Moi et Moi idéal que l'ampleur de la chute du Moi idéal. « Le jour où ça a vraiment basculé, c'était assez dramatique dans la mesure où on m'a toujours vue très vive, très solide, très debout, et ce jour-là je me suis physiquement écroulée. Je me rappelle très bien, j'étais dans mon bureau, et puis je me suis écroulée, je suis rentrée, j'ai posé mon sac, c'était la crise de larmes, je sentais... *c'était pire que si j'avais quelqu'un de mort devant moi... mais quelqu'un de très cher qui était mort...* j'étais incapable de m'arrêter. Puis là, c'est toute mon *image de marque* qui s'est cassée... c'est comme si je prends quelqu'un qui est debout et puis que je le casse. »

Le clivage du Moi est total : la chute du Moi idéal est vécue presque physiquement, comme la mort d'un être cher, mais un être cher *qui était une partie de soi-même* et que l'on a perdu ou plutôt qui s'est cassé. Le Moi idéal de Noémie, qu'elle appelle son « image de marque » et qui s'était modelé sur l'idéal prôné par l'entreprise, entraîne dans sa chute le Moi de Noémie (« c'est comme si je prends quelqu'un et puis que je le casse »), et celle-ci se retrouve en clinique psychiatrique. Elle en ressort quatre mois plus tard, avec juste assez de lucidité pour réaliser qu'elle n'a pas la force de réaffronter la situation et elle démissionne, avec le sentiment que c'est la seule chose à faire si elle veut « sauver sa peau » : « C'était ça ou vraiment je sentais que j'allais en mourir, ou j'allais à petites doses me suicider, et bon, par instinct de conservation, j'ai dit : "Je ne reviendrai jamais." Je ne voulais plus travailler pour eux et je sentais que c'était moi ou eux ; *si je retournais, je mourrais vraiment.* »

Les enjeux de vie et de mort sont là, véritablement, très prégnants, et quand Noémie dit que si elle retournait « elle mourrait vraiment », ou que cela reviendrait à se suicider à petites doses, c'est qu'elle sait que, dans un tel contexte, où la sollicitation du Moi idéal est forte et sa contribution indispensable, elle n'a plus aucune chance de faire face à la situation. Quitter la structure est alors effectivement la seule chance qui lui reste de parvenir à se sauver et à restaurer son Moi sans l'ombre étouffante d'un Moi idéal à jamais brisé.

Nous avons dit précédemment que le Moi idéal de Noémie s'était en fait modelé sur l'idéal prôné par l'entreprise : c'est cette identification et ce processus de captation que nous voudrions maintenant analyser. Noémie décrit en effet très longuement l'emprise très forte exercée par l'organisation avec l'exigence d'excellence qu'elle attend de ses employés : « Quand vous entrez là-dedans, *vous vous devez à ça, vous vous devez à cette organisation ; de toute façon, on ne peut en tant que cadre fonctionner que comme ça, et tous ceux qui n'adhèrent pas à ça sont très vite écartés.* Ils sont dans une voie de garage et tous ceux qui cessent d'être vraiment complètement dedans tombent. » Un peu plus loin, elle ajoute. « C'est vraiment une *organisation qui vous broie, qui vous mange...* Ça se traduit par une espèce d'éthique, de culture d'entreprise qui fait que vous êtes les meilleurs, avec le slogan "vous êtes les plus beaux, les plus grands, les plus forts". Vous devez être excellent en tout, c'est écrit dans votre contrat, c'est l'excellence par l'excellence... Tous les deux mois, il faut se remettre dans le bain de l'excellence, il y a tout un planning de training, de séminaires, on vous envoie dans un endroit très beau, et, pendant une semaine, on vous rappelle les objectifs et pourquoi vous êtes là et qu'est-ce que vous devez faire et que chaque petite action est nécessaire pour l'organisation. » Noémie évoque aussi la notion de perfection distillée par l'entreprise : « Il faut être le plus fort, le plus parfait, toutes les notes parlent de perfection, et la direction générale et la direction des ressources humaines font régulièrement – tous les deux jours en moyenne – une note sur la notion de perfection, d'exigence envers soi-même et envers le client. »

On mesure bien, en effet, la force de tels systèmes et la façon dont ils captent l'Idéal du moi de chacun pour produire un « moi conforme », c'est-à-dire des hommes et des femmes conformes à l'idéal d'excellence et de perfection. Mais on voit bien aussi que ces systèmes ne fonctionnent en fait qu'*avec la complicité de l'Idéal du moi de chacun.* C'est parce que les personnes qui investissent ces organisations trouvent leur compte dans l'idéal proposé, parce qu'elles voient dans cette exigence extrême une façon de réaliser leur Moi idéal, de s'accomplir, de se réaliser, de progresser qu'elles y adhèrent aussi fortement. La production de ce que nous proposons d'appeler un « Moi idéal organisationnel » n'est donc pas le seul fait de l'organisation qui chercherait à produire des hommes conformes ; elle est en fait une coproduction individu-organisation, elle ne s'effectue qu'avec l'assentiment, et même souvent l'assentiment enthousiaste, de ceux qui concourent à sa fabrication.

Car si Noémie souligne avec raison la profondeur et l'intensité de l'emprise exercée par l'organisation sur les individus, elle oublie de mentionner que, pendant neuf ans, elle a parfaitement bien fonctionné sous ce régime... Tant que les récompenses et les signes de reconnaissance lui apportaient la preuve que son Moi idéal était en correspondance avec l'idéal organisationnel souhaité par l'entreprise, elle y trouvait son compte, et largement...

Le problème n'apparaît qu'à partir du moment où, pour une raison quelconque, l'individu ne parvient plus à suivre le rythme imposé par l'entreprise, soit qu'il n'ait plus les moyens de faire face, soit que l'idéal jusque-là poursuivi apparaisse soudain déconnecté de soi, en décalage par rapport aux exigences du reste du Moi dont on ne parvient plus à étouffer la voix. A ce moment-là, l'organisation ne génère plus les signes de reconnaissance et les récompenses qui soutenaient le Moi idéal, ou bien encore ces signes de reconnaissance n'ont soudain plus de valeur, et l'ensemble du système s'effondre alors... ou se dégonfle... telle une baudruche vidée d'un coup du souffle illusoire de l'idéalité.

Les étapes de l'effondrement : un processus psycho-organisationnel

Tentons à présent de retracer les différentes étapes du processus que nous venons de décrire à travers l'histoire de Noémie.

Nous avons déjà introduit un certain nombre de notions psychanalytiques (Idéal du moi, Moi idéal, narcissisme, perte d'objet...). Il nous faut maintenant démonter, étape par étape, les processus d'articulation et de « bouclage » entre fonctionnement psychique et fonctionnement organisationnel et montrer comment certains mécanismes de fonctionnement psychique se trouvent plus particulièrement sollicités par tel ou tel mode de fonctionnement organisationnel.

Précisons tout d'abord la distinction que nous opérons entre Idéal du moi et Moi idéal. Bien que cette distinction n'apparaisse pas clairement dans les textes de Freud et ne soit pas reprise par tous les auteurs, nous adoptons ici le point de vue de Jean Laplanche, qui, partant du sens implicite de l'expression « Moi idéal », définit ce dernier comme « un Moi idéalisé, ceci par contraste avec un Idéal du moi qui est quelque chose qui se poserait devant le Moi, à atteindre ; donc le Moi idéal serait *un certain avatar du Moi* transformé, métabolisé en idéal[7] ». On peut, à partir de là, distinguer les deux termes en désignant par Idéal du moi *ce qui est posé devant le Moi comme idéal à atteindre*, le modèle idéal en quelque sorte, tandis que le Moi idéal serait l'*état du Moi idéalisé*, identifié aux idéaux, transformé par une intégration (au moins partielle) des idéaux.

---

7. J. Laplanche, « Moi idéal et Idéal du moi », in *L'Angoisse, Problématiques I*, Paris, PUF, 1981, p. 347-348.

Cette distinction étant opérée, retraçons les étapes du processus d'effondrement que nous avons décrit.

Premier temps : le modèle organisationnel

Dans un premier temps, l'individu et l'organisation se présentent comme deux entités bien distinctes, chacune avec son mode de fonctionnement propre. Chez l'individu, l'Idéal du moi est présent comme modèle à atteindre. Il s'est forgé à partir de la convergence entre le narcissisme (idéalisation du Moi) et les divers idéaux parentaux, collectifs, etc., auxquels le sujet a été confronté[8]. L'Idéal du moi est donc une instance *interne*, mais forgée à partir d'éléments de la réalité externe (personnages idéalisés, modèles, etc.). Dans le cas de Noémie,

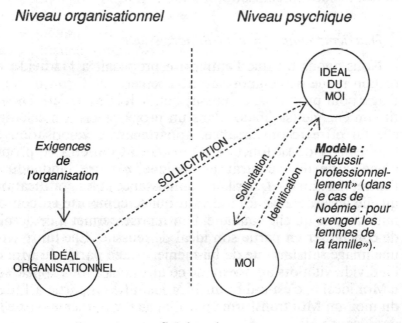

Schéma 1

---

8. Cf. la définition de l'Idéal du moi dans Laplanche et Pontalis, *Vocabulaire de la psychanalyse*.

par exemple, cet Idéal du moi s'était concrétisé dans le projet de réussir professionnellement pour « venger les femmes de sa famille », écrasées par les hommes...

Simultanément, sur le plan externe (celui de la réalité extérieure), l'organisation propose une certaine forme de personnalité, une certaine façon d'être qui vient en quelque sorte « se brancher » sur le processus psychique individuel (notamment, sur l'Idéal du moi), pour pousser l'individu à s'adapter à cette « façon d'être ». Dans cette dernière, on retrouve aussi bien l'idéal d'excellence individuelle, dont nous avons parlé, qu'un certain nombre de qualités personnelles qui sont proposées et présentées à l'individu comme nécessaires pour faire partie, progresser et réussir dans l'organisation. Nous appelons cette façon d'être idéale proposée par l'organisation l'« idéal organisationnel ».

Deuxième temps : le contrat narcissique

Nous avons dit que l'entreprise proposait à l'individu un certain mode de comportement, une certaine façon d'être et d'agir pour progresser et réussir, qu'elle lui demandait d'investir son énergie (sa libido) dans un projet précis. En échange, elle lui offre reconnaissance, appartenance, valorisation de lui-même et de sa fonction. On pourrait parler à ce propos d'une sorte de « contrat narcissique[9] » entre l'individu et l'entreprise. En effet, par la reconnaissance et les gratifications qu'elle accorde ainsi à l'individu qui se comporte en conformité avec ce qu'elle souhaite, l'entreprise permet à ce dernier de concrétiser en partie son idéal de réussite. Elle lui renvoie une image satisfaisante de lui-même, et une partie du Moi de l'individu vit alors au niveau de ce que nous avons appelé son « Moi idéal », c'est-à-dire un Moi identifié en partie à l'Idéal du moi, un Moi transformé par l'intégration (même partielle) des idéaux.

Dans le schéma 2, nous avons représenté ce processus par

9. Sur cette notion, cf. notamment P. Castoriadis-Aulagnier, *La Violence de l'interprétation*, PUF, Paris, 1981.

une petite bulle qui se détache du Moi et se place en position intermédiaire entre l'Idéal du moi et le Moi. Il se produit ainsi le début d'une sorte de clivage du Moi, l'individu vivant de plus en plus au niveau de son Moi idéal, au détriment du reste de son Moi.

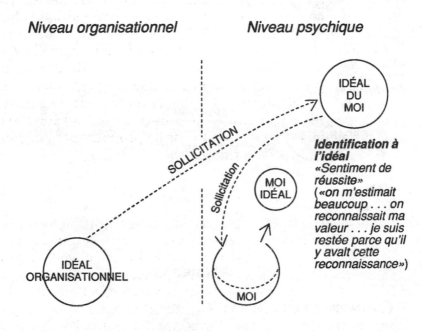

Schéma 2

Troisième temps : captation

Mais, simultanément, l'individu a été peu à peu « capté » par le modèle proposé par l'organisation, soit du fait de la pression opérée, soit du fait d'une adhésion personnelle. Il intériorise peu à peu ce modèle et cet idéal, il s'identifie à la personnalité proposée par l'organisation et intègre dans son Moi idéal les qualités nécessaires pour réussir.

On assiste donc à un double mouvement :

– de captation du Moi idéal par l'idéal organisationnel ;

– d'identification du Moi idéal à l'idéal organisationnel qui

193

devient de plus en plus prégnant tandis que le reste du Moi de l'individu s'appauvrit.

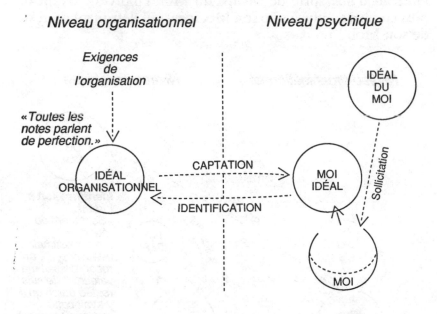

Schéma 3

Quatrième temps : fusion

A un moment, la fusion est complète, c'est-à-dire que le Moi idéal de l'individu est devenu un Moi idéal organisationnel. Le modèle prôné par l'organisation est tout à fait intériorisé, et la reconnaissance accordée par l'organisation fait que l'individu vit en bonne partie au niveau de ce Moi idéal organisationnel, mélange complexe de réalisation de l'idéal personnel de reconnaissance et de réussite et d'intégration dans la personnalité du modèle de comportement, de la façon d'être proposés par l'organisation.

C'est aussi le temps de l'*illusion*, où l'individu vit au niveau des exigences de l'organisation, conforté par toutes sortes de gratifications narcissiques, cependant que son Moi propre s'appauvrit d'autant.

L'avènement de ce Moi idéal organisationnel[10] illustre bien les processus de bouclage et d'articulation qui s'opèrent entre fonctionnement psychique et fonctionnement organisationnel. Nous approfondirons, dans la cinquième partie de ce livre, l'étude de ces processus.

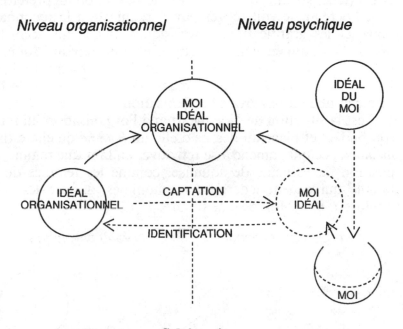

Niveau organisationnel   *Niveau psychique*

Schéma 4

10. On pourrait, à propos de cette notion, évoquer le concept de « faux self » proposé par Winnicott pour désigner la façade « policée » de notre personnalité, qui permet d'entretenir des relations satisfaisantes avec l'entourage. A ce titre, il entre un certain degré de faux self dans la personnalité de chacun, dans la mesure où la vie en société requiert « une attitude sociale polie, de bonnes manières et une certaine réserve ». Par contre, lorsque le faux self envahit le vrai, lorsque la coquille se substitue au noyau, lorsque l'individu devient le rôle qu'il joue, on entre dans un registre plus pathologique. En proposant le concept de « moi idéal organisationnel » plutôt que celui de « faux self », nous voulons mettre l'accent sur l'articulation qui s'opère entre fonctionnement psychique et fonctionnement organisationnel et l'influence du second sur le premier (cf. Winnicott, « Distorsion du moi en fonction du vrai et du faux self », in *The Maturational Process and the Facilitating Environment*, London, Hogarth Press and the Institute of Psycho-Analysis, 1965).

Cinquième temps : rupture

A un moment, l'individu, ayant atteint ses limites ou ne parvenant plus à suivre le rythme exigé ou « ne se retrouvant plus » dans les exigences ou l'attitude de l'organisation à son égard (telle Noémie, qui ne comprend pas qu'on lui préfère un « médiocre »), se voit retirer par l'organisation la reconnaissance et les gratifications narcissiques qu'elle lui accordait jusque-là, ce qui entraîne une rupture au niveau du Moi idéal qui avait fini par se confondre avec l'idéal organisationnel. L'individu ne retrouve plus l'image idéale qu'il avait de lui-même et que lui renvoyait l'organisation.

C'est la situation de Noémie quand l'organisation lui retire son budget et place au-dessus d'elle un *homme* qu'elle estime *médiocre*, ce qui l'amène à se retrouver en tant que femme, en position de vaincue, de soumise, comme les femmes de sa famille qui étaient « derrière les hommes, à faire les sales boulots ». Son Moi idéal se fissure.

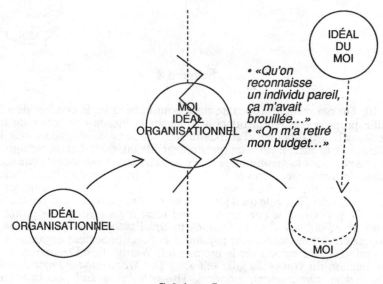

Schéma 5

Sixième temps : effondrement

Privé de son support (la reconnaissance et les gratifications de l'organisation), le Moi idéal s'effondre avec d'autant plus de tracas qu'il ne vivait plus, précisément, que grâce à ces gratifications, qu'il existait essentiellement au niveau de son image, l'« image de marque » que lui renvoyait l'organisation. Vidé de sa substance et privé de son support, le Moi idéal (devenu Moi idéal organisationnel) s'effondre sur le Moi : « C'est toute mon image de marque qui s'est écroulée. C'est comme si j'avais quelqu'un de mort devant moi, quelqu'un de très cher qui était mort. »

Le processus est d'autant plus profond que le Moi idéal organisationnel avait fini par consumer le Moi. D'où les sentiments très intenses de mort, suscités par cet effondrement : « Si je retournais, je mourrais vraiment » : autrement dit, je n'aurais plus aucune possibilité (le Moi organisationnel étant mort) de restaurer le peu de Moi qui me reste.

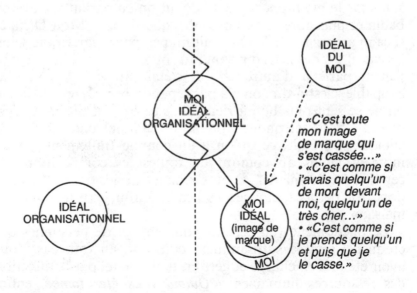

Schéma 6

On voit, à travers cette analyse, que le concept de *burn out*, s'il illustre très bien l'intensité et le caractère dévastateur du processus en cause, ne permet pas de l'appréhender de façon suffisamment fine. Il est surtout important de souligner que ce processus est issu du mode de fonctionnement social que nous avons décrit précédemment (société individualiste et narcissique) et du type de personnalité généré par ce type de société (personnalité narcissique). Il prend une importance particulière dans les organisations qui jouent sur ce registre, d'une part, en travaillant l'individu au niveau de son Idéal du moi, d'autre part, en le confortant narcissiquement, par la reconnaissance et les gratifications qu'elles accordent, pour l'amener à progresser dans la voie qu'elles souhaitent.

Ainsi, dans l'entreprise de Noémie, le phénomène frappait un certain pourcentage de personnes relativement stable dans le temps : « Périodiquement, il y en a qui *tombent* comme ça, raconte Noémie. On l'apprend par des bruits de couloir. Ce n'est écrit nulle part, mais tout le monde le sait... c'est... Untel est à tel endroit (une clinique de la région parisienne ou une clinique en Suisse, selon le niveau hiérarchique de la personne)... Je me rappelle qu'au début on en parlait sur un ton badin et puis après on se pose des questions : "Mon Dieu, et si ça m'arrive à moi ?" On avait un peu peur, parce que, selon les cas, il y a des gens qui sont plus ou moins amochés. Après, j'en ai parlé à d'autres à qui c'était arrivé... On se sent coupable, c'est-à-dire on n'a pas répondu présent, et à la limite on ne se sent plus bon à rien. Mais ce qui est marrant, c'est quand on se téléphone : on se dit à quel endroit (quelle clinique) on était, ce qu'on a eu comme traitement... à un moment j'étais au courant de toutes les compositions de certains médicaments... et on s'échangeait des trucs : "Ah, dis donc, toi, t'es à ça, moi, je suis à ça"... Enfin, je ris maintenant, mais... »

Le phénomène (un certain pourcentage de personnes qui craquent) semble suffisamment constant, en tout cas, pour avoir été pris en charge et géré en tant que tel par la direction des ressources humaines. « *Quand vous êtes tombé*, enfin, quand ça ne va pas, *la DRH vous prend en charge*, c'est elle qui s'occupe du côté médical, qui vous trouve une place dans une clinique, qui s'occupe de votre convalescence, qui s'occupe de voir si vous avez des problèmes, qui vous aide... Dans mon cas, on a été jusqu'à s'occuper de la garde de mon fils, *parce que c'est une organisation qui veut aller jusqu'au bout, c'est pas parce que vous êtes tombé, parce que vous n'avez pas couru assez vite, qu'on va vous laisser*, on vous garde quand même... enfin, *on vous enterre !* »

On retrouve là l'un des traits caractéristiques de la culture « clan » de ces organisations (selon l'expression de William Ouchi[11]) qui, tout en exigeant une adhésion sans faille et un engagement sans limites, prennent en charge la presque totalité de l'existence de leurs employés et assument en tout cas les conséquences parfois négatives de ce qu'elles ont concouru à produire, les ratés de leur mode de fonctionnement, en quelque sorte... le ramassage de ceux qui « n'ont pas couru assez vite » !

On peut ici tenter de dégager ce qui distingue ce nouveau type d'organisation des organisations plus classiques, où les notions de hiérarchie et d'obéissance sont déterminantes, où le fonctionnement interne ne s'articule pas autour de la sollicitation de l'Idéal du moi et de la gratification du narcissisme, mais autour du Surmoi et de la crainte de la punition.

Le fonctionnement psychique dans les organisations hiérarchiques autoritaires

Dans l'organisation hiérarchique classique, il existe aussi un modèle de comportement à observer, un « modèle organisationnel » qui sollicite l'individu tout comme précédemment. Mais les ressorts sur lesquels elle joue ne sont pas les mêmes. Le modèle organisationnel prôné par l'organisation est fait de

11. Ouchi distingue le modèle « marché », le modèle « bureaucratie » et le modèle « clan », qui recouvre aussi bien les entreprises japonaises que celles dont nous parlons, qui prennent totalement en charge leurs employés comme le ferait une famille (cf. W. Ouchi, *M., un nouvel esprit d'entreprise*, Paris, Interéditions, 1986).

soumission et d'obéissance, il ne s'adresse pas à l'Idéal du moi de l'individu, mais à son Surmoi, il n'agite pas la promesse de la reconnaissance et des gratifications si on réussit, mais la peur de la sanction si on désobéit ou si on échoue.

Bref, c'est un modèle autoritaire qui cherche à susciter chez l'individu ce que Milgram [12] appelait un « état agentique », c'est-à-dire un comportement de soumission absolue, où l'individu agit non comme un être autonome et responsable, mais comme un agent exécutif des volontés d'autrui. Dans l'expérience de Milgram, autrui, c'était l'expérimentateur qui incarnait l'autorité ; dans l'organisation hiérarchique, il s'agit de l'encadrement qui transmet les exigences de la structure.

En somme, dans l'organisation hiérarchique, le schéma esquissé précédemment prendrait la forme suivante.

Premier temps : sollicitation du Surmoi de chacun par le modèle organisationnel autoritaire

L'instance en jeu ici n'est plus, nous l'avons dit, l'Idéal du moi, mais le Surmoi.

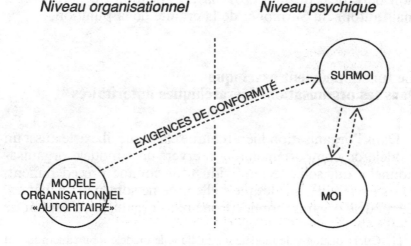

Schéma 1

12. S. Milgram, *Soumission à l'autorité*, Paris, Calmann-Lévy, 1979.

Deuxième temps : constitution d'un Moi « surmoïque »

Cette phase correspond à l'intégration progressive par l'individu des normes et des exigences de l'organisation qui viennent s'ajouter aux normes et aux exigences parentales qui avaient constitué la base de la formation du Surmoi. L'individu intègre dans une sorte de moi « surmoïque » les exigences que l'organisation adresse à son Surmoi.

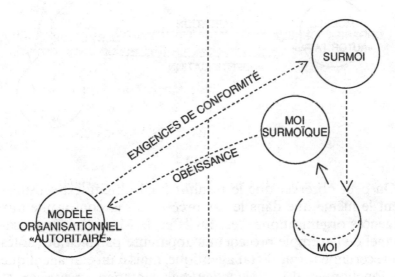

Schéma 2

Troisième temps : constitution de l'état agentique

Il se produit lorsque le Moi « surmoïque » a totalement fusionné avec le modèle organisationnel autoritaire, lorsque l'individu est devenu un parfait agent de l'organisation.

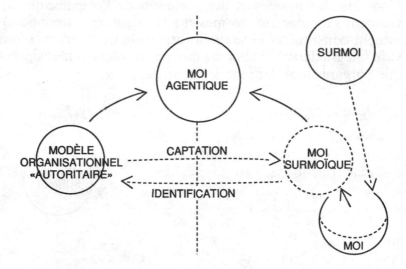

Schéma 3

On peut observer que le résultat final obtenu est sensiblement le même que dans le cas précédent : la conformité aux
exigences organisationnelles. En effet, le Moi idéal organisationnel de l'exemple précédent s'apparente par bien des côtés
à une certaine forme d'état agentique, mais à un état agentique
qui fonctionnerait par *séduction*, par *captation narcissique*, et
non par imposition et contrainte. Ce sont en effet le mécanisme de « production » de cet état, le mode de fonctionnement psychique sur lequel il s'appuie et qu'il contribue à
produire, de même que les formes de pathologie qu'il induit,
qui ne sont pas les mêmes.

Les maladies du narcissisme

C'est ici que nous devons opérer le lien avec les grandes évolutions psychosociologiques que nous évoquions précédemment. Le passage d'une société autoritaire, articulée autour de normes et de structures sociales fortement étayées, à une société plus individualiste et narcissique, où les structures sociales sont affaiblies et où l'accomplissement par chacun de son moi dans toutes ses dimensions figure au premier plan des préoccupations, implique la mutation observée dans le mode de fonctionnement interne des entreprises. D'une part, les personnalités individuelles auxquelles celles-ci s'adressent ne sont plus les mêmes ; d'autre part, les nouveaux modes de management mis en place contribuent eux aussi à façonner un nouveau type d'individu : l'homme managérial, dont nous parlions précédemment.

Ces mutations sociologiques et psychologiques s'observent d'ailleurs dans les nouveaux types de pathologies observés par les psychanalystes. Nombreux sont en effet les témoignages psychanalytiques attestant l'apparition dans la société contemporaine d'un nouveau type de pathologie qu'ils appellent l'« organisation limite » et qu'ils présentent comme intermédiaire entre la névrose et la psychose [13]. Tandis que la structuration névrotique repose sur « le conflit latent qui oppose le Ça au Surmoi à travers le Moi » (et s'articule sur le conflit œdipien), tandis que la structuration psychotique correspond, de son côté, « à un conflit entre pulsions et réalité, conflit dont le Moi arrive à se trouver exclu » [14], l'organisation-limite, elle, est décrite avant tout comme une « maladie du narcissisme ». Et « le danger contre lequel toutes les variétés

---

13. Cf., par exemple, S. Ginestet Delbreil, *L'Appel de transfert et la Nomination, essai sur les psychonévroses narcissiques,* Paris, Interéditions, 1987 ; A. Green, *Narcissisme de vie, narcissisme de mort*, Paris, Éd. de Minuit, 1984 ; J. Bergeret, *La Personnalité normale et pathologique*, Paris, Dunod, 1988.
14. J. Bergeret, *op. cit.*

d'états limites luttent, c'est avant tout la *dépression* » : Bergeret décrit les sujets en question comme manifestant un immense besoin d'affection, comme obligés de déployer une incessante activité afin de lutter contre la dépression.

L'angoisse particulière à l'« organisation limite », c'est donc l'angoisse de dépression. Elle survient « dès que le sujet imagine que son objet anaclitique risque de lui faire défaut, de lui échapper » (Bergeret). L'objet « anaclitique », c'est l'objet sur lequel on s'appuie, sur lequel on s'étaie : dans les cas jusqu'à présent étudiés par la psychanalyse, cet objet est une personne – parent ou compagnon –, mais, dans les cas dont nous parlons, c'est l'organisation qui joue ce rôle d'étayage de la personnalité, qui lui fournit un cadre et un projet de développement, un soutien et une reconnaissance, des gratifications, enfin, qui lui permettent de vivre et de se conforter.

Ce qui menace alors la personne, c'est l'« angoisse de perte d'objet », car, sans l'objet, elle risque de sombrer dans la dépression. C'est bien ce qui se produit dans le cas de Noémie, lorsqu'elle perd l'appui de l'organisation et que cette perte entraîne la rupture et la perte de son Moi idéal. Elle tombe alors dans un processus de dépression aiguë, au cours duquel elle doit d'abord affronter cette perte, sans pouvoir, durant un temps, la surmonter.

Les psychanalystes opposent cette angoisse de dépression caractéristique de l'« organisation limite » à l'angoisse de castration sous-jacente à la structure névrotique. Si l'on tente à présent de référer ces types d'angoisse aux modes de fonctionnement organisationnels dans lesquels ils s'inscrivent, on peut référer l'angoisse de perte d'objet, et donc la dépression, aux organisations que nous avons décrites, qui jouent et travaillent sur l'Idéal du moi, tandis que les structures hiérarchiques des organisations plus classiques engendrent davantage des angoisses de castration qui sont des angoisses de faute (réminiscence de conflits œdipiens dans les rapports au chef, à la hiérarchie, etc., peur de la punition sur le modèle de la crainte de castration de la période œdipienne, etc.).

Mais, ce qui différencie encore plus nettement les « organisations limites » des structures névrotiques, c'est la différence des pôles autour desquels s'organise la personnalité : dans l'« organisation limite », c'est l'Idéal du moi qui occupe la plus grande partie de ce qui devait normalement revenir au Surmoi dans l'organisation de la personnalité. « Un Surmoi trop inexistant oblige l'Idéal du moi archaïque... à reprendre la principale fonction organisatrice dans les processus mentaux » (Bergeret). Les sujets qui relèvent de cette « organisation limite » abordent leur vie relationnelle « avec les ambitions héroïques démesurées *de bien faire pour conserver l'amour et la présence de l'objet*[15]... beaucoup plus qu'avec des culpabilités d'avoir *mal fait* sur le mode génital et œdipien et d'en être puni par la castration ». Tandis que, dans la névrose, l'instance persécutrice de la personnalité, c'est le Surmoi (conflit Ça-Surmoi), dans l'état limite, la persécution est passée du côté de l'Idéal du moi (conflit Moi-Idéal du moi).

Bien sûr, la description de ce mode de fonctionnement psychique n'a pas été opérée pour décrire les rapports de ces sujets avec l'entreprise ou l'organisation dans laquelle ils sont insérés. Les « objets » décrits par les psychanalystes et sur lesquels s'étaient les « organisations limites » sont plus souvent des parents, des conjoints, des compagnons, etc. On voit cependant que cette description s'applique parfaitement à la compréhension des modes de fonctionnement psychiques entretenus avec ces objets d'une autre nature que sont les organisations et que la psychanalyse n'a pas encore inscrits dans ses champs d'investigation.

15. C'est nous qui soulignons.

Qu'en disent les médecins ?[16]

En contrepoint de cette étude, nous avons souhaité recueillir l'opinion des médecins sur le type de pathologie qu'ils rencontraient chez les cadres supérieurs. Nous avons donc interrogé quelques psychiatres et généralistes exerçant en service public et en profession libérale, et un médecin du travail exerçant dans l'une des entreprises étudiées.

Leurs propos confortent ce que nous avons recueilli de la part des personnes que nous avons interviewées dans ou hors des entreprises : une pathologie souvent lourde, conduisant parfois à une hospitalisation psychiatrique, atteignant surtout des top managers à la cinquantaine.

Dans les cas décrits par ces médecins, pas d'épisode professionnel violent, mais plutôt l'accumulation d'un certain nombre d'éléments qui occasionnent la cassure. Ces éléments sont de trois ordres : l'âge : 50-55 ans ; un excès de travail dans une vie professionnelle depuis toujours très prenante, mais satisfaisante aussi, et apparemment réussie ; enfin, la prise de conscience tardive de problèmes familiaux, conjugaux, personnels, plus ou moins volontairement ignorés jusque-là.

Les praticiens se demandent pourquoi, alors que ces hommes sont au faîte de leur carrière, alors qu'ils ont obtenu ce qu'ils cherchaient, des responsabilités, de l'argent, au prix d'efforts considérables, d'investissement personnel énorme maintenu longtemps, pourquoi, tout à coup, craquent-ils ? Et pour certains, pourquoi craquent-ils sur un mode si grave ? Comment expliquer ces bouffées délirantes, ce basculement dans la psychose si rare après quarante ans et que l'on ne rencontre pratiquement que dans cette catégorie de cadres supérieurs ?

A un premier niveau, on peut parler d'une crise existentielle dans laquelle les problèmes d'usure, de fatigue accumulée, la pression de l'entreprise, la technologie qui se renouvelle sans arrêt, la crainte d'être rejoint et dépassé par les plus jeunes, la nécessité de faire toujours plus, de créer toujours plus, d'améliorer le rendement, en somme la peur de s'essouffler et de ne plus faire face, se télescopent avec une réalité de la vie privée que l'on avait toujours méconnue et qui, tout à coup, ne peut

16. Cette enquête a été réalisée par Solange Vindras.

plus être ignorée : la pauvreté de la vie conjugale qui se transforme en rupture ; l'œil sceptique puis critique de l'enfant ou de l'adolescent qui, devenu adulte, affirme un choix de vie diamétralement différent, et conduit le manager à se poser des questions. « Qu'ai-je fait de ma vie, était-ce le bon choix ? »

Dans la mesure où cette question ne s'était posée que dans les termes proposés par l'entreprise, on conçoit que son abord à un moment où la plus grande partie de la vie professionnelle est derrière soi constitue un bouleversement personnel grave, source de réactions inattendues : crises d'angoisse inhibant toute possibilité d'action, toute prise de décision, état dépressif qui traîne et peut conduire dans les cas plus graves à une tentative de suicide.

Pour le moins, il se manifeste une sorte de désillusion, la mise en balance entre les efforts fournis, l'investissement total de vingt-cinq ou trente ans dans l'entreprise, et la contrepartie financière que l'on en a reçue avec l'absence de vie personnelle et familiale, la cécité pour des valeurs qui, tout à coup, paraissent importantes.

Plus encore apparaît soudain le dérisoire de la poursuite de la réussite, le sentiment d'avoir été floué, car l'argent et la réussite sociale apparente n'ont pas satisfait les besoins d'estime et de reconnaissance qui motivaient l'individu à courir ainsi dès son entrée dans l'entreprise. Il n'est toujours pas le vrai patron, il y a toujours quelqu'un au-dessus de lui. L'individu mesure alors que le pouvoir et la réussite n'étaient que des fantasmes et que l'argent et les honneurs ne sont qu'une monnaie de singe eu égard aux attentes qui étaient les siennes et à ses vrais besoins. Au terme de sa carrière, au faîte de la réussite, il s'aperçoit que ce qu'il a reçu n'est pas en rapport avec ce qu'il a donné, et encore moins avec ce qu'il a perdu de sa vie.

A travers cette crise existentielle transparaît une atteinte narcissique grave, car c'est l'image que l'individu a de lui-même qui est remise en question. Son échelle de valeurs est tout à coup bousculée, mettant en question l'engagement total de sa vie dans son entreprise et la pertinence de ses choix.

Les mécanismes de défense contre l'angoisse qui avaient été nourris et renforcés tout au long de la vie professionnelle à travers les sollicitations proposées par l'entreprise craquent à un moment où se produisent en même temps un vacillement dans la vie professionnelle – âge, fatigue, difficulté à poursuivre le même rythme créatif – et un événement d'ordre privé, une rupture par exemple.

L'individu qui est moins entièrement tendu vers le but professionnel est alors plus ouvert à son environnement et plus vulnérable aux événements qui surgissent. Ne s'étant jamais préparé jusque-là, ayant refoulé tout ce qui n'était pas dans l'axe de son travail, il s'effondre, débordé par l'angoisse qui l'envahit, et décompresse sur un mode névrotique, toxicomaniaque ou psychotique, selon la structure de sa personnalité et l'intensité du choc.

La pathologie décrite dans ces cas est assez variée : crises d'angoisse graves et fréquentes provoquant une inhibition de toute décision et conduisant à une sorte de suicide professionnel si la situation dure quelque peu ; état dépressif s'accompagnant ou non d'alcoolomanie, s'aggravant parfois jusqu'à la tentative de suicide ; bouffées délirantes de type persécutif qui peuvent laisser place à un état mélancolique et à une longue hospitalisation en milieu spécialisé ; ou encore état maniaque difficile à réduire.

Il s'agit donc souvent d'une pathologie lourde et tout à fait inattendue chez des sujets qui n'ont aucun passé psychiatrique et à un âge où on ne rencontre pratiquement pas de troubles psychotiques débutants.

Ces troubles déconcertent les psychiatres par leur caractère atypique. L'un d'eux a d'ailleurs été frappé par l'assimilation de l'individu à une machine.

Dans un cas, la personne se représentait elle-même comme machine performante dans un système performant lui aussi et n'avait jamais pensé pouvoir être affectée par des problèmes d'ordre psychologique, tant elle avait toujours fonctionné sans états d'âme. Dans un autre cas, un directeur d'usine avait été traité lui-même comme une machine : on lui avait déclaré qu'on le mettait en « veille technologique », considérant que son unité n'était plus rentable, mais qu'on le gardait dans le groupe. Cependant, il n'était plus informé de rien et il avait appris un jour en voyant se présenter l'acheteur que l'usine qu'il dirigeait avait été vendue.

On rencontre ainsi des mises au placard dans de grandes entreprises qui provoquent des dépressions sérieuses et constituent pour l'individu une persécution aussi grave, bien que d'un autre ordre, que la mise au chômage, qu'elles évitent. Elles retirent à l'individu son insertion dans le circuit du travail, elles néantisent ses compétences. Si l'entreprise y trouve son compte en faisant l'économie d'un licenciement coûteux, cela se fait aux dépens de l'équilibre psychologique de l'individu. Rien d'étonnant, dans de tels cas, que la décompression se produise sur un mode persécutif correspondant à la mise en scène de défenses fantasmatiques à partir d'événements réels, ou sur un mode dépressif, intériorisant la négation de soi infligée à l'individu. Elle n'est que la réponse « folle » à une situation aliénante, dans la mesure où elle instaure une barrière qui rend soudainement l'individu étranger à ce qu'il était.

CHAPITRE 9

La dialectique de l'être et de l'avoir

Être et avoir

Nous avons à plusieurs reprises dans le cours de cet ouvrage parlé des fantasmes, mais aussi des enjeux très réels de vie et de mort qui sont présents dans l'imaginaire comme dans la carrière réelle des cadres que nous décrivons. Fantasme et angoisse de devenir un jour des « morts-vivants », terme désignant ceux qui, pour une raison quelconque, ne peuvent plus compter parmi les « vrais vivants » de l'entreprise : les « opérationnels », ceux qui font du profit, ceux qui s'inscrivent au cœur de la dynamique de croissance... Fantasme d'un corps vampirisé au profit d'un système et peu à peu dévoré par lui... Nombreux sont les modes d'expression de cette angoisse sous-jacente...

Mais les enjeux *réels* de vie et de mort sont également très présents : lorsque Noémie explique qu'elle réalise, après sa « chute », que, si elle retournait dans l'entreprise, elle « mourrait vraiment », il ne s'agit pas d'une figure de style. C'est son être propre, c'est son existence même qui sont menacés dans cette perspective. Elle ressent profondément que, si elle retournait là-bas, d'une certaine façon, *elle mourrait à elle-même*, voire elle mourrait tout court, car on ne peut impunément s'abriter derrière un masque et vivre trop longtemps en décalé par rapport à soi-même.

Mais il est une question que l'on peut se poser : est-il bien sûr que ceux qui sont « morts » pour l'entreprise – les morts-vivants – ne sont pas en fait vivants pour eux-mêmes ou en voie de le devenir ? Est-il sûr que les « morts » se trouvent bien là où on les fantasme ? Est-il certain que ceux qui sont allés jusqu'au bout de la logique de l'entreprise, ceux qui ont tout sacrifié à leur carrière ne sont pas, d'une certaine manière, morts à eux-mêmes ? Où sont les morts et où sont les vivants en termes d'*être à soi-même* et non, simplement, en termes de comportement, de statut ou de réussite sociale ?

En fait, c'est toute la dialectique entre l'*être* et l'*avoir* que ces questions nous conduisent à approfondir. Quels rapports entretiennent ces deux modes dans l'entreprise, dans le déroulement de la carrière, dans la vie personnelle ? Lequel a préséance sur l'autre ? Comment l'individu gère-t-il son propre rapport à ces questions ? C'est toute cette dimension que nous allons maintenant aborder.

Dans un très beau livre publié en 1976, le psychanalyste Erich Fromm avait longuement analysé les spécificités et les implications du mode « avoir » et du mode « être », tels qu'ils s'inscrivent au plus profond de l'existence humaine et des différentes civilisations [1]. Le mode avoir et le mode être de l'existence et le dilemme qu'ils posent – avoir ou être ? – se retrouvent, en effet, profondément enracinés, à des degrés divers, dans toute société et au cœur même de chaque individu. Ils correspondent en fait aux deux facettes – biologique et spirituelle – de l'être humain. Mais ces deux tendances contra-dictoires – l'une, *avoir*, c'est-à-dire posséder, qui doit sa force au facteur biologique du désir de survie, l'autre, *être*, c'est-à-dire partager, donner, se sacrifier, « qui doit sa force aux conditions spécifiques de l'existence humaine et au besoin inhérent de surmonter l'isolement en ne faisant qu'un avec les autres » – s'inscrivent également dans les diverses cultures : celles-ci, par leur structure et leur orientation socio-économi-que, favorisent à des degrés divers soit la soif de possession et donc le mode avoir d'existence, soit le partage et donc le mode être.

1. E. Fromm, *Avoir ou Être ?* Paris, Robert Laffont, 1978 (éd. américaine 1976).

Le mode avoir de l'existence s'enracine irrésistiblement dans l'origine et les exigences biologiques de l'individu, et ce depuis notre première enfance. Au début, comme le montre très bien Fromm, « nous n'*avons* que notre corps et le sein de notre mère » (encore indifférenciés à l'origine). Puis nous commençons à nous orienter vers le monde pour entamer le processus qui nous permettra de nous y faire une place. Nous commençons à vouloir *avoir* : nous *avons* notre mère, notre père, nos frères et sœurs, nos jouets ; plus tard nous acquérons du savoir, un travail, une position sociale, une épouse, des enfants et déjà nous *avons* une sorte d'après-vie quand nous nous procurons un lieu de sépulture, une assurance-vie et que nous rédigeons nos dernières volontés[2]. Dans notre vie professionnelle, politique ou spirituelle, le mode avoir se traduit également dans le fait que nous *avons* un chef (séculier ou spirituel, roi, chef d'entreprise ou Dieu) en qui nous *avons* foi et grâce à qui nous *avons* la sécurité...

Cette structuration sur le mode avoir perdure largement dans nos sociétés occidentales et domine nettement tout notre fonctionnement social. C'est elle qui donne sa configuration aux éléments essentiels des relations entre individus. « Le mode avoir d'existence, écrit Fromm, l'attitude centrée sur la propriété et le profit produisent nécessairement le désir – à vrai dire le besoin – de puissance. Dans le mode avoir, chacun tire son bonheur de sa supériorité sur les autres, de sa propre puissance et, en dernière analyse, de la capacité de conquérir, de voler, de tuer. » D'une manière générale, les relations entre individus, dans le mode avoir, sont dominées par la compétition, l'antagonisme et l'angoisse. Cet élément d'antagonisme dans la relation avoir découle, comme le montre très bien Fromm, de sa nature même : « Si avoir est à la base de mon sentiment d'identité, parce que "*je suis ce que j'ai*", le désir d'avoir conduit nécessairement au désir d'avoir davantage, d'avoir le plus possible... » L'avidité mentale n'a pas de satiété, « puisque sa satisfaction ne remplit pas le vide intérieur, l'ennui, la solitude et la dépression qu'elle est censée vaincre ».

2. E. Fromm, *op. cit.*, p. 130.

En outre, on doit *avoir plus* pour assurer son existence contre le danger que ce que l'on possède nous soit ravi. « Si tout le monde désire avoir plus, tout le monde doit redouter l'intention agressive du voisin qui désire prendre ce que l'on a. Pour éviter toute attaque, on doit devenir plus puissant et, de son propre côté, préventivement agressif. De plus, comme la production, aussi importante qu'elle puisse être, ne peut jamais parvenir à satisfaire des désirs illimités, il y a nécessairement antagonisme et compétition parmi des individus qui luttent contre les autres pour avoir le maximum. »

On aura reconnu, dans cette brève description, bien des aspects du mode de fonctionnement social et économique de nos sociétés occidentales et des entreprises qu'elles ont générées.

Que serait alors le mode être que l'on retrouve plus largement dans certaines sociétés moins développées économiquement que les nôtres ? S'il est impossible de le retrouver à l'état pur dans un type déterminé de société – la logique de l'avoir est difficilement contournable ! –, on le cerne en tout cas plus aisément au niveau de la personne humaine : ce que Fromm souligne, dans ce mode être de l'existence, c'est surtout que l'angoisse et l'insécurité engendrées par le danger de perdre ce que l'on a y sont absentes : « Si je suis ce que je suis, et non ce que j'ai, personne ne peut menacer ni violer ma sécurité et mon sentiment d'identité. Mon centre est en moi ; ma capacité d'être et d'exprimer mes pouvoirs essentiels fait partie de ma structure de caractère et dépend de moi...[3]. » Mais, précise Fromm, « le mode être ne peut apparaître que dans la mesure où nous faisons décroître le mode avoir (qui est le non-être), c'est-à-dire dans la mesure où nous cessons de trouver notre sécurité et notre identité en nous accrochant à ce que nous avons, en nous "asseyant dessus", en nous cramponnant à notre moi et à nos possessions ».

Mais peut-on parvenir au mode être, dans le contexte socio-économique qui est le nôtre ? Au travers de la description des principaux aspects du mode avoir que nous a dépeints

3. E. Fromm, *op. cit.*, p. 131.

Fromm – profit, compétitivité, antagonisme, angoisse –, on reconnaît bien des aspects du mode de fonctionnement des entreprises en général et de celles que nous avons décrites en particulier.

En fait, le problème est plus complexe qu'il n'y paraît. Les entreprises de l'excellence ont un mode de fonctionnement économique sous-tendu par le mode avoir – il est au fondement même de ce fonctionnement –, mais elles ne sont pas pour autant dépourvues de préoccupations au niveau de l'être : perfection, excellence, moralité, mode de vie et *mode d'être à* et *dans* l'entreprise (tel qu'il est résumé, par exemple, dans le *HP way*) témoignent de cette recherche. En fait, ces entreprises se trouvent au cœur du dilemme entre être et avoir. La compétition et l'antagonisme y ont largement leur place, et la poursuite de l'excellence individuelle, si elle concerne bien l'être en soi, se situe aussi et avant tout au service du profit, de l'avoir, de la conquête des marchés. La logique protestante, dont nous avons souvent vu la prégnance dans ces entreprises, enracinait déjà indissolublement le faire (et par là même l'*avoir*) et l'*être* : il s'agissait de faire très bien, de réussir matériellement pour être à jamais immortel.

En fait, dans ces entreprises, c'est le mode avoir qui prédomine largement au niveau collectif, même si, et c'est leur force, elles laissent poindre pour l'individu l'espoir de la possibilité de réaliser en leur sein son être profond. Cette « quête d'être » se heurte en fait souvent à trop de contradictions pour pouvoir être menée à terme, et c'est ce qui suscite des réactions telles que celles de ce cadre que nous avons déjà citée : « Je suis bien et mal à la fois au niveau de l'être. »

Les entreprises sont en fait des lieux de vie intenses où l'on s'investit, où l'on aime, où l'on est heureux, mais où aussi, parfois, on souffre, on se désespère, on se sent aliéné. Lorsque le problème est perçu à temps, lorsque l'individu peut se rendre compte que la logique qu'il poursuit ne correspond pas à ses exigences profondes et qu'il peut s'y perdre, un remaniement peut alors s'opérer dans le rapport qu'il entretient à l'entreprise et, à travers elle, à sa vie même. Il peut alors, non sans souffrances, réajuster cette relation et l'investissement qu'il y consacre et faire ainsi l'économie de ces décompensations brutales, de ces brûlures intérieures et de ces effondrements soudains dont nous parlions au chapitre précédent. Il peut alors se retrouver vivant et présent à lui-même, avant d'être tout entier consumé.

C'est ce processus que nous allons tenter de retracer au travers du récit et de l'analyse de sa carrière au sein d'une entreprise adepte de l'excellence, tels qu'ils sont retracés par un manager que nous avons appelé « M. X ».

Histoire d'une carrière

« J'ai fait une grande école et, après, un MBA aux États-Unis. Faire une grande école, ça m'a toujours paru évident. Dans mon milieu familial, c'était en quelque sorte moral, c'est-à-dire que, pour gagner la place qu'on avait dans la société, il fallait donner un peu de soi et, par conséquent, passer par les grandes écoles. *J'y ai mis une condition personnelle : ne pas m'y perdre.* J'ai connu des amis qui se sont perdus en route. Je crois qu'il faut être un peu conventionnel : ils oublient leur côté créateur, personnel... J'ai délibérément évité de travailler au-delà d'un certain degré. J'aurais eu l'impression de m'y perdre.

» Je ne savais pas très bien ce que je voulais faire. Et le hasard a fait que j'ai rencontré M. Z [le patron de l'entreprise où il travaille actuellement]. Je suis allé y faire un stage en deuxième année de l'école. Dans cette entreprise, ce qui m'a plu, c'est que c'était des gens intelligents qui essayaient de promouvoir une idée et non pas seulement des gros sous. Il y avait une sorte de respect des individus – tout en leur deman-dant beaucoup – qui me plaisait. Et, d'autre part, il y avait une sorte de doctrine, c'est-à-dire que l'entreprise décidait de l'avenir, de ce qu'elle voulait faire, au lieu de s'y soumettre. Il y avait un côté délibéré chez eux, cette doctrine, qui m'a toujours plu. En y entrant, je pensais que je pourrais faire partie de ceux qui choisiraient cette doctrine en m'y soumettant au départ et en en devenant ensuite un des leaders.

» Dès le début, j'avais le sentiment qu'il fallait que je franchisse tous les échelons, de manière à aller au bout et à la tête de l'aspect entreprise, et également payer mon diplôme, c'est-à-dire que je me devais d'exercer le métier pour lequel j'avais pris une place dans un grand concours, pour lequel j'avais fait partie d'une élite de par les études que j'avais faites. J'avais réussi, c'était très bien, mais je devais quelque chose à la société... Ça paraît un peu idiot... Et je devais exercer mon métier d'ingénieur... Et après il fallait que je devienne hyperpatron : c'était un goût de puissance, bien sûr, c'est évident. C'est la même démarche que pour les grandes écoles.

» Pour simplifier, je dirais que ce qui m'apparaît actuellement, à l'époque ça m'aurait paru impossible à dire, mais il me semble que j'ai toujours voulu être Dieu le Père. Je voulais toujours être le maximum. Ça me paraissait évident. Je voulais être le top... Je dis toujours : soit on cherche à être prix Nobel, soit on cherche à être P-DG. En l'occurrence, moi, j'ai toujours voulu être P-DG... Être P-DG, c'est une tendance infinie : je veux être le premier possible. Tous les managers de rang n qu'on a veulent être n + 1.

» C'est en fait le pouvoir sur les autres qui m'a toujours paru une composante essentielle de ma carrière. *Ce qui m'intéresse dans ce pouvoir sur les autres, c'est d'abord que les autres n'aient pas de pouvoir sur moi...* A l'époque, j'avais déjà un peu pensé à fonder ma propre boîte et puis je me suis dit : au lieu de monter sur mes propres épaules, je préfère monter sur les épaules des autres, donc, faire partie d'une grosse boîte et monter les échelons, ce qui permettrait d'atteindre plus haut, plus vite, puisque la boîte existerait déjà, plutôt que de la fabriquer moi-même.

» Au niveau des idées que j'avais, c'était assez délibéré... en ce sens que je ne voulais pas que les autres aient du pouvoir sur moi, et ensuite *je trouvais naturel que je devienne à la tête des autres* de manière à les conduire et à diriger les choses, car j'estimais que, de par la sorte d'éthique que je m'étais fixée, eh bien j'exercerais ce pouvoir plutôt moins mal que d'autres, bien que j'aie toujours pensé que le pouvoir était exorbitant... Mais je me disais : à partir du moment où certains l'exercent, pourquoi pas moi et ça doit être moi, même, parce que... *non parce que je l'exercerais absolument mieux, mais parce que je suis convaincu que je l'exercerais un peu mieux... que j'ai quelque chose à apporter* et que, avec moi, eh bien, ce sera mieux et ça sera mieux pour les autres aussi, il y a un côté paternaliste aussi... et en fait pas tellement pour en jouir personnellement, mais plus parce que c'était ma place naturelle et que ça serait mieux pour les autres.

» Comme j'étais plus royaliste que le roi, j'ai été en quelque sorte excessif par rapport au système, et ce système m'en a voulu... parce que j'étais trop pur, trop dur, j'étais odieux... j'ai fait peur aux gens qui faisaient partie de ce système... et ça s'est traduit par le fait que j'ai eu une bonne carrière, mais que je n'ai pas eu la carrière fulgurante à laquelle j'estimais avoir droit. Je pense que, pour une bonne part, c'est dû à ça, en ce sens que c'est une question que je continue à me poser actuellement : je me trouve d'une valeur légèrement supérieure aux autres... donc, à partir de cette analyse, si c'est vrai, je ne comprends pas pourquoi ce n'est pas moi que l'on choisit pour faire ces quelques carrières très rapides que l'on sait faire ici. Si on ne me choisit pas, c'est qu'il y a des raisons, et la meilleure que j'ai trouvée, en tout cas, celle qui me flatte le plus, c'est que les gens qui devraient me choisir, je leur fais peur. En fait, je suis resté indépendant dans le système. Ayant toujours considéré que je pensais le système, que j'étais le système à ma place, je suis un peu comme de Gaulle, *la légitimité, c'est moi, donc cette entreprise, c'est moi*. Par conséquent, pour grimper dans ce genre d'organisation, il faut quand même être avant tout un homme de système, c'est-à-dire un béni-oui-oui à tout ce que peut dire le système, et, de ce point de vue-là, moi, j'ai toujours flagellé ce qui n'allait pas et engueulé les gens qui ne faisaient pas ce qu'ils auraient dû faire pour le bien de l'entreprise. Je n'ai pas montré patte blanche ; je n'ai pas montré suffisamment que j'étais dévoué au système, puisque je voulais repenser le système. Je pense que c'est ça parce que je pense que je n'ai jamais, en fait, été complètement intégré au système.

» Ceux qui ont réussi, ils me semblent être beaucoup plus soumis au système et aux gens existants... en fait, ils font carrière beaucoup plus que moi. En fait, moi je comptais que ma seule valeur fasse qu'on me prenne, qu'on me choisisse, et en réalité, eux ont joué plus intelligemment, qui consiste à jouer les hommes en place, c'est-à-dire à faire ce que les hommes en place disent qu'il faut faire, et puis, à ce moment-là, après, on change et on devient quelqu'un qui n'est pas gênant, et donc en qui on a confiance et à qui on donne des responsabilités et on sait qu'il ne fera pas de vague... tandis que moi, je pouvais apparaître comme dangereux ou moins discipliné... alors que j'ai toujours été plus fondamentalement disciplinaire, à mon avis.

» Ma carrière... je suis entré au départ comme ingénieur technico-commercial. Moi, je voulais être commercial tout court, parce que je me disais : le pouvoir, il est là. J'ai donc voulu avoir l'étiquette "commercial". Mais à l'époque, on voulait revaloriser le technico-commercial et on m'a dit : "Soyez technico-commercial pendant un temps et après vous verrez." Je suis resté TC pendant un an, puis je suis passé commercial... Le commercial, c'était la voie royale, la voie noble. Depuis, le mythe dure : on dit que les deux sont égaux, mais en fait le commercial est plus noble, bien que, dans le temps, les fonctions aient été parallèles. Je suis resté trois ans ingénieur commercial. Ça marchait très bien... puis on m'a proposé d'être chef de groupe d'une entité que l'on voulait créer... Cinq autres avant moi l'avaient refusé et moi j'ai accepté sans questionner... parce que j'étais à la disposition de la boîte. Je voulais avoir la carrière la plus brillante possible. A partir du moment où on me sortait de là où j'étais pour me mettre à un poste plus élevé, c'était un pas de plus : je suis resté un an chef de groupe et ensuite j'ai été nommé chef de département vente... jeune donc, à trente-trois ans... patron direct à tout point de vue d'ingénieurs commerciaux... Le chef de département, c'est celui qui détermine le salaire des gens et la stratégie commerciale... C'est un des postes nobles de la boîte. Je suis resté quatre ans en changeant de département chaque année. J'étais parfaitement à l'aise. Ce qui me plaisait, c'était le fait de définir la politique de toute une branche d'industrie. *J'avais tout le pétrole et la chimie, par exemple, sur le plan national, j'avais des ingénieurs de haut niveau, j'avais directement les clients dépendant de moi.* Je ne voulais pas seulement rêver, ce que je voulais, c'était en être responsable. Alors là, j'en étais responsable, *j'avais directement ce secteur-là entre les mains.* Je faisais la pluie et le beau temps là-dedans.

» Puis on m'a proposé un poste de directeur en province... Ma femme avait un poste à Paris. Je l'ai refusé... *Moyennant quoi, j'ai été honni, banni...* et on m'a fait quitter mon poste pour me mettre en staff. Si ça avait été égal à ma femme, j'y serais allé... mais en fait, j'en ai un peu pris prétexte... je voulais bien aller en province, mais je trouvais qu'un poste de directeur à Paris était un peu plus haut... J'estimais que la boîte me devait quelque chose et que j'étais parfaitement capable d'être nommé à Paris et qu'on n'avait donc qu'à me nommer à Paris.

» Ce poste a duré deux ans... à la fin, ça s'est terminé en beauté... à ce moment-là, on m'a proposé d'être patron d'un de nos centres européens. C'était un poste fonctionnel et pas hiérarchique... Ce centre, je l'ai complètement remonté... Ça m'intéressait beaucoup d'orchestrer ça, mais ça ne m'intéressait pas de vivre aux crochets de la compagnie... Je ne voulais pas, comme font la plupart des scientifiques, habiller ça de grands mots qui satisfont les pourvoyeurs d'argent, de manière à pouvoir continuer ses petites recherches personnelles... Je voulais qu'il y ait un service rendu réel à l'entreprise, ce que je ne pouvais faire ni avec les directives qui m'étaient données ni avec l'ambiance... J'étais une espèce d'œillet à la boutonnière du P-DG, et ça, c'est une fonction qui ne m'a jamais plu. Et il y avait un côté marginal qui ne me plaisait pas...

» Finalement, on a fermé le centre... Pendant trois mois, je n'ai rien eu à faire... Là, j'ai pris conscience que, au lieu d'être un des poulains chéris de l'entreprise, en réalité j'étais un salarié comme les autres et qu'on se servait de moi, et que si on n'avait pas besoin de moi, eh bien on ne me foutait pas à la porte, mais... Puis un jour, j'ai rencontré le directeur d'une autre des grandes divisions de l'entreprise et je suis allé là-bas, alors que j'étais spécialiste d'un autre secteur... Au début, j'ai été en charge d'une agence, puis de la partie stratégie des produits et je représentais la France auprès des laboratoires mondiaux et au retour je donnais la stratégie mondiale. L'année d'après, j'ai été nommé directeur de la stratégie de cette division. Je m'y suis beaucoup amusé... C'était la fonction la plus proche d'un P-DG, puisque je définissais les stratégies, les plans... Il n'y avait pas une seule décision importante de la division qui se faisait sans moi, mais, ce qui m'agaçait, c'est que *ça n'était qu'un pouvoir octroyé*, c'est-à-dire que tant que j'avais la confiance du directeur général de la division, eh bien, c'était parfait, mais s'il ne voulait plus la donner, je ne l'avais pas... Ce n'était pas un pouvoir réel, c'était un pouvoir octroyé... Alors c'était passionnant sur le plan intellectuel, mais c'était surtout ça... Alors j'ai dit : « Je voudrais bien reprendre une carrière "line", c'est-à-dire une carrière de hiérarchie effective. »

» Il fallait que je sois nommé à un poste de directeur... Je l'ai été... J'ai donc repris un poste opératoire. C'était une agence qui battait de l'aile et j'ai dit : là au moins, je pourrai montrer que je peux faire quelque chose... Ça s'est très bien passé. J'ai d'excellents résultats, sauf que maintenant je voudrais voir la suite... suivre la ligne hiérarchique directe. Je continue toujours à me sentir actif et avoir envie d'être P-DG ... directeur de district, directeur de marketing. Actuellement, je suis mon petit P-DG chez moi avec mes cent types, mais ça n'est que 100 et les gens ne me nomment pas... Je commence à trouver qu'ils ont tort, mais tant pis, hein !

» J'aurai un poste ou deux au niveau au-dessus, mais c'est tout. Je ne serai probablement jamais directeur général de ma boîte. Parce que je suis devenu maintenant un peu vieux, j'ai donné une image de marque consolidée au cours de ces seize ans qui fait que je ne suis plus parmi ceux à qui on a envie de donner la responsabilité suprême. Je fais encore partie du réservoir... On sait très bien maintenant qu'on peut me nommer à n'importe quel poste et que je le réussirai. Je le ferai convenablement. Je peux prendre n'importe quel poste potentiellement. Mais on ne me le donne pas. Je commence à réagir mieux. Avant, ce genre de pensée m'était intolérable. Maintenant, je l'accepte mieux.

» En fait, ce que je souhaiterais, ce serait de quitter l'entreprise parce que j'aimerais lancer ma propre boîte... Mais le problème, c'est que cette entreprise est une boîte qu'on a beaucoup de mal à quitter parce qu'on est bien payé... J'ai un job intéressant, j'aurai toujours un job intéressant, dans un domaine pas trivial, avec des gens intéressants, avec des leaders mondiaux. Ce serait un peu léger de m'en aller. Si je n'avais pas une femme et des enfants, je m'en irais...

» Si je devais juger ma carrière, je la jugerais comme étant une bonne petite carrière... Je n'ai pas à rougir de ma carrière, mais, par rapport à mes propres ambitions, c'est nul, c'est négligeable...

» J'ai eu une carrière convenable, moyenne, qui n'a aucun rapport avec ce que je voulais au départ. Maintenant que ça me paraît inéluctable, que ça ne changera pas, maintenant j'essaie d'organiser ma vie autrement et de trouver des plaisirs dans d'autres domaines. Je continue des spéculations intellectuelles, je voyage, j'approfondis ma vie familiale... Maintenant je me rends compte que le pouvoir est frelaté en général, c'est-à-dire que l'*exercice du pouvoir se paie très cher* : de ce point de vue-là, *je suis resté un homme indépendant*. Il me semble, à voir les différents gars qui ont plus de pouvoir que moi, qu'ils le paient très cher... par exemple, que leurs enfants n'arrivent pas à être équilibrés, *que eux-mêmes ne sont plus que du travail et ne sont plus autre chose...* ils le paient au niveau de ce qu'ils sont personnellement... Donc, maintenant, *j'ai toute la dimension d'être plutôt que faire* et *j'essaie d'être quelqu'un*, et comme je me suis préservé, tout au long des années, ma propre liberté personnelle − même si j'ai joué le jeu d'une certaine aliénation −, maintenant je me retrouve un bonhomme suffisamment debout sur ses deux jambes. Je pense, par exemple, que, si je quittais la boîte, je ne serais pas, par exemple, complètement déboussolé.

» Ceux qui ont joué trop le jeu du pouvoir... je pense que ça se paie très cher. Et également, je pense maintenant être plus apte à exercer mes responsabilités qu'avant, justement parce que j'ai atteint ce détachement.

» *Ce pouvoir toujours plus grand n'est pas accessible.* Chaque fois que j'ai eu un poste plus élevé que celui que j'avais, ça me donnait un grand calme intérieur, donc je ne crois pas que ça m'aurait réellement perturbé en tant que bonhomme. Actuellement, j'ai l'impression d'être sous-employé et d'avoir atteint un niveau mental de capacité de jugement, de capacité d'appréhension des choses n'ayant aucun rapport avec ce que j'exerce comme fonction. Donc, de ce point de vue-là, je me sens sous-employé.

» Mais je crois qu'il y a eu une certaine sagesse quand même dans cette entreprise d'une manière générale, c'est-à-dire des gens qui ont décidé pour moi, plus mon équation personnelle qui a joué... pour me faufiler dans tous les écueils, car maintenant je suis indiscutablement beaucoup plus apte qu'avant à exercer des responsabilités importantes, car je suis en fait beaucoup plus détaché et je suis donc beaucoup moins technicien de ce pouvoir et beaucoup plus avec la sérénité voulue pour l'exercer... Moi qui suis totalement opérationnel maintenant, j'arrive à faire ça d'une main, tout en étant en fait parfaitement libre par rapport au reste.

» Je crois que les pressions que l'on subit sont tellement fortes qu'il faut arriver à s'y retrouver dans sa tête et qu'il n'y a pas trente-six solutions : il y en a deux ou trois. Ou bien on suit une idée *a priori* que l'on a, c'est ce que j'appelle les fanatiques, et on soumet la réalité à ces idées-là, moyennant quoi ça a la cohérence de ses propres idées, et puis voilà, et on ignore superbement la réalité, les difficultés... enfin, tout n'est considéré que par rapport à cette idée *a priori* que l'on a de ce que l'on doit faire. Ça, c'est ce que j'appelle les fanatiques, ce sont des gens dangereux d'ailleurs, parce qu'ils peuvent avoir une ou deux bonnes idées, mais les autres... L'autre manière, c'est d'être comme la feuille au vent, c'est-à-dire que l'on suit... On est le dénominateur commun de toutes les forces en jeu. A ce moment-là, on fait ce qui, *grosso modo*, fait le moins mal. Alors, on n'a pratiquement aucune idée et on ne fait que suivre ce que vous apportent les autres et on ne fait que l'orchestrer...

moyennant quoi, on ne donne pas une direction suffisante au-delà de la simple résolution des conflits. La troisième, c'est ce que je souhaiterais faire, c'est aller un peu au-delà, c'est-à-dire avoir quand même une idée au-delà de la chose que l'on est capable de traiter, une idée directrice, et ça, ça suppose d'être un petit peu dans le silence pour arriver à avoir ces idées directrices et ne pas être complètement ni comme la feuille morte ni comme les fanatiques. A mon avis, exercer le pouvoir est une dimension morale qui exigerait d'aller au-delà... On peut être habile, être très adroit, et la plupart des gens que je connais exerçant du pouvoir ne sont qu'adroits...

» Je me demande si le pouvoir est justement le point final... *Je crois que c'est aussi un masque* et que ce qu'il y aurait derrière, c'est beaucoup plus des termes de *soi* et *non-soi*, enfin d'existence finalement, et ça, c'est des notions beaucoup plus fondamentales que les élans... Les élans eux-mêmes ne sont que des manifestations plus ou moins prises en compte, plus ou moins concentrées d'une *recherche de sa propre existence*, et pour moi, ce serait plus une certaine manière, par le pouvoir qu'on a sur les autres, de se prouver sa propre existence.

» ... L'homme est probablement tout le temps à la recherche de bornes et de points de repère... mais je crois quand même que le mot pouvoir est un mot insuffisant, parce que c'est manifestement un leurre et que, même quand on a des idées de pouvoir absolu, etc., comme celles que j'ai pu exprimer, ça ne m'a pas empêché de me treiner moi-même, en fonction de tout autres critères, comme des critères d'éthique et des critères simplement de cohésion personnelle. Je n'étais pas prêt à tout sacrifier pour la recherche du pouvoir... C'est donc bien que le pouvoir... *la recherche de pouvoir n'est pas quelque chose d'ultime*, mais que l'*ultime est bien cette recherche d'existence*, puisque je trouve que des composantes importantes de mon existence, comme certaines idées que je peux avoir, sont au moins aussi équivalentes à ma recherche de pouvoir et que je dois donc sacrifier ma recherche de pouvoir si ça devait mettre en cause certaines éthiques que j'ai, et à la limite, même moi, je pense que la recherche absolue de pouvoir est une forme de *névrose*, d'idée fixe qui en fait masque des aspects plus complexes qu'on peut avoir. »

Avoir ou être ?

Si l'on essaie à présent de repérer des étapes dans le déroulement de la carrière de M. X, telle qu'il la retrace et l'évalue, on peut, semble-t-il, en repérer cinq.

1. *L'ambition* : la première phase est celle de l'ambition. Celle-ci préexiste à l'entrée dans l'entreprise, elle s'est fomentée dans le milieu familial, qui, d'emblée, met la barre assez haut – les grandes écoles – pour devenir « soit prix Nobel, soit P-DG », mais, de toute façon, se situer au niveau top.

Il faut noter cependant deux éléments : le premier concerne la dimension morale de cette ambition, à savoir que la place que l'on a dans la société se conquiert et qu'il faut, pour cela, « donner un peu de soi-même ». On retrouvera cette attitude plus tard dans la carrière de M. X, lorsqu'il refusera de « vivre aux crochets de la compagnie » et exigera qu'il y ait, dans sa fonction, un réel service rendu. Le second élément se situe précisément sur le registre de l'être, puisque M. X précise d'emblée que, dans toute sa démarche, il a mis dès le départ une condition personnelle : ne pas s'y perdre : « J'ai délibérément évité de travailler au-delà d'un certain degré. J'aurais eu l'impression de m'y perdre. »

Cela étant, l'ambition de M. X, au début de sa carrière, est considérable et s'exprime essentiellement en termes de pouvoir et de carrière : pouvoir sur les autres pour éviter une emprise des autres sur soi, désir d'être le premier en tout – « je veux être le premier possible » –, parvenir au top, « être le maximum », être « Dieu le Père », « monter sur les épaules des autres », pour parvenir à conduire et à diriger les choses, et ce d'ailleurs toujours dans une perspective « éthique » : « Non parce que je l'exercerais absolument mieux, mais... un peu mieux... parce que j'ai quelque chose à apporter... et que ça serait mieux pour les autres », etc. On retrouve dans ce mélange complexe d'ambition narcissique et de préoccupation éthique quelques-uns des éléments du type de personnalité qu'André Green appelle l'« individu narcissique moral ». Ce qui caractérise selon lui ce type de personnalité, ce sont en effet, outre la mégalomanie qui la sous-tend, les rapports étroits qu'y entretiennent le Surmoi et l'Idéal du moi. Reprenant Freud qui précise que « la fonction de l'Idéal est au Surmoi ce que la pulsion est au Ça, Green souligne que le propre de l'individu "narcissique moral" est de vivre dans une tension constante entre Idéal du moi et Surmoi [4] ». Chez M. X, en effet, ce sont bien ces deux instances que l'on voit sans cesse à l'œuvre : le sens du devoir, la recherche d'un service rendu, la dévotion à l'entreprise sont toujours sous-tendus, aiguillonnés, alimentés par un idéal de perfection, de pureté, d'absolu, qui, lui-même, sert en quelque sorte d'alibi à une fantastique quête d'omnipotence personnelle.

2. La deuxième phase est celle de la *fascination* : M. X trouve une entreprise à son image, une entreprise au top de la puissance – elle compte parmi les plus grandes sur le plan mondial –, mais aussi, et surtout, une entreprise pourvue d'une éthique, d'une doctrine, d'un idéal auxquels M. X adhère totalement, puisque, très vite, il envisage d'en devenir l'« un des leaders ». En lui offrant une image de toute-puissance et d'excellence et en lui proposant ce type d'idéal, joint au renoncement aux satisfactions bassement matérielles et au sacrifice personnel pour réaliser l'idéal collectif de l'entreprise, celle-ci offre à M. X une surface de projection idéale et s'inscrit d'emblée dans sa problématique intérieure. L'adhésion, l'identification sont telles, d'ailleurs – « la légitimité, c'est moi, l'entreprise, c'est moi », dit M. X –, qu'elles en sont presque excessives et finiront par se retourner contre M. X : il « colle » tellement à ce système qui le fascine – « je pensais le système, j'étais le système à ma place » – qu'il se substitue presque à lui en « flagellant ce qui n'allait pas et en engueulant les gens qui

---

4. A. Green, *Narcissisme de vie, narcissisme de mort*, Paris, Éd. de Minuit, 1984, p. 194 et 195.

ne faisaient pas ce qu'ils auraient dû faire pour le bien de l'entreprise ». Ce faisant, il se met en quelque sorte au-dessus du système (« je voulais repenser le système »), donc en dehors de lui, ce que, à la longue, on lui fera payer.

Cela étant, pendant quelques années, la fusion est totale. M. X est en symbiose parfaite avec l'entreprise et grimpe avec aisance les échelons de la hiérarchie : ingénieur technico-commercial, puis commercial, puis chef de département. Il fonctionne alors totalement sur le mode *avoir* et trouve une jouissance dans la possession qu'il croit avoir des choses et des êtres : « J'*avais* tout le pétrole et la chimie, j'*avais* des ingénieurs de haut niveau, j'*avais* les clients dépendant de moi, j'*avais* ce secteur-là entre les mains. » C'est le temps de la fascination, le temps de la fusion, celui de l'illusion, aussi.

3. Au temps de la fascination et de l'illusion succède peu à peu celui de la *désillusion*. M. X fait bientôt l'expérience des limites de son pouvoir et connaît ses premières déceptions dans une histoire d'amour qu'il croyait réciproque et suffisamment forte pour résister à ses velléités d'indépendance. Le premier accroc se produira à propos du refus opposé par lui à un poste en province. Première erreur dans une logique de carrière s'inscrivant dans un système qui n'admet pas qu'on ne lui soit pas intégralement soumis, mais aussi première manifestation par laquelle M. X entend montrer qu'il garde son indépendance et que c'est à l'entreprise de s'adapter à ses désirs et non l'inverse. La réponse de l'entreprise ne se fait pas attendre. Elle est brutale et prend presque la forme d'une punition : « bannissement » de l'insoumis à qui l'on inflige une mutation en staff et qui se voit honni tout autant qu'il avait été chéri.

Le même processus se reproduira après la fermeture du centre européen, et M. X prendra là, vraiment, la mesure réelle des rapports que l'entreprise entretient avec ses employés. La désillusion s'installe, et M. X réalise qu'au lieu d'être ce qu'il croyait – l'un des poulains chéris de l'entreprise – il n'est qu'un salarié comme les autres, dont l'entreprise se sert quand elle en a besoin et qu'elle met sur la touche quand elle n'en a plus l'usage.

Cela étant, les possibilités de l'entreprise sont nombreuses et la mise à l'écart n'est pas irréversible : un poste en staff d'abord – directeur de la stratégie de l'une des divisions de l'entreprise –, puis opérationnel ensuite – direction d'une agence – va donner à la brebis un instant égarée l'occasion de se racheter. M. X mord de nouveau à la jouissance de l'avoir tout en rongeant son frein de n'être pas le détenteur ultime du pouvoir (« ce n'était qu'un pouvoir octroyé » : toujours le fantasme omnipotent d'être Dieu le Père...) et, un peu plus tard, de n'avoir « que cent types » à diriger. Même s'il se reprend au jeu du pouvoir et à l'excitation de la performance (« j'ai d'excellents résultats »), M. X a acquis plus de distance par rapport à l'entreprise, il sait comment elle joue de ses employés, il sait aussi que ses desseins sont impénétrables et que, par ailleurs, son parcours à lui n'a pas été « sans faute », du fait d'une attitude tout à la fois excessive et naïve par rapport au système en place (« j'étais trop pur, trop dur, j'étais odieux... je comptais que ma seule valeur fasse qu'on me prenne, qu'on me choisisse »), mais du fait aussi d'un trop-plein d'indépendance (refuser un poste proposé par l'entreprise...). La résignation pointe à l'horizon.

4. L'étape suivante, celle de la *résignation*, apparaît vers la fin du récit. Quoique pris encore dans l'excitation du plaisir que lui procure son poste actuel, M. X sait déjà qu'il ne fait plus partie du petit cercle des élus « à qui on a envie de donner la responsabilité suprême » qu'il a désirée toute sa vie.

C'est alors le temps du bilan sur soi-même, sur la vie professionnelle et personnelle qu'on a menée. M. X juge sa carrière comme une « bonne petite carrière dont il n'a pas à rougir », mais qui, au regard de l'ampleur de ses ambitions initiales, est « nulle, négligeable ». M. X n'a pas réalisé l'idéal professionnel qu'il avait posé (par intériorisation des injonctions parentales ?) à l'orée de sa vie professionnelle : il n'est devenu ni prix Nobel (il ne s'était pas engagé dans cette voie) ni P-DG. Peut-on, sur ce point-là, hasarder l'hypothèse que M. X, étant donné ce qu'il était, s'est, à un certain niveau, trompé d'entreprise ? Devenir P-DG dans une entreprise de ce type et de cette taille impliquait une dévotion totale à sa logique et à ses exigences. Or, assez vite, M. X a introduit une distance dans son rapport à l'entreprise, il a refusé le jeu de la soumission absolue, il a souhaité garder son indépendance tout comme, au début de sa vie étudiante, il avait établi une limite au don de soi qu'il était prêt à opérer : « ne pas s'y perdre ». Et, effectivement, M. X – c'est d'ailleurs la consolation qu'il retire dans le réajustement qu'il opère de son rapport à l'entreprise – ne s'est jamais perdu lui-même, il n'est pas devenu une « coque vide », il a « tenu la distance », il n'a jamais opéré la fusion totale entre son Moi idéal et l'idéal organisationnel que nous avions relevée précédemment en analysant le cas de Noémie.

Pour Noémie, comme pour bien d'autres, l'organisation idéalisée avait fini par se confondre avec le Moi idéal individuel, elle était devenue une « annexe narcissique [5] », et sa perte, la coupure d'avec elle et la déchéance qui s'était ensuivie avaient entraîné une véritable amputation. Dans pareilles circonstances – c'était le cas pour Noémie –, le sujet sombre alors dans la dépression : sans l'objet idéalisé, il n'est plus rien, il ne peut plus rien. « Si je n'ai rien, alors je ne suis rien », disait Fromm pour expliquer la nature du mode avoir et ses implications. On pourrait, en le paraphrasant, dire : « Si je perds l'objet-organisation, alors je ne suis rien, je me trouve renvoyé au non-être, au néant, au vide de l'existence. » Pour ceux qui en arrivent à ce stade, et qui, pour quelque raison, sont lâchés par l'organisation, la dépression – au minimum – est inévitable... le temps de reconstituer le Moi perdu, si tant est qu'il existe encore. C'est ce qu'avait pu faire Noémie quand elle avait compris que, si elle retournait, elle « mourrait vraiment ».

C'est ce que n'a pas eu à affronter M. X, qui, malgré les désillusions, les souffrances et le caractère parfois « intolérable » de sa non-ascension, est parvenu à préserver son Moi idéal d'une fusion totale avec l'objet organisationnel. Il paie cette trop grande distance d'une carrière qu'il estime négligeable, tandis que Noémie avait payé d'une dépression nerveuse une fusion mal maîtrisée.

5. F. Pasche, *A partir de Freud*, Paris, Payot, 1969, p. 189.

Quelle serait alors la « bonne distance » pour faire carrière dans l'organisation sans être broyé par elle ? Existe-t-il un art, un don particulier pour savoir vivre sur la « longueur d'être » de l'organisation, sans excès mais sans retrait ? Faute d'avoir rencontré les quelques *happy few* qui y sont parvenus, nous en sommes réduits à conjecturer...

Quoi qu'il en soit, pour M. X, le problème n'est plus de cet ordre, et se présente alors à lui, comme il l'exprime très bien, la « dimension de l'être ».

5. La dernière phase de sa carrière pourrait être baptisée celle de la *sagesse*. Que l'on considère les considérations qui terminent son texte comme une façon de rationaliser ou de justifier un échec dans sa carrière ou comme l'avènement de la maturité qui substitue la problématique de l'être à celle de l'avoir, les réflexions finales qu'il développe sur le thème du pouvoir – la recherche de pouvoir comme recherche d'existence et le thème de l'illusion du pouvoir (« ce pouvoir toujours plus grand n'est pas accessible ») – reflètent ce qu'on pourrait appeler l'« évolution vers l'être » de M. X. La recherche d'un pouvoir absolu – expression même du mode avoir –, que ce soit sur les autres ou sur une organisation, renvoie bien en effet à un *manque à être* et correspond effectivement à une façon – faute de mieux – de « se prouver sa propre existence ». Elle constitue alors – Freud le disait aussi – une forme de névrose. En abandonnant sa quête d'un pouvoir absolu et en paraissant y trouver son compte, quels que soient les événements ou la maturation qui l'ont conduit à cet abandon, M. X passe dans le même temps du mode *avoir et faire* au mode *être* de l'existence. Il se situe par là même en opposition à ceux qui n'ont pas su opérer cette transition et « ne sont plus que du travail et plus autre chose ».

Le thème du pouvoir comme expression cristallisée du mode avoir et, par là même, du manque à être est important. *Avoir* et *pouvoir* font partie intégrante du mode de fonctionnement habituel des entreprises. Parvenir à y vivre *au niveau de l'être* constitue en fait une gageure difficilement compatible avec l'accomplissement d'une carrière qui requiert la plupart du temps un investissement sur le mode avoir.

La gestion équilibrée du mode avoir – inévitable dans l'entreprise – et du mode être – seule façon de continuer à exister vraiment – paraît alors la seule manière de parvenir à survivre dans l'entreprise sans trop de désillusions, sans souffrances, et surtout sans s'y perdre soi-même. Encore faut-il pouvoir prendre conscience de ce processus, et, sur ce point, bien sûr, le temps et la maturité survenant au fil de l'âge sont déterminants. Les données personnelles que l'on intègre à quarante, quarante-cinq ans, le rapport au temps et à la vie qui passe ne sont pas les mêmes qu'en début de carrière, et sans doute ne peut-on pas toujours faire l'économie du lent apprentissage que nous avons décrit...

CINQUIÈME PARTIE

L'individu et l'organisation

De même que la publicité transforme le besoin de vendre en besoin d'acheter, *l'entreprise managériale transforme la nécessité de travailler en désir de faire carrière* ; ce qui est au préalable une contrainte liée à des nécessités sociales devient une aspiration personnelle liée à une exigence interne d'ordre psychologique.

Comment comprendre ce processus de transformation interne auquel sont soumis la majorité des managers qui acceptent de se donner à leur entreprise au point de lui consacrer soixante à soixante-dix heures par semaine, jusqu'à leur sacrifier leur vie entière ? Comment comprendre que l'intérêt pour son travail se transforme en amour pour l'entreprise ?

Mais est-ce bien de l'amour ? Cela ressemble à l'amour, cela a l'apparence de l'amour, mais ce n'est pas de l'amour : c'est un *attachement* profond par lequel un individu se trouve lié, et dont il ne peut et parfois ne veut se défaire. Dans la transaction entre le manager et son entreprise, on trouve, nous l'avons montré, un certain nombre des processus à l'œuvre dans le sentiment amoureux, mais il ne s'agit pas d'un rapport symétrique entre deux personnes (même si, dans la représentation, l'organisation est personnalisée). L'organisation n'aime pas, elle n'a pas de volonté, pas d'affect, pas de désirs, pas d'angoisses, pas de regrets ni d'espoirs... Elle n'éprouve pas de sentiments. Et pourtant, elle est vécue comme si elle était vivante et pouvait donner ou recevoir de l'affection... On peut dire que l'organisation a une politique, des projets, des règlements, des procédures, bien que cette position de sujet ne soit pas satisfaisante : ce sont des hommes qui, au nom de l'organisation, élaborent ces politiques, ces règles, ces procédures...

L'organisation n'est en fait qu'une production, et pourtant elle est également productrice, et pas seulement de biens. Elle est productrice de sens, elle est productrice des hommes qui la produisent. Le rapport individu/organisation obéit aux lois de la causalité récursive : les individus produisent des organisations qui, à leur tour, produisent des individus aptes à assurer leur reproduction. Nous avons donc affaire à deux niveaux de réalités différents, celui des personnes et celui des organisations, qui sont inconcevables l'un sans l'autre, parce que fondamentalement articulés l'un sur l'autre.

La *différence* tient au fait que les lois de fonctionnement d'un individu ressortent en premier lieu des sciences du vivant et des sciences de l'homme. La dimension proprement sociale du fonctionnement humain se construit à partir d'un substrat biologique et psychique qui lui confère sa spécificité irréductible. Par contre, l'organisation est d'abord une production sociale liée à des enjeux économiques, politiques, culturels, technologiques et juridiques. C'est la raison pour laquelle on ne peut retenir les métaphores qui, dans le langage courant, mais également dans le langage scientifique, tendent à assimiler l'organisation à une personne : l'organisation n'a pas de sentiments, ni d'inconscient, ni de maladies. Elle n'a pas de tête, ni de bras, ni de cœur, ni de « centre psychique » (cf. p. 90). Elle n'est pas un organisme vivant soumis à des lois naturelles. Comme toute production sociale, l'organisation obéit aux lois que produisent les hommes en société, lois qui ne sont pas intangibles et qui sont soumises aux aléas de l'histoire.

Mais ces différences sont relatives dans la mesure où, comme production humaine, l'organisation contient toutes les caractéristiques de l'humain.

Toute organisation sert de support aux relations entre des personnes. Elle est donc au fondement des rapports sociaux. Avec le développement de l'abstraction, ces relations, dont la dimension interpersonnelle était essentielle, se sont complexifiées, dépersonnalisées, déterritorialisées. Le développement des processus de médiation dans les sociétés industrielles et postmodernes a entraîné l'ère de l'organisation : pratiquement toutes les relations humaines émergent dans un cadre organisé.

Il y a donc une interpénétration de plus en plus forte entre le fonctionnement individuel et le fonctionnement organisationnel : la relation individu/organisation fait système au sens où certains éléments constitutifs de l'un sont reliés avec certains éléments constitutifs de l'autre de telle façon qu'ils s'influencent et se transforment.

L'approche systémique permet de clarifier le rapport individu/organisation en le définissant comme l'articulation entre un système psychique (fondé sur le désir et l'angoisse) et un système d'organisation (fondé sur la division du travail et la production de biens et de services). Ces deux systèmes ont leur logique propre, ils sont autonomes et, pour une part, indépendants. Mais, en même temps, ils s'articulent l'un sur l'autre selon le principe de la réciprocité des influences et de la causalité récursive : différents éléments de chaque système se retrouvent liés dans une nouvelle configuration systémique qui aura une dynamique interne propre d'autoreproduction. Ces différents éléments vont rétroagir sur leurs relations, produire de nouveaux liens, se renforcer mutuellement afin de renforcer la cohérence interne du système intermédiaire.

Ce sont ces différents processus à l'œuvre entre les structures sociales et les structures mentales que nous allons étudier en les illustrant en particulier par l'analyse des rapports entre l'entreprise managériale et le fonctionnement psychique des managers.

CHAPITRE 10

Structures sociales et structures mentales

L'analyse du système managinaire montre qu'il existe des correspondances multiples et un jeu d'influence entre l'organisation et la personnalité des membres qui la composent.

Les correspondances entre les structures sociales et les structures mentales ne sont pas exclusives à l'entreprise managériale. Elles ont toujours existé selon des modalités spécifiques aux différents types d'organisations.

Les études, sur ce point, sont nombreuses. Ainsi, dans son essai « Psychologie collective et analyse du moi », Freud[1] avait élaboré une « chaîne conceptuelle » (selon l'expression heureuse de P. Ansart[2]) allant de l'inconscient au social et de l'organisation à l'appareil psychique : des organisations comme l'armée et l'Église véhiculent des modèles d'identité et des objets idéaux auxquels les individus s'identifient. Ceux-ci mobilisent et réorganisent leur fonctionnement psychique selon des modalités particulières en congruence avec l'organisation à laquelle ils appartiennent. D'autres auteurs, tels W. Reich, H. Marcuse, G. Mendel, F. Fornari, W. Bion (nous ne pouvons les citer tous), ont exploré ces mécanismes. De même, s'attachant à la relation entre organisation et personnalité, E. Enriquez[3] pose la question : « L'organisation recrute-t-elle des individus caractérisés par une certaine économie

---

1. S. Freud, *Essais de psychanalyse*, Payot, 1975.
2. Cf. P. Ansart, *Structures socio-affectives et Identification*, in *Bulletin de psychologie*, n° 360, t. XXXVI, 1982.
3. Cf. collectif sciences humaines Dauphine, *Organisation et Management en question(s)*, Paris, L'Harmattan, 1988.

psychique qui semble adaptée à son style et à sa culture ou/et tente-t-elle de façonner ses membres de manière à leur faire intérioriser des modèles précis de conduite et de personnalité ? »

Pour répondre à cette question, E. Enriquez met en rapport quatre structures de fonctionnement d'organisation (charismatique, bureaucratique, coopérative et technocratique) avec des structures de personnalité. Il en déduit un certain nombre de correspondances :

– les « personnalités mégalomanes » seraient plus nombreuses dans les structures charismatiques caractérisées par la domination et par la servitude volontaire ;

– l'individu « en retrait à tendance schizophrénique » serait mieux adapté à la bureaucratie, qui demande que chacun se replie sur un horizon limité et un univers formel ;

– le « manipulateur à tendance perverse » (et ses doubles : l'indifférent, l'anomique et parfois le rebelle) se sent à l'aise dans des structures technocratiques dominées par le calcul, la rentabilité et l'économisme.

Cette typologie a été récemment complétée par une structure du « cinquième type » : la structure stratégique à management participatif [4]. Celle-ci réclame « des individus se voulant sujets de leur destin et créateurs d'histoire, donc des sujets pris dans des identifications héroïques et aptes à se comporter comme des héros ».

Comme toute tentative typologique, celle-ci tend, bien sûr, à forcer quelque peu les données du réel en offrant une sorte de caricature. E. Enriquez le souligne lui-même : « Il ne s'agit pas de parvenir à une nosographie enfermante et à une caractérologie précise ; le but est plus modeste. Il s'agit simplement de montrer que les entreprises ont tendance à engager des personnes ayant des comportements adéquats au style de l'entreprise ou, quand elles ne peuvent les trouver, à tenter de les transformer [5]. »

4. Cf. E. Enriquez, « L'individu pris au piège de la structure stratégique », in *Connexions*, nº 54, 1989. Voir aussi « Vers la fin de l'intériorité ? », *Psychologie clinique*, nº 2, Paris, Klincksieck, 1989.
5. E. Enriquez, *op. cit.*, p. 150-151.

En d'autres termes, il s'agit de comprendre, d'une part, ce qui conduit un individu à investir tel ou tel type d'entreprise et à l'investir de telle ou telle façon et, d'autre part, à déterminer les processus par lesquels les organisations produisent les individus dont elles ont besoin pour assurer leur propre reproduction.

Il est intéressant d'examiner sur ce point les apports récents d'auteurs qui, partant de problématiques et de concepts différents, travaillent sur les influences réciproques entre les organisations et les individus.

L'institution faite homme

Dans son ouvrage sur la noblesse d'État[6], P. Bourdieu analyse, en particulier dans le champ de l'enseignement, la relation entre les caractéristiques des organisations et les « habitus* » des individus qui les composent. Il montre que le pouvoir d'une organisation ne fonctionne qu'avec la complicité active de ceux qui l'exercent ou le subissent et parle de « ces possédés qui font les quatre volontés de l'institution, parce qu'ils sont l'institution faite homme, et qui, dominés ou dominants, ne peuvent en subir ou en exercer pleinement la nécessité que parce qu'ils l'ont incorporée, qu'ils font corps avec elle, qu'ils lui donnent corps ». A partir des notions d'« habitus » et d'« incorporation », Bourdieu tente de saisir *les correspondances entre « les structures sociales et les structures mentales »*, c'est-à-dire les principes d'ajustement entre ce qu'il appelle « les structures objectives » et « les schémas de perception, d'appréciation et d'action que les agents mettent en œuvre dans leurs jugements et leurs pratiques ». C'est dans ces mécanismes d'ajustement permanent que s'établissent les liens entre les individus et les systèmes institutionnels : l'orga-

6. P. Bourdieu, *La Noblesse d'État*, Paris, Éd. de Minuit, 1989.
* Le terme habitus désigne, chez Bourdieu, l'ensemble des manières d'être, de vivre et de faire d'un individu, qui sont en relation étroite (et dépendent de) son milieu social et son niveau socio-économique.

nisation est une machine dont le fonctionnement résulte de milliers d'actions produites par des agents « qui agissent comme autant de machines cognitives à la fois indépendantes et objectivement orchestrées ».

Dans ce corps à corps entre l'individu et l'organisation, dans ces mécanismes de « possession », P. Bourdieu propose à la science une double tâche : rappeler le caractère injustifiable, arbitraire et « *pathologique* » de toutes les passions (c'est nous qui soulignons ce terme inhabituel chez Bourdieu), rendre à ces passions leur raison d'être, c'est-à-dire les analyser comme « l'investissement dans le jeu qui s'engendre dans la relation entre un habitus et le champ auquel il est ajusté[7] ».

Le pouvoir de l'organisation s'exerce là où « les structures mentales sont objectivement accordées aux structures sociales ». Cet « accord » amène les individus à investir et à défendre des intérêts qui sont l'expression de la « domination symbolique qui s'exerce sur eux, c'est-à-dire sur leur inconscient : du fait de la *relation d'homologie* qui les unit aux structures de l'espace social ». Les structures objectives deviennent des structures mentales « au cours d'un processus d'apprentissage qui s'accomplit dans un univers organisé selon ces structures ». Ainsi en va-t-il des organisations scolaires qui, par leur langage, le système de récompense/sanction, les modes de classement et de reconnaissance, amènent les agents à agir selon les logiques de ces organisations en toute inconscience. Ces effets sont particulièrement forts en ce qui concerne les grandes écoles qui produisent la « noblesse d'État ».

Dans les classes préparatoires, P. Bourdieu évoque l'*effet organisationnel*, c'est-à-dire « le système des moyens institutionnels, incitations, contraintes et contrôle, qui concourent à réduire l'existence [...] à une succession d'activités [...] rigoureusement réglées et contrôlées tant dans leur mouvement que dans leur rythme [...]. L'essentiel de ce qui est transmis se situe non dans le contenu apparent, programmes, cours, etc., mais dans l'organisation même de l'action pédagogique[8] ».

---

7. P. Bourdieu, *op. cit.*, p. 11.
8. P. Bourdieu, *op. cit.*, p. 112-114.

L'inculcation des savoirs et des savoir-faire s'effectue non seulement dans ce qui est dit, mais également au travers des *conditions organisationnelles* de transmission. L'ensemble des pratiques concrètes qui règlent la vie quotidienne dans l'organisation conduit les individus à intérioriser des façons d'être, de faire et de penser qui les amèneront, en reproduisant ce mode de fonctionnement, à reproduire l'organisation elle-même. « Comme dans les collèges jésuites où "l'on passait deux fois plus de temps à exercer les élèves qu'à leur faire des cours[9] », l'action primordiale de l'institution consiste à créer les conditions d'un usage intensif du temps, à faire du travail soutenu, rapide, voire précipité, la condition de la survie et de l'adaptation aux exigences de l'institution[10]. »

Comment rendre les individus dociles, utiles, productifs ? En les *formant* afin d'adapter leur mode de fonctionnement aux exigences de l'organisation. L'objectif implicite des règlements, des procédures, de l'emploi du temps, de l'aménagement de l'espace... est en dernière analyse d'agir sur les structures mentales.

Dans l'analyse des grandes écoles, dont le fonctionnement interne est centré sur la préparation d'un concours, on saisit comment l'organisation concrète du temps et de l'espace va induire un certain nombre de valeurs et d'habitus : l'usage intensif du temps, un rapport instrumental à la culture et au travail intellectuel, la volonté de vaincre, le goût de la compétition, la capacité de se dépasser, l'investissement prioritaire et quasi exclusif dans le travail[11]... Ainsi, tout concourt à faire de ces « écoles d'élite » des *écoles de cadres* où l'on retrouve des caractéristiques de l'entreprise managériale : « La subordination de l'apprentissage à la pression de l'urgence et l'encadrement strict et continu du travail sont bien faits pour inculquer ce rapport à la culture à la fois docile et assuré qui prédispose plutôt à l'exercice du pouvoir qu'à la pratique de la recherche[12]. »

9. F. Charmot, *La Pédagogie des jésuites*, Paris, SPES, 1943, p. 221.
10. P. Bourdieu, *op. cit.*, p. 114.
11. Ce dernier point n'est pas évoqué par P. Bourdieu, alors qu'il nous paraît capital.
12. P. Bourdieu, *op. cit.*, p. 118.

Cette analyse de P. Bourdieu, dont nous ne pouvons ici reprendre la finesse et la complexité, permet de bien saisir comment l'organisation, comme manifestation des structures sociales objectives, influence les habitus qui « incorporent » ces structures. L'individu est acteur du processus, mais son action est surdéterminée par les forces structurantes du champ social dans lequel il agit. L'action de l'individu est interprétée et analysée comme l'action d'un *sujet à responsabilité dominée* par la logique de l'organisation et des intérêts de ceux qui la dominent. *Sa structure mentale est une structure sociale incorporée*. La relation d'homologie entre le social et le mental est mise en évidence à partir des caractéristiques objectives des agents (approche statistique) ou des représentations qu'ils se font de leur conduite (témoignages).

Mais P. Bourdieu ne rentre pas dans l'analyse des mécanismes qui permettraient de rendre compte de l'incorporation des habitus. Il postule des correspondances entre les structures sociales et les structures mentales sans expliciter les processus sur lesquels ces correspondances s'étaient. Cette difficulté apparaît lorsqu'on s'interroge sur le statut du mental chez Bourdieu, terme qui n'est jamais vraiment défini si ce n'est comme « structures cognitives » ou « schèmes de perception, d'appréciation et d'action ».

En fait, le mental, chez Bourdieu, tend à se réduire à du social intériorisé. L'inconscient est le produit des structures sociales : « Les structures subjectives de l'inconscient [...] sont le produit d'un long et lent processus inconscient d'incorporation des structures objectives [13]. » L'agent est guidé par « un inconscient que l'on est en droit de dire *aliéné* [14], puisqu'il n'est qu'extériorité intériorisée ». Si donc l'agent est agi par l'inconscient, cet inconscient est l'expression de l'action des structures sociales et de la position qu'il y occupe : « Il accepte de se faire le sujet apparent d'actions qui ont pour sujet la structure. »

Ainsi, cette thèse, qui souhaite appréhender dialectiquement

13. P. Bourdieu, *op. cit.*, p. 47.
14. C'est Bourdieu qui souligne.

les correspondances entre les structures sociales et les structures mentales, se développe en fait à sens unique : les individus sont agis de l'intérieur par ce qui leur est extérieur. La logique du désir qui règle les investissements psychologiques et idéologiques est tout entière surdéterminée par la logique du pouvoir qui structure les relations des individus dans le champ considéré. Les processus psychiques sont considérés comme le relais, sinon le simple reflet, de processus sociaux et institutionnels.

La force et l'intérêt de la pensée de P. Bourdieu sont de montrer l'effet des mécanismes sociaux sur les conduites (conscientes et inconscientes) des agents, d'illustrer concrètement les processus par lesquels les institutions agissent pour produire des individus qui vont reproduire sur d'autres les mêmes « principes agissants ». Sa faiblesse est de considérer les structures mentales comme une boîte noire sur laquelle viendrait s'imprimer l'empreinte des structures sociales. En définitive, le mental n'est pas pour lui une *structure*. C'est un inconscient « mou » orchestré de l'extérieur. Les « schèmes de perception, d'appréciation, de pensée et d'action » sont tout entiers déterminés du dehors par la position sociale de l'individu, les intérêts objectifs qu'il défend, c'est-à-dire en dernier ressort par les rapports de domination du champ social et/ou institutionnel considéré. Les notions d'investissement, d'inconscient, d'intériorisation et d'incorporation, chez P. Bourdieu, ne désignent pas en fait des processus concrets.

Certes, on ne peut reprocher à un sociologue d'arrêter son analyse là où les processus à l'œuvre ressortissent d'une autre discipline. Mais, en l'occurrence, la monodisciplinarité conduit à analyser les correspondances entre les structures sociales objectives et les structures mentales, dans le « sens unique » d'une détermination des secondes par les premières. Faute d'une compréhension et d'une conceptualisation des processus psychiques, la circularité dialectique et la réciprocité des influences ne sont pas montrées. La construction théorique ne fonctionne alors que sur un pied. Le raisonnement est univoque. Il bascule dans le sociologisme par absence de théorie sur le fonctionnement de l'appareil psychique. Le projet d'une « anthropologie totale » énoncé par P. Bourdieu pour « surmonter l'opposition entre l'évocation et l'explication, la description qui fait voir et le modèle qui fait comprendre » n'aboutit pas. Il reste partiel faute de dévoiler, à côté des racines sociales, les racines psychiques, en particulier inconscientes, des conduites humaines.

A l'opposé de cette démarche sociologique, un certain nombre de psychanalystes et de psychosociologues ont tenté, à partir de leur connaissance du fonctionnement psychique, d'explorer cette zone intermédiaire entre le dedans et le dehors, entre le mental et le social.

La réciprocité des influences entre les processus psychiques et les processus sociaux

La complexité des rapports entre le fonctionnement des organisations et la personnalité des agents qui les composent conduit à produire un modèle d'analyse qui prenne en compte la multiplicité des déterminations et des processus qui y sont à l'œuvre.

Le système socio-mental

La notion de système socio-mental[15], proposée dans notre recherche sur l'« emprise de l'organisation », a été conceptualisée par Max Pagès comme un ensemble liant trois processus :
– un processus politique de domination, délimitant des rôles, des appareils de pouvoir et des idéologies qui les légitiment ;
– un processus inconscient de fantasmatisation ;

15. Max Pagès, « Systèmes socio-mentaux », *Bulletin de psychologie*, t. XXXIV, n° 3, 1980-1981. Voir également *Trace ou Sens*, Paris, Hommes et Groupes, p. 35 sqq.

– un processus d'inhibition des échanges corporels et émotionnels.

Ces trois processus jouissent d'une autonomie relative : ils sont irréductibles les uns aux autres et, en même temps, ils s'influencent par un lien de renforcement mutuel.

L'intérêt du concept de système socio-mental est évident : il permet de penser des articulations entre registres habituellement séparés, de repérer des *déterminations en réseaux* entre la société, l'organisation et l'individu. Mais les limites de son utilisation viennent de son ambition même : à vouloir englober une totalité bio-psycho-sociale, le concept risque de devenir une notion fourre-tout.

Il s'agit en fait d'un méta-concept qui cherche à saisir un ensemble de processus à la puissance deux (ensemble d'ensembles). Si donc l'hypothèse d'une articulation systémique entre les appareils de pouvoir, l'appareil psychique et le corps est profondément juste, on ne peut pour autant assimiler les articulations psycho-corporelles et les articulations psychosociales : les processus d'articulation gagnent aussi à être différenciés selon la nature des éléments qu'ils relient.

Si donc l'*analyse dialectique*[16] est une nécessité pour saisir des objets complexes, un travail de conceptualisation est nécessaire pour repérer des processus d'articulation spécifiques qui permettent de préciser la notion de système socio-mental. Ces critiques posées, il n'en reste pas moins que le concept de système socio-mental est d'un intérêt heuristique certain. L'analyse du couple organisation-inconscient individuel dans l'emprise de l'organisation met en évidence une série de *bouclages* entre les politiques de l'entreprise et les comportements des employés, aboutissant à ce que *la poursuite par l'individu des objectifs, son investissement dans le travail et son respect des règles deviennent vitaux pour son fonctionnement personnel.*

L'organisation, à travers ses politiques du personnel, ses règles de fonctionnement, sa culture, influence la formation de la personnalité individuelle sur un certain nombre de points :

16. M. Pagès, *Trace ou Sens, op. cit.*

- une image de toute-puissance ;
- l'individualisation des objectifs et de l'évaluation ;
- une compétition permanente, etc.

Elle provoque par là même un double mouvement fondé sur l'offre de plaisir (reconnaissance narcissique, plaisir de la domination, sentiment de toute-puissance...) et la menace (peur d'échouer, contrôles généralisés, pression de travail, tensions nerveuses...). L'organisation suscite ainsi la formation d'une structure psychologique conflictuelle et bouclée, où le plaisir agressif, la poursuite d'un idéal de perfection, la recherche de satisfactions narcissiques et l'angoisse de perdre l'amour de l'organisation se renforcent réciproquement. *Elle propose alors aux individus, par un surinvestissement dans le travail, un système de défense contre l'angoisse, angoisse qu'elle contribue à générer en permanence.*

L'individu est alors conduit à adhérer plus profondément aux objectifs de l'organisation, à la faire fonctionner, en particulier sur ses collègues et ainsi de suite. Ce système de bouclage au niveau psychologique s'étaie sur des dispositifs organisationnels opérant un va-et-vient permanent entre structures sociales et structures mentales.

Par exemple, l'« entretien d'appréciation [17] » est un dispositif organisationnel qui contrôle les performances individuelles (la productivité et la rentabilité au regard des objectifs financiers) et en même temps un mécanisme de régulation autocontrôlé : l'individu est encouragé à exprimer ses aspirations, à évaluer ses manques, à développer ses capacités d'autocritique. Il est conduit, par le dispositif même, à s'appliquer à lui-même les sanctions et les gratifications en fonction de ses performances. Par là même, il se pose en gardien des règles auxquelles il doit se soumettre et intériorise ainsi la logique et les principes de l'organisation. L'institutionnalisation d'un lieu d'écoute a un double effet :
- il renforce la culpabilité liée à l'échec : ai-je été à la hauteur de ce que l'organisation me demande ?

17. Un enregistrement de ce type d'entretien est fourni par Michel Villette dans son livre *L'homme qui croyait au management*, Paris, Éd. du Seuil, 1988, dans le chapitre « Les vertus de la confession » (p. 44).

– il traite de cette culpabilité : en exprimant ses doutes et ses espoirs, l'agent se libère de sa crainte de ne pas avoir fait tout ce qu'il pouvait pour réussir.

Ces différents éléments montrent que *les dispositifs organisationnels ont des causes et des effets psychologiques*. Les influences et interactions entre les règles, les procédures, les emplois du temps, l'organisation de l'espace, le dispositif de contrôle, les modalités de sanctions et de récompenses, etc., et les affects, les sentiments, la culpabilité, le plaisir, l'angoisse, la dépression, etc., sont constantes et continuelles.

L'analyse systématique de ces influences, de ces liens est une nécessité pour comprendre l'attachement profond qui relie les individus aux organisations et l'emprise que les organisations développent sur les individus.

Les structures de sollicitation

Un concept voisin, celui de *structure de sollicitation*[18], a été proposé par Michelle Huguet pour comprendre les liens et articulations entre l'affect (le plaisir ou le déplaisir...) et un contexte social. A propos de l'ennui dans les grands ensembles, elle montre qu'on ne peut comprendre ce phénomène ni en lui donnant le statut d'un symptôme inséré dans une classification de type nosographique (cf. la neurasthénie) ni en le considérant comme une conséquence d'un cadre de vie ou de l'évolution sociale (l'ennui, mal du siècle).

Pour sortir du cloisonnement entre la causalité psychologique et la causalité sociale, elle propose de saisir « les médiations qui organisent, chez un sujet, sa relation à un environnement social ». La notion de structure de sollicitation concerne à la fois les pratiques et les représentations sociales individuelles ou collectives, l'expérience vécue et les manifestations psychologiques et affectives qui s'y attachent, ce qui

18. M. Huguet, « Structures de sollicitation et incidences subjectives », in *Bulletin de psychologie*, t. XXXVI, n° 360, 1983.

permet de saisir comment se fait le branchement entre le pulsionnel et le social.

Sartre avait déjà abordé cette question en énonçant : « Il n'y a pas de désir d'être sans désir de manière d'être[19]. » Les « manières » sont des pratiques, des habitus, des façons de faire qui canalisent le désir sur des objets. Le « système des objets » et le « système pulsionnel » se branchent l'un sur l'autre selon des lois qui ne doivent rien au hasard. On ne peut comprendre la « vocation » ou les aspirations d'un individu sans comprendre par quoi il est appelé ou aspiré. Le désir, le fonctionnement psychique sont en permanence *sollicités* : les pulsions sont canalisées, les instances de l'appareil psychique sont imprégnées, les processus psychiques sont influencés[20].

Ainsi, les structures de sollicitation permettent de « mettre à jour ce qui, dans un contexte social donné, détermine les modalités selon lesquelles le sujet, à partir de son histoire propre, entre en relation avec son environnement[21] ». L'affect est doublement déterminé : de l'intérieur, à partir des pulsions qui poussent le sujet à s'investir dans une multiplicité d'objets internes et externes ; de l'extérieur, à partir d'éléments divers qui sollicitent en permanence ces investissements. Ainsi, la structure de sollicitation est une « *configuration de supports sociaux* », un ensemble de points d'ancrage à partir desquels « l'individu se représente la réalité sociale, y réagit effectivement, y exprime son histoire propre, dans le même temps où il contribue à la fixer et à la faire évoluer. Si l'affect est une expérience singulière, les dispositifs sociaux interviennent pour structurer ses conditions de production et ses modalités d'expression ».

La définition ainsi donnée de cet espace de médiations entre le psychique et le social est intéressante. Nous la reprenons bien volontiers à notre compte, même si les termes de « structure de sollicitation » ne montrent pas assez clairement, selon nous, le caractère systémique de cette « structure ». Il y a une

---

19. J.-P. Sartre, *L'Être et le Néant*, Paris, Gallimard, 1975.
20. V. de Gaulejac, « Irréductible psychique, irréductible social », in *Bulletin de psychologie*, no 360, 1983.
21. M. Huguet, *op. cit.*, p. 514.

interactivité importante entre les affects, les représentations, les dispositifs organisationnels et les pratiques sociales.

C'est ce que démontrent, par exemple, les études d'Elliott Jaques et de Christophe Dejours sur le rôle instituant des mécanismes de défense élaborés par les agents d'une organisation face à l'anxiété et à la souffrance que celle-ci provoque.

Les systèmes de défense contre l'anxiété et la souffrance

Elliott Jaques a travaillé sur l'hypothèse selon laquelle « *un* des éléments primaires de cohésion reliant les individus dans les associations humaines institutionnalisées est la défense contre l'anxiété psychotique[22] ». Les individus projettent à l'extérieur les pulsions et les objets qui sont à la source de l'angoisse et les mettent en commun dans les institutions où ils s'associent. On a là un processus qui *illustre les phénomènes de bouclage*, qui, selon nous, caractérisent le rapport individu/organisation.

E. Jaques prend l'exemple de l'officier en second du navire qui, en plus de son rôle fonctionnel, est tenu pour responsable de bien des choses qui vont mal. L'explication est simple : les pulsions menaçantes au sein de l'appareil psychique sont placées inconsciemment sur le second, qui sera alors considéré consciemment comme la source de toutes les difficultés rencontrées : « Ce mécanisme permet aux membres de l'équipage de trouver inconsciemment un soulagement par rapport à leurs propres persécuteurs internes. D'autre part, le commandant du navire, de ce fait, peut être plus aisément idéalisé en une image bonne, protectrice, avec laquelle on peut s'identifier... On s'attend de la part des officiers de marine à ce qu'ils acceptent ce rôle masochiste dans le cours de leur carrière ; la

---

22. E. Jaques, « Systèmes sociaux en tant que défenses contre l'anxiété », in *Psychologie sociale, Textes fondamentaux*, présentés par A. Lévy, Paris, Dunod, 1965.

norme est de l'accepter sans murmure[23]. » Ce mécanisme répond à la fois à une nécessité psychique (se défendre contre des angoisses paranoïdes inconscientes) et à une nécessité fonctionnelle (le respect de l'autorité du capitaine).

Par ailleurs, l'exemple permet de préciser deux éléments d'articulation entre les processus sociaux et les processus psychiques :

1) les mécanismes psychiques mobilisés dans le système sont semblables pour la majorité des individus qui composent l'organisation. Dans l'exemple proposé, chacun se sent menacé inconsciemment. E. Jaques postule que l'anxiété paranoïde est une constante de l'inconscient et que le mode de défense le plus commun contre cette angoisse est de projeter la menace interne à l'extérieur. C'est donc à la fois la nature de l'angoisse et le mode de défense qui sont partagés et vécus en commun. *C'est donc le caractère collectif de ce fonctionnement psychique individuel qui en fait un système* ;

2) le mode de fonctionnement produit par ces processus psychiques est *institutionnalisé* dans des règles ou des normes. Dans cet exemple, il est couramment admis et même considéré comme normal que le second d'un navire occupe cette fonction de mauvais objet. Une fois cette norme admise, chacun s'attend à ce qu'il en soit ainsi, et *le processus devient un élément du fonctionnement organisationnel* : les officiers intériorisent le fait que cela fait partie de leur carrière ; les procédures d'évaluation tiennent compte de leur capacité à assumer ce rôle ; les marins attendent du second et du capitaine qu'ils remplissent leurs rôles respectifs, etc.

On peut penser, contrairement à E. Jaques, qui fait découler la norme institutionnalisée d'une nécessité intra-psychique, que la relation de causalité pourrait être inversée : c'est aussi parce que le bateau est un univers clos soumis à des éléments qui peuvent à tout moment devenir menaçants qu'il faut mettre en place un mode de fonctionnement qui protège la structure hiérarchique et évite les risques de désobéissance et de révolte. En fait, la causalité est ici *circulaire* : s'il y a

23. E. Jaques, *op. cit.*, p. 546.

bouclage entre des éléments inconscients et des éléments institutionnels, c'est parce que *le mode de fonctionnement répond à une double nécessité à la fois psychique et organisationnelle*. Comme système de défense fantasmatique collective, il permet au moi de chaque individu de se protéger contre l'angoisse interne. Comme système institutionnalisé, il permet au groupe d'effectuer les tâches qui lui sont assignées par une répartition fonctionnelle des rôles et du travail.

Dans le même esprit, C. Dejours montre que les travailleurs élaborent des « *procédures défensives* » pour faire face à la souffrance qu'ils rencontrent dans leur travail. Ces défenses leur permettent de résister psychiquement aux conséquences de la peur, de l'ennui, du stress engendrés par certaines formes d'organisation du travail. Elles sont donc produites par des ouvriers et des employés pour supporter leurs conditions de travail. Mais le déterminisme fonctionne également dans l'autre sens ; ces défenses peuvent faire l'objet d'une exploitation par l'organisation du travail : l'anxiété est consciemment utilisée par la direction pour faire pression sur les ouvriers, pour les contrôler et pour les faire travailler. « Ainsi en va-t-il pour les ouvriers à la chaîne soumis à des cadences telles qu'ils n'ont d'autre liberté que d'aller encore plus vite pour soulager la tension que les cadences provoquent. Ils s'auto-accélèrent collectivement et le groupe, pris de frénésie, exerce bientôt un pouvoir sélectif sur les traînards, "intériorisant" ainsi compulsivement l'injonction organisationnelle, même si cela conduit à l'absurde [24]. »

C. Dejours décrit ce processus à partir d'une chaîne :

```
┌──────────────┐    ┌──────────────┐    ┌──────────────┐    ┌──────────────┐
│  SOUFFRANCE  │──▷ │   DÉFENSE    │──▷ │   DÉFENSE    │──▷ │   DÉFENSE    │
│  PSYCHIQUE   │    │  PROJECTIVE  │    │  ADAPTATIVE  │    │  EXPLOITÉE   │
└──────────────┘    └──────────────┘    └──────────────┘    └──────────────┘
       ↑                         ┌──────────────────┐
       └─────────────────────────│  ORGANISATION    │◁ ─ ─ ─ ─ ─ ─ ─ ─ ┘
                                 │   DU TRAVAIL     │
                                 └──────────────────┘
```

24. C. Dejours, *Plaisir et Souffrance dans le travail*, Paris, Éd. de l'AO-CIP, p. 118.

Premier exemple : l'exploitation de l'agressivité

Le cas des téléphonistes, étudié par Dejours, démontre comment la mise en tension permanente par les réclamations des usagers, la surveillance disciplinaire de l'encadrement, l'ineptie des tâches à accomplir, la répétition et la monotonie du travail sont transformées en force productive : « La frustration et les provocations cumulent leurs effets pour susciter conjointement une agressivité réactionnelle. C'est cette agressivité qui va être exploitée par l'organisation du travail[25]. »

Pour éviter d'avoir à retourner cette agressivité contre soi, l'opératrice a intérêt à canaliser l'énergie dans son travail. Face aux réclamations désobligeantes d'un abonné, l'opératrice n'a pas le droit de répondre, de couper la communication, de faire attendre... la seule issue à l'agressivité, c'est de travailler plus vite. Cela conduit à faire augmenter la productivité en exaspérant les opératrices. On arrive ainsi, en provoquant la tension nerveuse chez les employés, à élever le rendement. La souffrance psychique n'est donc plus seulement une conséquence de mauvaises conditions de travail, elle est l'instrument même de l'obtention du travail.

C. Dejours conclut : « Ce qui est exploité par l'organisation du travail, ce n'est pas la souffrance elle-même, mais plutôt les mécanismes de défense déployés contre cette souffrance. » On a donc une boucle qui se dessine, selon laquelle des dispositifs d'organisation du travail provoquent de la tension nerveuse, qui entraîne des réactions défensives, qui alimentent ces dispositifs... et ainsi de suite.

Ces réactions défensives sont collectives non pas parce qu'elles sont la somme des mécanismes de défense individuels, mais parce qu'elles font système : « Les collectifs se construisent à partir des défenses contre la souffrance, qu'ils mettent en commun, au point d'aboutir à des *systèmes défensifs spécifiques*[26] [c'est nous qui soulignons] de l'ordre collectif et

25. C. Dejours, *Travail : usure mentale*, Paris, Le Centurion, 1980, p. 105-107.
26. C'est nous qui soulignons.

non assimilables à ce que l'on connaît des défenses dans l'ordre mental individuel [27]. »

Second exemple : l'exploitation du désir

Dans un autre exemple, C. Dejours montre que ce n'est plus la souffrance produite par le travail qui est exploitée, mais le désir lui-même : « Dans le cas des pilotes de chasse, l'organisation du travail puise directement à la source du désir et de l'histoire des relations infantiles précoces des pilotes [28]. »

Le recrutement et la formation sélectionnent des personnalités narcissiques et élitistes, qui méprisent le « terrien », avec des motivations fortes ancrées dans l'enfance, ayant le désir de voler et une forte agressivité qui va leur permettre de traverser avec succès les épreuves pour être admis dans ce corps d'élite. L'Idéal du moi est donc le principal moteur de l'activité professionnelle : « S'il est capable de mépriser le danger qu'il affronte quotidiennement, c'est que le pilote de chasse est porté par des aspirations essentiellement tournées vers le surpassement de soi [29]. »

Les pilotes de chasse ont toutes les caractéristiques des « personnalités grandioses » analysées par Kohut [30], dont le conflit fondamental se situe entre le Moi et l'Idéal du moi. L'angoisse qui en résulte ne peut être soulagée que dans des situations hors limites, dans un défi permanent contre le danger, contre l'adversité. C'est dans l'affrontement et dans le succès que ce type de personnalité trouve un exutoire. Le métier de pilote de chasse est une réponse à son désir de toute-puissance et à l'« angoisse des limites » qui lui est liée. On est proche ici du processus de *sublimation*, dans la mesure où le pilote trouve dans sa profession un moyen de socialiser ses désirs narcissiques et de canaliser des angoisses très archaïques liées à la maladie de l'idéalité.

Cet exemple montre comment une organisation mentale

27. C. Dejours, *Plaisir et Souffrance dans le travail, op. cit.*, p. 22.
28. *Plaisir et Souffrance dans le travail, op. cit.*, p. 19.
29. C. Dejours, *Travail et Usure mentale, op. cit.*, p. 19.
30. Kohut, *Le Soi*, Paris, PUF, 1974.

s'ajuste aux nécessités d'une profession très exigeante qui demande des qualités spécifiques : condition physique, maîtrise technique, rapidité d'exécution, concentration, maîtrise de soi, agressivité face à l'ennemi... « L'exceptionnelle adaptation du plaisir tiré du travail au désir du pilote de chasse lui permet d'affronter chaque jour des conditions de travail particulièrement nocives et de tolérer une anxiété qui, à notre connaissance, n'est produite par aucune autre situation de travail [31]. »

Mais ces correspondances entre l'organisation psychique et l'organisation du travail vont bien au-delà de simples processus d'adaptation et d'ajustement de l'individu à son métier ou à son poste de travail. Il y a là production d'un système qui s'insère entre l'individu et l'organisation et qui « branche » des éléments psychiques (l'angoisse, le désir, les mécanismes de défense) sur des éléments organisationnels (la chaîne, la cadence, la machine, la technique...).

Ce processus peut être généré, soit par des situations de travail qui provoquent des mobilisations psychiques défensives qui alimentent le procès de production, soit par des motivations psychiques qui cherchent à se réaliser dans des professions particulières qui ont besoin de cette passion pour imposer leurs exigences techniques. Mais, quoi qu'il en soit de la genèse, le processus devient système lorsque le bouclage s'opère entre l'organisation mentale et l'organisation du travail, chaque élément du système étant alimenté et alimentant les autres dans un mouvement circulaire et interactif.

---

31. C. Dejours, *Travail, usure mentale, op. cit.*, p. 98.

CHAPITRE 11

Le système psychique organisationnel

Il nous faut maintenant mieux comprendre la nature de ces déterminations, entrer dans la description des mécanismes par lesquels l'organisation et la personnalité s'influencent réciproquement, analyser cet espace intermédiaire qui régit les rapports entre ces deux entités, comprendre le système qui les relie.

Si l'organisation et la personnalité sont deux entités distinctes, de nature différente, qui obéissent à des lois qui leur sont spécifiques, leur rapport s'organise selon les principes de l'analyse systémique : des éléments de l'organisation interagissent avec des éléments de l'appareil psychique, et l'ensemble de ces interactions compose un système que nous proposons d'appeler le « système psychique organisationnel ».

Qu'est-ce que le système psychique organisationnel ?

Le système psychique organisationnel rassemble en un tout cohérent les processus qui relient, d'une part, l'appareil psychique des individus composant une organisation et, d'autre part, les dispositifs, les politiques, les procédures que l'organisation a mis en place pour remplir ses objectifs.

Il s'agit donc d'une structure intermédiaire qui connecte le fonctionnement personnel et le fonctionnement institutionnel, qui agence les correspondances entre des structures sociales organisationnelles et les structures mentales des individus.

Pour définir les caractéristiques propres de ce système, il convient de lever une ambiguïté : nous sommes ici à l'articulation entre deux niveaux différents de la réalité.

Le fonctionnement psychique obéit à des règles particulières, spécifiques, que la psychologie tente d'élucider. Certes, la notion d'*appareil psychique*, que Freud a proposée pour conférer un caractère scientifique à la psychanalyse, renvoie à l'idée d'organisation, d'éléments reliés par des mécanismes, de fonctions interconnectées, d'instances différenciées, etc. Mais il s'agit d'un appareil dont les *lois de fonctionnement* sont totalement étrangères à celles qui président au fonctionnement d'une entreprise ou d'une institution. Étrangères ne veut pas dire non reliées. Elles sont de nature différente de la même façon que les lois de la physique sont différentes de celles de la biologie ou de la sociologie. Elles sont donc spécifiques, ce qui nécessite un appareillage théorique et méthodologique *ad hoc* pour les comprendre. Mais l'appareil psychique n'est pas fermé sur lui-même. C'est un système dynamique et ouvert en relation constante avec le corps (donc, la biologie) et l'environnement (donc, la sociologie, l'économie, etc.).

Symétriquement, les *organisations* sont des éléments de la réalité sociale qui ont leurs propres logiques de fonctionnement partiellement indépendantes des mécanismes économiques, sociaux et culturels dont elles sont le produit. Une fois organisés, les différents éléments constitutifs de l'organisation font système, c'est-à-dire que les mécanismes qui régissent leurs rapports ont des caractéristiques spécifiques. Ils obéissent à des lois particulières qui tiennent à la spécificité de l'action collective organisée. Mais ces mécanismes sont en correspondance avec des éléments de nature différente qui les influencent. Ainsi, des éléments économiques, culturels, psychologiques rejaillissent sur les logiques organisationnelles pour en modifier le cours.

Nous avons décrit jusqu'à présent les caractéristiques du système managinaire, c'est-à-dire d'un certain type de fonctionnement organisationnel, et les caractéristiques de l'homme managérial, c'est-à-dire d'un certain type de fonctionnement psychique. Ces descriptions montrent qu'il y a des *correspondances* entre le *mode de fonctionnement organisationnel* et le *mode de fonctionnement psychique* des individus qui composent l'organisation. Ces correspondances, ces processus d'influence, ces mécanismes de branchement entre ces deux registres constituent un système qui est le produit hybride du rapport individu/organisation.

Les organisations ont un mode de fonctionnement dominant qui sollicite un certain type de personnalité et un mode de fonctionnement psychique particulier. En ce sens, on peut dire que les organisations cherchent à produire un certain type d'individu, à le façonner à leur image, à l'adapter à leurs exigences. Les entreprises hiérarchiques de type taylorien cherchent à produire des individus obéissants, respectueux de l'autorité et des règles, ce que S. Milgram appelle l'« état agentique[1] ». Par contre, les entreprises managériales cherchent à produire des individus motivés par la réussite professionnelle, la recherche de la performance, l'initiative individuelle, ce que nous avons défini comme l'« homme managérial ».

Mais cette production n'est pas à sens unique. Les individus investissent les organisations à partir et en fonction de leur propre fonctionnement psychique (investir = choisir et agir sur). Ils cherchent à adapter les entreprises à leurs propres désirs. Ils contribuent à produire des organisations qui satisfassent leurs exigences conscientes et inconscientes. Ils inventent des règles, des procédures, des dispositifs..., autant d'expressions institutionnalisées de leur investissement psychologique. Cette capacité d'intervenir dans la production de l'organisation dépend, bien évidemment, de la position que l'on y occupe. Les dirigeants et les cadres ont plus de possibilités d'interventions, de capacités d'agir sur la structure que les employés et les ouvriers. En conséquence, c'est chez eux que la mobilisation psychique est la plus intense, l'identification à l'organisation, la plus forte. Ainsi, les organisations produi-

---

1. S. Milgram, *La Soumission à l'autorité*, Paris, Calmann-Lévy, 1974.

sent les personnalités dont elles ont besoin et les individus façonnent les organisations pour les adapter à leurs besoins.

Le mode de fonctionnement organisationnel et le mode de fonctionnement psychique sont donc l'objet d'un *étayage réciproque*, d'un renforcement mutuel, d'une complémentarité dynamique. Ils s'organisent selon un principe de *causalité circulaire*, chaque élément contribuant à interagir avec les autres, ce qui a pour effet de les modifier dans le sens d'une correspondance mutuelle et de produire des liens stables, multiples, homogènes entre eux. Ils se « branchent » les uns sur les autres.

C'est cette structure intermédiaire, espace transitionnel ni purement psychologique ni purement organisationnel, système de liens et de rapports, qui constitue le *système psychique organisationnel*. Espace de médiation entre les individus et l'organisation, le système psychique organisationnel établit des combinaisons entre des processus psychiques et des dispositifs organisationnels, que l'on peut schématiser ainsi :

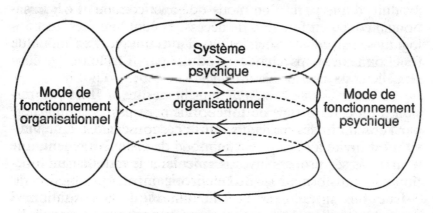

Représenté ainsi, le système psychique organisationnel est un ensemble de processus de bouclage qui relient un mode de fonctionnement organisationnel et un mode de fonctionnement psychique.

Le concept de système psychique organisationnel rejoint, pour une part, la notion d'*espace transitionnel* proposée par

Winnicott[2], sans toutefois que l'on puisse les assimiler. L'aire des phénomènes transitionnels est conçue par Winnicott comme un espace psychique propre entre le dedans et le dehors, espace potentiel qui est le support de la créativité (*playing*), de l'expérience de l'autonomie et de la communication à autrui, mais également espace de protection vis-à-vis d'autrui.

En ce sens, l'espace transitionnel est une production psychologique, une extension de l'appareil psychique vers l'extérieur, qui régule les rapports entre le sujet et son environnement. Le système psychique organisationnel se construit sur cette aire transitionnelle. Mais il n'est pas seulement produit par l'individu. Il est également l'émanation de l'organisation. Il est à la fois espace psychique et espace organisationnel. C'est un *système co-construit*, à la fois *individuel* et *collectif*.

– La notion de *système* rend compte du fait qu'il est composé d'éléments de nature différente, mais reliés les uns aux autres.

– C'est un système *co-construit* dans la mesure où il est le produit, d'une part, d'un mode de fonctionnement organisationnel conçu en fonction de nécessités économiques, technologiques, culturelles, sociales, et, d'autre part, d'un mode de fonctionnement psychique produit par l'histoire psychosexuelle et psychosociale du sujet.

– C'est un *système collectif* dans la mesure où il est l'expression d'un certain type de fonctionnement psychique partagé par l'ensemble des individus qui le composent. Chaque individu est invité à s'adapter à ce mode de fonctionnement, à le nourrir de ses propres investissements, à le modifier en fonction des transformations de l'environnement.

Une fois installé, le système psychique organisationnel devient partiellement *autonome* par rapport aux individus qui ont contribué à sa production. *De système produit, il devient producteur*, au sens où il tend à influencer le fonctionnement psychique des employés et le fonctionnement de l'organisation.

2. D. Winnicott, *Jeu et Réalité*, Paris, Gallimard, 1975.

Le système psychique organisationnel absorbe l'espace transitionnel de chaque agent dans la mesure où il canalise leur créativité individuelle dans le sens des objectifs de l'entreprise : « Ce peut être un supplice pour certains êtres que d'avoir fait l'expérience d'une vie créative juste assez pour s'apercevoir que, la plupart du temps, ils vivent de manière non créative, comme s'ils étaient pris dans la créativité de quelqu'un d'autre ou dans celle d'une machine[3]. » Ici, ce sont les dispositifs organisationnels qui suscitent et contrôlent l'énergie créatrice. Le système psychique organisationnel fonctionne comme une pompe qui *transforme l'énergie libidinale en force de travail*, ce qui donne tout leur sens aux expressions couramment entendues : « Je suis pompé », « Je suis vidé ». Ce pompage s'effectue en particulier par l'installation du système psychique organisationnel dans l'espace transitionnel de chaque individu. Lorsqu'on entend dire : « Depuis que je suis à Rank Xerox, je ne lis plus », « Avant d'entrer à Texas Instrument, je faisais de la peinture, des collages, maintenant je n'ai plus le temps », « J'aimerais arrêter pour écrire un roman », on sent la nostalgie du temps où une créativité personnelle pouvait encore s'exprimer pour le compte personnel de l'individu. En regrettant le temps d'avant, en rêvant au temps d'après, on constate que le temps présent est investi par la préoccupation de la carrière, l'inquiétude des objectifs à atteindre, la pression quotidienne des problèmes à résoudre, des tâches à effectuer.

Appareil psychique et système psychique organisationnel

La notion de système psychique organisationnel permet de sortir du raisonnement analogique qui tend à transposer à l'organisation une lecture de type psychanalytique. C'est ainsi que l'on entend parfois parler de surmoi organisationnel, de

3. D. Winnicott, *op. cit.*, p. 75.

pathologie de l'organisation ou même d'inconscient institutionnel.

L'organisation n'est ni une personne ni un sujet. Elle n'a pas d'inconscient. Elle ne fonctionne pas comme un appareil psychique. Elle n'a pas de volonté ou d'intentionnalité. Il faut donc lui garder son statut d'objet. Mais, en tant que production sociale, elle est l'objet d'investissements individuels et collectifs, le terme d'investissement étant pris ici dans son sens psychologique. C'est une surface de projection, d'introjection, d'idéalisation qui mobilise et canalise les pulsions, le désir et influence le fonctionnement psychique des individus qui la composent.

Selon S. Freud, toute fonction psychique se développe à partir d'une fonction corporelle sur laquelle elle s'appuie et dont elle transpose le fonctionnement sur le plan mental. La constitution de l'appareil psychique s'effectue donc, par des paliers successifs, en rupture avec sa base biologique, rupture qui le rend autonome par rapport aux lois de la biologie. Mais ce développement s'effectue également par des échanges avec autrui (identifications, relations objectales, relations œdipiennes...), ce qui conduit les différentes fonctions psychiques à s'étayer sur le système psycho-familial dans lequel l'enfant grandit. Un autre palier est encore franchi lorsque l'enfant va substituer à ses premiers objets d'amour des objets sociaux dans lesquels il va s'investir.

Chacun de ces paliers est différent des précédents dans la mesure où le corps, la famille, la société sont des éléments hétérogènes qui obéissent chacun à des lois spécifiques. Mais ils sont cependant influencés par les précédents dans la mesure où le fonctionnement de l'appareil psychique est influencé à chaque étape par les étapes précédentes.

C'est sur ce modèle que s'effectue l'investissement dans les organisations professionnelles qui constituent pour beaucoup d'individus un lieu privilégié d'investissement qui se substitue au cadre familial, ou plutôt qui vient s'y superposer.

L'appareil psychique se constitue donc sur un axe diachronique : chaque étape opère un remaniement du fonctionnement antérieur et détermine le fonctionnement ultérieur. C'est dire l'importance de l'histoire du sujet pour comprendre ses caractéristiques actuelles. Mais il se constitue également dans la synchronie : l'appareil psychique est un système ouvert constamment influencé par l'environnement et les modifications du contexte.

Ainsi, *les différentes organisations sociales que l'individu traverse sollicitent un certain type de fonctionnement et influencent son appareil psychique.* Selon la personnalité de l'individu, c'est-à-dire la façon dont s'est constitué son appareil psychique, il est plus ou moins préparé, programmé, attiré par telle ou telle organisation et conduit à l'investir de telle ou telle façon. En même temps, les organisations sollicitent un mode de fonctionnement particulier, différent selon leur type et selon les places que l'individu y occupe, qui rejaillit sur la personnalité et, à terme, peut modifier les relations entre les différentes instances de l'appareil psychique.

C'est dans ce processus d'ajustement entre l'individu et son poste, entre l'appareil psychique et le fonctionnement de l'organisation qu'intervient le *système psychique organisationnel* qui se trouve au croisement de deux mouvements :

— il représente ce qui est commun à l'ensemble des appareils psychiques individuels. En ce sens, c'est une *production psychique collective* ;

— il fait partie du fonctionnement de l'organisation et s'impose aux individus qui la composent en les obligeant et en les incitant à penser et à se comporter d'une certaine façon. En ce sens, c'est une *production organisationnelle*.

Ce double mouvement constitue un système à partir du moment où les éléments se bouclent les uns sur les autres de façon permanente et stable. Nous retrouvons là le principe d'homéostasie, selon lequel tout système cherche à se maintenir en mettant en œuvre des processus de régulation pour résister aux éléments qui viennent perturber son équilibre. Une fois installé, le système produit lui-même les différents éléments qui assurent sa consolidation, ce qui entraîne une série de conséquences :

1) il acquiert une certaine *autonomie* par rapport à l'organi-

sation et aux individus ; il tend à se reproduire en l'état, quand bien même l'organisation est amenée à se transformer du fait de l'évolution de son environnement. On constate cette inertie du système psychique organisationnel lorsque les structures de l'entreprise évoluent rapidement lors d'une fusion ou du rachat par un autre groupe, la conduisant à passer d'un modèle hiérarchique ou technocratique à un modèle participatif et managérial. L'encadrement se trouve alors désorienté entre l'ancien mode de fonctionnement et le nouveau. Ce phénomène est particulièrement aigu pour les cadres autodidactes dont les facultés d'adaptation, de remodelage sont faibles. Alain Resnais, dans son film *Mon oncle d'Amérique*, l'avait remarquablement montré à travers le rôle joué par Gérard Depardieu ;

2) les individus nouvellement intégrés dans l'organisation sont amenés à calquer leur fonctionnement personnel sur le système psychique organisationnel. Ils sont ainsi sollicités de se conformer à ce mode d'être, de penser et d'agir, invités à s'identifier aux modèles proposés, à intérioriser le système de valeurs, à ajuster leur comportement aux règles et aux procédures, à incorporer les habitus de l'organisation. Au niveau inconscient, la satisfaction des désirs et l'efficacité des mécanismes de défense nécessitent un coulage/moulage psychique sur les processus mis en œuvre par le système.

L'expression « on l'accepte ou l'on part » qui revient continuellement dans le discours des managers exprime bien cette idée d'un système qu'il convient d'intérioriser si l'on veut y être bien. Ceux qui ne s'y font pas le comprennent très vite et ont tout intérêt à s'en retirer. Les autres y trouvent un équilibre profond, une harmonie, un sentiment de sécurité et d'ordre, qui leur permettront de supporter la pression du travail, les interdits et les sanctions, les conflits quotidiens et les contradictions qui caractérisent l'univers organisationnel ;

3) produit par l'organisation et les individus qui la composent, le système psychique organisationnel devient producteur

de ce qui l'a produit selon le principe de la causalité récursive[4] : il contribue à façonner le mode de fonctionnement psychique des agents de l'organisation ; de même, il influence le mode de fonctionnement de l'organisation.

C'est l'existence d'un système psychique organisationnel qui permet de comprendre les résistances aux changements lorsque les transformations proposées semblent « objectivement » aller dans le sens des intérêts du personnel. Toute modification du système ne remet pas seulement en question des procédures ou des modes d'organisation du travail. Elle nécessite une adaptation psychologique qui heurte l'équilibre psychique que les individus ont appris à trouver dans le mode de fonctionnement antérieur.

Le système psychique managérial

L'analyse que propose C. Dejours sur les pilotes de chasse[5] recouvre sur bien des points les caractéristiques de l'homme managérial : un moral fait de fierté, de confiance en soi et d'agressivité bien maîtrisée ; des difficultés à parler de soi, à exprimer ses émotions, à évoquer ses faiblesses ; la recherche de la perfection ; la volonté de montrer sa force ; un idéal de toute-puissance ; un élitisme associé à de la condescendance pour ceux qui ne participent pas à la course pour le pouvoir ; un intérêt pour résoudre des problèmes complexes ; un grand dynamisme ; un activisme ardent et permanent ; l'exclusion du doute et le rejet de l'ambivalence ; l'amour de la séduction...

Ces traits de personnalité correspondent parfaitement à l'idéal type recherché par l'entreprise managériale. Les correspondances entre les structures mentales de l'homme managérial et la structure sociale de ces organisations sont telles qu'on ne sait plus « qui produit l'autre ». C'est l'existence de ces correspondances, leur permanence et leur stabilité qui nous

4. E. Morin, *La Complexité, grille de lecture des organisations*, conférence au CESTA du 17 novembre 1985.
5. C. Dejours, *Travail, usure mentale, op. cit.*

conduit à poser l'hypothèse d'un *système psychique organisationnel de type managérial.*

Nous avons longuement évoqué dans l'analyse du système managinaire les liens et les processus qui produisent l'adhésion et la mobilisation psychique. De même, dans l'analyse des caractéristiques de l'homme managérial, nous avons montré quel type de fonctionnement psychique était sollicité par ce système. Il ne s'agit donc ici que de rappeler les caractéristiques essentielles du système, afin de repérer des éléments de bouclage entre le registre psychique et le registre organisationnel et l'enchaînement entre le *niveau psychique inconscient* (celui du désir et de l'angoisse individuels), le *niveau du système psychique organisationnel* (les conduites défensives et adaptatives aux exigences de l'organisation) et le *niveau des conduites socialisées* (le comportement dans l'entreprise comme ingénieur, technicien, manager...).

Cet « enchaînement » permet de rendre compte de l'effet de spirale qui part d'un niveau très archaïque où le désir et la souffrance psychique liée à l'histoire personnelle de *l'individu* sont *captés* par des images organisationnelles fantasmatiques, puis renvoyés au *manager* en termes « professionnels ». Le processus se boucle alors lorsque ce dernier va investir des dispositifs proposés par l'organisation, afin de réduire son angoisse ou de satisfaire ses désirs. En fin de compte, *le travail et les exigences de l'organisation deviennent une nécessité psychologique.* Le schéma figurant à la page suivante résume les différentes phases du processus de *transformation de l'énergie libidinale en force de travail.*

Ce schéma montre comment le système psychique organisationnel transforme une *angoisse* intrapsychique liée à l'histoire personnelle du manager en anxiété liée à la situation de travail proposée par l'organisation (peur d'échouer, crainte de ne pas remplir ses objectifs...). L'entreprise met le manager dans une situation d'anxiété permanente, tout en lui donnant les moyens de la combattre à travers des modes de fonctionnement à la fois utiles pour l'organisation et défensifs pour l'individu. Cette tension provoque une excitation, et c'est la recherche de cette excitation qui provoque l'intensité du

Entreprise   Manager

Quête narcissique.   **Désir et**
Besoin d'amour inassouvi.   **angoisse**
Angoisse de perte d'objet.   **individuels**

L'organisation propose
une image de
toute-puissance,
de perfection
et d'expansion.

Tension idéal du moi/moi.

Recherche de l'excellence
et de la perfection.

CONTRAT NARCISSIQUE

Sélection forte à l'entrée.   **Conduites**
Évaluation personnalisée.   **adaptatives**
Fortes gratifications.   **et défensives**
Mise en concurrence.

PRODUCTION DU MOI IDÉAL ORGANISATIONNEL

Désir de promotion.
Peur d'échouer.
Recherche de signes de
reconnaissance positifs.
Plaisir de la conquête.
Agressivité.

Pression du travail.   Investissement de   **Conduites**
Exigence du toujours plus.   plus en plus fort   **socialisées et**
Logique de la carrière.   dans le travail.   **comportement**
                              Activisme.   **au travail**
                              Stratégies de
                              pouvoir.

Processus de bouclage qui constituent
le système psychique organisationnel

265

plaisir. Lorsque l'excitation n'est plus présente, le risque est de voir l'angoisse surgir. Pour lutter contre ce risque, le manager va s'investir totalement dans son travail, dans la compétition, dans l'action. Ce travail devient alors une espèce de drogue, une *nécessité psychique.*

C'est ainsi que le *désir narcissique* de toute-puissance est canalisé par les processus de la carrière et que les dispositifs d'évaluation des performances se transforment en *désir de promotion.* L'entreprise propose des attentes, suscite le désir, ce qui provoque une montée en charge pulsionnelle et attire ces pulsions sur des objectifs productifs. De la même façon, l'*idéal de perfection* et la quête d'absolu sont projetés sur l'organisation et transformés en *exigences de réussite* mesurées essentiellement en termes financiers. Enfin, la mise sous tension permanente provoque une *agressivité réactionnelle* qui est *transformée en énergie productive* et orientée sur des objectifs financiers ou commerciaux (mise en concurrence interne ou externe, organisation de challenges, club des 100 %...). Les dispositifs du système managinaire réactualisent dans le présent des situations de plaisir/angoisse vécues dans l'enfance : le manager rejoue dans l'entreprise le plaisir de gagner et la crainte de perdre.

L'entreprise managériale propose des solutions aux conflits psychologiques des individus en les transformant en *tensions productives.* L'énergie libidinale est tout entière canalisée sur des objectifs de rentabilité. Plutôt que de se retourner sur l'individu au risque de se transformer en énergie autodestructrice, l'organisation propose des situations qui projettent l'angoisse à l'extérieur et canalisent les pulsions sur des objectifs de travail. Le bouclage se fait lorsque les affects sollicités en permanence produisent des effets réactionnels conformes aux exigences de l'organisation du travail.

L'efficacité de ces mécanismes vient de l'écho qu'ils suscitent chez le manager : la créativité, l'autonomie, l'inventivité, la dépense d'énergie que celui-ci investit pour améliorer les performances de l'organisation, sa rentabilité dans le système, son opérationnalité lui sont directement profitables sur le *plan psychologique* – il y trouve le moyen de se réaliser – et sur le *plan professionnel* – il y trouve la possibilité de faire carrière, de gagner sa vie et de réussir.

Nous avons dit précédemment que l'entreprise s'appuyait sur l'angoisse constamment surmontée par chacun mais toujours prête à réapparaitre, parce qu'elle a été vécue dans les premiers jours de la vie : c'est l'angoisse de perdre la mère qui constitue le tout dont l'existence de l'enfant dépend. Deux éléments sont à la base de cette angoisse chez le nourrisson : une totale dépendance – compensée par le sentiment (illusoire) de toute-puissance – et la force, la puissance démesurée de l'autre, la mère, qui représente à elle seule l'univers du tout petit enfant. Ce que l'entreprise fait revivre peut être comparé, transposé sur l'adulte, à cette expérience primitive entre l'enfant et sa mère. C'est cette angoisse, que les psychanalystes appellent l'« angoisse de perte d'objet », qui se trouve de fait sollicitée dans la relation du manager à l'entreprise selon un processus orchestré en différentes phases.

Avant même son arrivée dans l'entreprise, celle-ci est présentée comme un ensemble magnifique, réservé à l'élite. Dès son embauche, le cadre est donc invité à se considérer comme élu, faisant partie de cette élite. Il devient reconnaissant à cette entreprise qui conforte son narcissisme, le valorise, le fait accéder à un univers « rare ». Il en est dépendant et met donc en œuvre à son tour toute l'activité et l'ingéniosité dont il est capable pour être à la hauteur des bienfaits que lui dispense l'organisation. Les exigences croissantes de celle-ci ne sont plus alors perçues comme des contraintes, mais comme des sources de plaisir, car les satisfactions apportées sont devenues vitales pour conserver de soi cette image de toute-puissance qu'elle lui apporte. Par ce biais, elle s'implante dans la psyché de l'individu au point d'y avoir une place privilégiée au même titre que la famille. Elle est devenue aussi précieuse, aussi prégnante, si ce n'est plus. Dans sa crainte de perdre cet objet d'amour, le manager se dépense sans compter, oubliant dans un activisme incessant ses doutes et ses interrogations sur le sens de sa vie, le sens de la course vers le toujours plus, sur sa situation de dépendance à l'entreprise. Celle-ci lui propose sans cesse de nouveaux objectifs, de nouveaux défis, de

nouvelles formes de reconnaissance de ses mérites. Elle canalise son agressivité dans un challenge permanent. Le doute, qui
pourrait conduire à l'angoisse ou à la dépression, est
constamment endigué par les principes de management et le
projet d'entreprise qui affirment le bien-fondé des objectifs de
l'organisation. Pour que l'individu adhère et se projette dans
l'idéal collectif qui lui est proposé, il faut que cet idéal soit
investi par l'ensemble des membres de l'organisation. Il y a là
un *contrat narcissique*[6], par lequel un sujet investit sa libido
narcissique dans un ensemble dont il devient partie prenante
et qui lui offre reconnaissance et idéalisation.

Ce contrat narcissique a comme signataires l'individu et
l'entreprise. Il offre à l'individu un repérage identificatoire
valorisant, apportant une légitimité extérieure au développement narcissique et à l'exaltation du Moi. Il garantit à l'organisation un attachement et un investissement d'autant plus
forts que le sujet puise de plus grandes satisfactions dans le jeu
de miroir qu'elle lui renvoie.

Tant que l'entreprise a besoin de l'individu, et que celui-ci
répond comme elle le souhaite, les dispositifs organisationnels
alimentent le fonctionnement du système et les deux parties
sont satisfaites. Si l'un des éléments du système – le plus
souvent l'individu, puisqu'il est plus vulnérable – ne « colle »
plus étroitement à l'autre, l'équilibre est rompu, le « bouclage » ne produit plus ses effets de renforcement mutuel. C'est
le cas lors d'un changement dévalorisant de fonction ou
lorsqu'une promotion attendue est donnée à un autre. Il se
produit alors une désillusion grave pouvant conduire à un
effondrement.

Ces cas de rupture sont fréquents. Bien souvent, le manager
va chercher à rétablir ailleurs les liens affectifs dont il a besoin
pour retrouver un système psychique organisationnel équivalent. Dans d'autres cas, l'individu ne parvient pas à « retirer
toute la libido des liens qui le retiennent à cet objet[7] ». C'est

6. P. Castoriadis-Aulagnier, *La Violence de l'interprétation*, Paris, PUF,
p. 182. Nous avons donné un exemple de ce processus dans le cas de Noémie,
développé au chapitre 8.
7. Expression de S. Freud à propos de l'investissement amoureux.

ainsi que d'anciens dirigeants d'entreprise, ou cadres supérieurs, d'une cinquantaine d'années, stupéfaits par un licenciement qui leur paraît aussi injustifié qu'inattendu, se retrouvent chômeurs, totalement incapables de trouver une réintégration professionnelle dans une autre entreprise, car il leur est impossible de se détacher de celle qui était devenue le centre de leur vie, sinon leur raison de vivre. Comme ce manager qui s'investissait dans son travail au point d'y passer, depuis quatre ans, de douze à quatorze heures par jour six jours sur sept, et qui se retrouve « sonné », hébété au point de ne pouvoir chercher un autre emploi pendant un an ; ou ce directeur de filiale de cinquante-deux ans, renvoyé à la suite d'un désaccord sur un transfert géographique de l'entreprise, qui attend toujours, six mois après son licenciement, que l'entreprise le rappelle, car elle va « tôt ou tard reconnaître son erreur ». En attendant, il retourne parfois y travailler gratuitement pour résoudre des difficultés que les dirigeants actuels ne savent pas traiter. Ces deux exemples montrent la force du contrat narcissique qui dure alors même que le contrat de travail est rompu. Le « fait divers » du cadre de Rank Xerox venant séquestrer son patron, huit ans après son licenciement, est venu illustrer tragiquement cette hypothèse.

Ce système psychique managérial est en place dans la majorité des entreprises que nous avons étudiées et produit ses effets sur la majorité des employés et des cadres. Dans les organisations plus traditionnelles, par contre, l'individu est continuellement confronté au décalage, et parfois à l'antagonisme entre son intérêt personnel et les intérêts de l'entreprise : il n'a pas le sentiment de travailler pour lui, mais d'être obligé de travailler et de se soumettre à des exigences qui lui sont extérieures. Dans le système managinaire, par contre, le manager n'a pas le sentiment d'une opposition entre son intérêt et celui de l'organisation. Bien au contraire : il travaille pour lui-même. Il est un *entrepreneur* ; il se vit comme étant son propre patron ; les exigences organisationnelles sont internalisées.

C'est pour cette raison que nous avons proposé le terme de système *managinaire* : les frontières entre l'interne et l'externe

269

deviennent fluides. Le management, comme ensemble de technologies organisationnelles, est assimilé par le manager, et, inversement, l'imaginaire du manager est mis en scène par l'organisation.

L'imaginaire se construit dans le travail qui amène l'enfant à se reconnaître dans l'image renvoyée par le miroir et simultanément à reconnaître l'image de l'autre, et donc à différencier image et réalité. Mais son image reste toujours plus ou moins captive des fantasmes que les parents et l'entourage projettent sur lui.

C'est ce processus qui est continuellement exacerbé dans le système managinaire. Le manager est dans une relation duelle, dans un face-à-face avec l'organisation qui lui renvoie une image d'excellence, de toute-puissance, de perfection, de jeunesse, d'éternité, de richesse, d'expansion, de performance... il est véritablement capté par cette image, dans laquelle, comme Narcisse, il risque de se fondre, de se perdre, de se noyer. Il ne fait plus très bien la limite entre le réel et l'image, entre le Moi et l'organisation, entre l'intérieur et l'extérieur.

Principales caractéristiques du système psychique managérial

Processus majeurs	Registre individuel	Registre organisationnel
Mettre les individus en tension sur le plan narcissique	• Contrat narcissique • Quête de l'absolu • Sentiment d'être le meilleur • Besoin de réussir • Peur de l'échec • Renforcement positif	• Grande sélectivité à l'embauche • Politique active de gratifications • Image de toute-puissance • Ambiance élitiste • Système de promotion/sélection individualisé • Fortes primes, salaires élevés
Utiliser les mécanismes de défense contre l'angoisse pour renforcer l'investissement dans le travail	• Activisme incessant pour lutter contre le risque de dépression • Crainte d'être mal jugé • Besoin de reconnaissance et de réassurance • Gratitude à l'égard de l'entreprise qui protège par sa puissance	• Pression du travail • Mobilité permanente et flexibilité des structures • Emplois du temps très chargés • Résolution des problèmes dans l'urgence • Forts avantages et prise en charge de l'extra-professionnel • Survalorisation de l'action
Canaliser l'énergie libidinale sur des objectifs productifs	• Culpabilité de ne pouvoir en faire assez • Plaisir de la conquête et du challenge • Goût des problèmes complexes • Valorisation de l'agressivité : « être un battant » • Pression du travail comme drogue	• Gestion paradoxante • Possibilité de promotions rapides • Mise en concurrence en interne et externe • Logique du gagnant/gagnant et exigence du toujours plus • Domination des exigences commerciales • Management par objectifs
Produire et encourager l'adhésion	• Captation de l'Idéal du moi par les idéaux organisationnels • Encouragement et canalisation du besoin de croire • Intériorisation des valeurs • Moi idéal organisationnel	• Qualité totale • Excellence • Image de perfection • Culture d'entreprise • Politique de formation • Manuels de management proposant des valeurs et une éthique
Favoriser l'identification et la prise en charge psychologique des exigences de l'entreprise	• « Je travaille pour moi » • Autonomie : « Je suis mon propre patron » • Intériorisation des objectifs fixés par l'entreprise	• Entretien de carrière • Individualisation des performances • Autonomie dans l'organisation du travail • Direction par objectifs • Auto-actionnariat

SIXIÈME PARTIE

L'excellence française : quelle alternative ?

Le système managérial, que nous avons longuement décrit, n'est pas spécifique des entreprises d'origine américaine qui ont servi de support à ce livre. Il s'étend en fait de plus en plus largement, et les systèmes de management français, qui s'inscrivaient pourtant dans un contexte et une culture fort différents, en portent de plus en plus la marque. S'il en est ainsi, c'est tout simplement que ce système est générateur d'une remarquable efficacité en matière économique et qu'en adopter les dispositifs, c'est tenter d'en reproduire les effets positifs.

Si nous avons souligné certains de ses aspects négatifs et mis en lumière les dysfonctionnements humains ou les souffrances qu'il peut engendrer, ce n'est pas, bien sûr, pour faire l'apologie des systèmes autoritaires et tayloriens qui l'ont précédé ni pour condamner, sur un plan économique, la recherche de la qualité et les extraordinaires progrès qui ont ainsi été rendus possibles. Il ne s'agit pas non plus, bien sûr, d'ignorer le contexte hyperconcurrentiel dans lequel s'inscrit ce système et les impératifs de survie économique qui le rendent nécessaire.

Par contre, c'est en décortiquant de façon précise et approfondie le ressort du mode de fonctionnement psychique requis par ce nouveau mode de management que l'on pourra mieux cerner dans quelle mesure on peut, en quelque sorte, « rectifier le tir » ou tenter d'ajuster la distance entre l'individu et l'entreprise, afin que logique individuelle et logique organisationnelle se rencontrent et s'emboîtent au mieux des intérêts de chacun et sans que la seconde finisse par dévorer la première.

Dans cette dernière partie, nous essaierons donc tout d'abord de situer les entreprises françaises par rapport à cette quête d'excellence, de voir en quoi elles sont tributaires de ce modèle et en quoi elles s'en écartent, puis nous examinerons toutes les conséquences de la « logique de guerre » économique qui sous-tend le modèle, avant d'essayer d'esquisser quelques pistes de réflexion pour en contrecarrer les effets négatifs.

CHAPITRE 12

L'excellence à la française

Pour situer de quelle manière les entreprises françaises ont abordé la recherche de l'excellence, il nous faut resituer le management français dans un contexte plus large : celui du management latin, que nous opposerons au management anglo-saxon et au management japonais.

Le management latin et le modèle du « franc-tireur »[1]

Plusieurs auteurs ont cherché à discerner, dans les spécificités culturelles de plusieurs pays, l'origine des différences observées dans les méthodes et pratiques de management, et surtout les raisons des performances plus accentuées de tel ou tel pays... Ainsi, le modèle japonais, par ses extraordinaires performances, a fasciné bon nombre d'observateurs qui ont tenté d'en expliquer le succès en remontant dans l'histoire du Japon et l'esprit des doctrines qui ont imprégné sa culture.

Pour bien comprendre la spécificité de l'organisation et du management latins et, à travers eux, du modèle français de management, il est intéressant de les opposer, comme l'a fait Bernard Nadoulek[2], à deux autres conceptions de l'organi-

1. Selon l'expression de Bernard Nadoulek.
2. B. Nadoulek, *L'Intelligence stratégique*, étude CPE n° 100, Centre de prospective et d'évaluation, avec le parrainage des ministères de l'Industrie, des P et T et du Tourisme, et du ministère de la Recherche et de l'Enseignement supérieur.

sation : la conception anglo-saxonne et la conception asiatique.

La conception anglo-saxonne, selon Nadoulek, consiste à considérer une entreprise « comme un univers d'organisation rationnelle du travail où demeurent des îlots d'irrationalité qui doivent être progressivement éliminés pour accroître les performances et la compétitivité ». Les courants de pensée très divers qui imprègnent le modèle anglo-saxon – depuis les mythes guerriers germains jusqu'au libéralisme, au protestantisme et au darwinisme – auraient tous en commun « une philosophie de la liberté et de la vérité liée à la lutte, à la recherche de la victoire à tout prix et au mépris du vaincu [3] ». Chez les Germains, en effet, seuls les vainqueurs allaient au paradis... Dans la conception anglo-saxonne, il y aurait ainsi une conception de *la* vérité, une distinction entre les bons et les méchants, les *winners* et les *losers*, dont on voit d'ailleurs encore toute la prégnance dans les positions adoptées et les discours tenus durant la guerre du Golfe.

La conception asiatique, selon Nadoulek, baigne dans un modèle culturel dans lequel la notion de karma, de destin, joue un rôle important et modèle le comportement : il s'agit de l'idée selon laquelle tout relève de la responsabilité personnelle, tout sera compté à chacun, ses bonnes actions aussi bien que ses fautes. Cette conception s'incarne dans un modèle plus centré sur le devoir que sur le droit. L'entreprise, dans cette perspective, est considérée comme un mélange de rationalité et d'irrationalité, un milieu dans lequel les forces positives et les forces négatives – le yin et le yang – s'interpénètrent et dans lequel ordre et chaos doivent coexister pour que l'innovation subsiste. La conception asiatique a intégré l'idée selon laquelle une extrême organisation produit des entreprises incapables de s'adapter, tandis qu'une extrême désorganisation produit des entreprises incapables de survivre.

En contraste avec ces deux conceptions, la façon dont Nadoulek décrit la conception latine de l'organisation et, en son sein, le modèle de management « à la française » constitue

---

3. B. Nadoulek, « Pour un management latin, enfin ! », *Challenges*, n° 19.

son apport le plus intéressant. Dans ce modèle latin, l'ordre et le désordre constituent, selon lui, deux sphères qui coexistent avec, pour chacune, leur cortège de règles écrites et non écrites : « C'est la capacité de passer de l'ordre au désordre, de la loi écrite à la loi non écrite qui caractérise la marge de manœuvre de l'acteur. C'est ce qui lui permet d'innover, d'improviser, d'acquérir une individualité plus forte, dans une relation ambiguë au pouvoir que l'on abhorre et que l'on vénère en même temps. »

On trouve, selon Nadoulek, les racines historiques et culturelles de ce modèle dans la superposition originelle des pouvoirs de l'Église et de l'État depuis l'Empire romain. Ballottée dans le jeu contradictoire de ces deux pôles, la rationalité du système ne pourrait plus dès lors se retrouver qu'à travers la logique de l'acteur. Dans ce contexte, conclut Nadoulek, « le Français vit très bien entre l'ordre et le désordre, il maintient la séparation entre les deux dimensions et excelle dans le passage de l'une à l'autre ». D'où, d'ailleurs, une attitude duplice face au pouvoir dont il respecte l'idée, tout en s'efforçant d'en transgresser et d'en détourner les règles, et qui semble héritée du « rapport passionnel que le Français entretient avec l'État, qu'il abomine et respecte à la fois », et qu'il critique tout autant qu'il le vénère.

Nadoulek a résumé sous le concept du « franc-tireur » le comportement type du manager français. L'esprit franc-tireur relèverait, selon lui, d'un paradoxe consistant à interpréter comme des forces toutes les caractéristiques françaises passant pour des faiblesses dans le domaine de l'économie, à savoir « l'individualisme, la duplicité, l'incapacité à s'organiser rationnellement, le dilettantisme, le manque de continuité dans l'effort et l'organisation, le "bordel", le système D, l'improvisation ». En effet, ces caractéristiques, que l'on peut considérer comme des failles, semblent simultanément inséparables de qualités telles que la créativité, le talent et ce que Nadoulek appelle le « panache à la française », bien illustré par le modèle de Cyrano de Bergerac, et que l'on pourrait d'ailleurs rapprocher de ce que Philippe d'Iribarne avait intitulé la « logique de l'honneur [4] », spécifique, selon lui, du mode de fonctionnement interne des entreprises françaises. En bref, l'incapacité à l'organisation mais aussi le dilettantisme, dont nous taxent parfois nos partenaires ou nos voisins germaniques, seraient en fait la contrepartie et la condition des performances du modèle français, car ce n'est pas dans la conformité aux normes que surgissent la créativité, le génie et la découverte. « Pas de qualité [française] sans foutoir, pas de créativité sans système D, pas de génie sans chaos [5]. »

Par ce concept de franc-tireur, on voit ainsi se dessiner un ensemble de traits de caractère et un état d'esprit « généré par la culture française qui combine le doute de Descartes, le pari de Pascal et un fort enracinement imaginaire dans un passé de grandeur ». D'où un comportement marqué de réflexes frondeurs et ambivalents, où la raison vient tempérer le goût du panache, et le traditionalisme, celui de la critique. D'où, également, une aptitude étonnante à vivre et à naviguer au milieu des contradictions.

L'ensemble de ces traits de comportement dessine le portrait type du manager français, dont le principal défaut – la légèreté par rapport aux problèmes d'organisation – serait indissociable des qualités de créateur et d'improvisateur et dont l'individualisme, le sens du verbe critique, les qualités de synthèse, joints à sa logique irrationnelle, conduiraient parfois à faire le contraire de ce qu'il aurait décidé tout en le justifiant rationnellement. Rétif à la discipline anglo-saxonne, prompt à saisir les opportunités tout en sachant s'en justifier coûte que coûte, habile à « se glisser dans les failles de la machine », doué d'un « féroce esprit critique » et d'une « irrévérence gouailleuse » qui laisse une confortable marge de manœuvre avec la morale, le manager français franc-tireur dépeint par Nadoulek semble se situer aux antipodes du portrait plus « vertueux », imprégné de rationalité, de morale et de critique, que nous avons décrit plus haut et qui sous-tend une partie du modèle anglo-saxon. A la « logique de l'honneur » que nous rappelions tout à

4. P. d'Iribarne, *La Logique de l'honneur*, Paris, Éd. du Seuil, 1989.
5. B. Nadoulek, *L'Intelligence stratégique, op. cit.*

l'heure, et qui correspond à l'un des aspects du comportement français, Philippe d'Iribarne oppose d'ailleurs la « logique de la vertu », plus caractéristique d'une partie du modèle anglo-saxon... d'une partie seulement, car il existe un tout autre courant, dans le management américain notamment, qui s'embarrasse peu de considérations éthiques. Mais nous y reviendrons.

Dans ces conditions, on peut se demander de quelles façons le modèle managérial, avec son soubassement éthique, qu'il soit d'inspiration américaine ou japonaise, peut s'accommoder de la matrice culturelle latine et française et quels aspects il peut revêtir dans le contexte de l'Hexagone.

L'éthique des entreprises performantes

En soulignant la dimension éthique, nous touchons du doigt, semble-t-il, un aspect essentiel du problème. C'est en effet cette dimension éthique que l'on retrouve en dénominateur commun de la performance japonaise et de celle des entreprises américaines de pointe que nous avons longuement analysées dans cet ouvrage.

Les analyses les plus récentes menées sur les entreprises japonaises mettent en effet clairement l'accent sur le fait que le secret de leur réussite est à rechercher bien plus dans leurs fondements éthiques qu'à travers les techniques de management qu'elles s'efforcent de mettre en œuvre. Le miracle japonais s'ancrerait avant tout dans un comportement social, lui-même issu d'une certaine vision du monde productrice d'une éthique sociale. Plus précisément, c'est de la convergence entre cette dimension éthique et le contexte très concurrentiel de la société japonaise que naîtrait, en fait, le succès économique nippon.

Selon M. Hideyasu Nasu, *general manager* des relations publiques de la Sumitomo Corporation (400 000 salariés à travers le monde), rencontré par un groupe de managers français lors d'un séminaire itinérant au Japon[6], c'est en effet la concurrence acharnée existant dans la société japonaise, jointe au sens du devoir envers les autres, élément majeur de la mentalité japonaise, qui expliquerait la haute performance et la grande productivité des entreprises de ce pays. Concentrant sur une superficie six ou sept fois plus petite que la France une population deux fois plus nombreuse, la société japonaise connaît une concurrence entre individus et entreprises bien plus violente qu'en France. Avant de pouvoir envisager la concurrence internationale, explique M. Nasu, les entreprises sont engagées dans une lutte à mort dans les différentes branches à l'échelle nationale. Pour pouvoir survivre, elles sont donc obligées de rechercher la productivité la plus perfectionnée et la compétitivité maximale. Mais, ce qui permet au pays de ne pas sombrer dans une lutte fratricide, ce qui conditionne sa survie en tant qu'entité collective, c'est le très profond sens du devoir envers les autres dont chaque Japonais, habitué à cohabiter dans une superficie très étroite, est entraîné à faire preuve dès sa naissance. Ainsi, souligne Nasu, l'origine des mouvements des cercles de qualité ou de recherche du zéro défaut, partout présents dans l'entreprise, est à rechercher dans le sens acquis très tôt par chaque individu de ne pas porter préjudice aux autres par son inattention ou sa négligence, dans la nécessité où se trouve chacun de ne pas donner, avec de tels comportements, du travail inutile à ses voisins. Cette préoccupation implique « une tension psychologique pour ne pas démériter en tant que membre du groupe et donc des efforts pour éviter toute erreur[7] ».

Ce sens du devoir et cette attention portée aux autres, outre leur caractère d'impérieuse nécessité en termes de survie collective, s'inscrivent aussi dans l'histoire du peuple japonais, dans son héritage culturel et dans les normes éthiques qui en résultent. Très vite dans l'histoire du Japon s'installe en effet la primauté du groupe sur l'individu : les catastrophes naturelles – typhons ou tremblements de terre dont le pays est

6. H. Nasu, textes rassemblés par Hubert Landier et publiés dans les *Notes de conjoncture sociale*, n° 292, 1988.
7. H. Nasu, *op. cit.*

prodigue – nécessitent un effort collectif et réitéré de reconstructions et imposent la cohésion du groupe et le primat du consensus comme des impératifs de survie. Ces attitudes ont été renforcées par les diverses doctrines qui ont imprégné la culture japonaise et ont façonné et formalisé les normes collectives de comportement social que nous voyons en œuvre au Japon.

La première strate de ces doctrines est constituée par le shintoïsme, qui, contenant aussi un modèle du pouvoir impérial, met en avant les notions de fidélité et d'obéissance. Le second apport, celui du confucianisme, est tout à fait déterminant. Le point central de l'enseignement millénaire de Confucius réside en effet dans l'accent mis sur le *consensus* qui constitue véritablement une morale des relations sociales, où il s'agit de reconnaître la hiérarchie naturelle dans le *respect mutuel*, de *ne pas forcer*, de toujours chercher à *convaincre*, de cultiver l'*harmonie*, le *wa*, qui est le bien, par opposition au *conflit*, qui est le mal et source de honte. Enfin, le troisième courant, celui du bouddhisme, propage une philosophie du non-soi – l'homme n'est libre que s'il dépasse son moi –, met l'accent sur le dépassement de l'individu dans un idéal de justice et érige une sorte de philosophie consensuelle de l'organisation collective, prévoyant notamment la prise de décision à l'unanimité et la nécessité d'un très grand tact dans les rapports individuels.

On retrouve, dans l'héritage de ces trois doctrines, bien des valeurs et des traits de comportement qui imprègnent largement, aujourd'hui encore, les comportements et l'équilibre des rapports humains tels qu'on les discerne à l'intérieur des entreprises japonaises et qui expliquent, joints à la force motrice que constituent les impératifs de compétitivité dictés par les nécessités de survie, la force extraordinaire du modèle managérial japonais.

Si, avant de considérer le cas français, on revient un instant aux éléments communs à ces deux modèles de performance que constituent les entreprises japonaises et les entreprises américaines de pointe adeptes de l'excellence, on trouve essentiellement trois éléments. Tout d'abord, *la transcendance de la dimension individuelle* dans le projet collectif existe dans les deux cas, même si elle aboutit à un statut différent de la personne humaine dans les deux contextes : exaltation de la personne humaine, dans le cas américain, effacement de la personne au profit du groupe et du collectif, dans le cas japonais. On retrouve ensuite dans les deux cas *l'existence d'une force motrice.* Qu'il s'agisse d'une force motrice alimentée au départ par l'angoisse d'une survie physique (dans le cas japonais), ou d'une force motrice alimentée au départ par l'angoisse d'une survie éternelle, telle qu'on en trouve les traces dans l'éthique protestante imprégnant encore une partie de la culture américaine, dans les deux cas de figure, la logique concurrentielle de survie économique se trouve démultipliée. Enfin, *la force de l'éthique sous-jacente* est probablement, nous l'avons dit, ce qui contribue le plus au succès des deux modèles. Dans le cas américain, il faut souligner que cette imprégnation éthique est relativement récente dans le domaine du management et qu'elle s'oppose en tout cas aux principes en vigueur dans beaucoup d'entreprises américaines jusque dans les années soixante-dix, où le modèle de management s'alignait plutôt sur le principe *business is business*, dans lequel, peu ou prou, la fin justifie les moyens et où, par conséquent, tous les coups sont permis.

Le cas français

Les obstacles à la performance

Si l'on se penche à présent sur le cas des entreprises françaises, force est de constater qu'aucun des éléments que nous venons de dégager et qui donnent leur force aux modèles étudiés ne se trouve naturellement présent dans le contexte culturel français et, par conséquent, dans les modes de management qui s'y inscrivent.

M. Nasu, que nous citons plus haut, s'interrogeant sur la

moindre productivité des entreprises françaises, relève sur ce point deux éléments qui lui paraissent déterminants dans l'explication du phénomène : le premier concerne l'attitude française par rapport à la concurrence qui se situe, semble-t-il, à l'opposé de l'attitude japonaise. Selon lui, la France est un pays qui préfère atténuer la concurrence, et son gouvernement « se conduit à la manière d'un agent de la circulation qui dirigerait de manière rationnelle les différents circuits économiques en évitant toute concurrence et toutes frictions inutiles ». On retrouve d'ailleurs là un trait de comportement caractéristique des pays sous-tendus par une culture que Bollinger et Hofstede, dans leur étude sur *Les Différences Culturelles dans le management*[8], qualifient de « féminine » et qu'ils opposent aux pays à culture dite « masculine ». L'idée sous-jacente serait, en effet, que les pays à culture dite « féminine » (la France serait, selon cette étude, dans ce cas) privilégient la qualité de vie et la recherche de l'égalité par rapport au culte de la performance et à l'accent mis sur la réussite économique, qui caractérisent au contraire les pays à culture dite « masculine », dans lesquels on retrouve d'ailleurs les États-Unis et le Japon.

Quelle que soit la validité des appellations ainsi utilisées, critiquables par la stéréotypie des différences de comportement selon les sexes qu'elles véhiculent, le trait de comportement culturel relevé n'en est pas moins pertinent : la France semble spontanément moins sous-tendue que d'autres pays par le culte de la performance et par une logique concurrentielle à tout crin et plus réceptive, en revanche, à la recherche de la sécurité et à l'attention portée à la qualité de l'existence.

Mais il est un second élément qui, selon M. Nasu, constitue également un obstacle à la performance économique : il s'agit de l'individualisme très fort qui règne dans notre pays et qui nous conduit à respecter ceux qui suivent leur propre chemin sans se soucier de ce que pensent les voisins, cette attitude paraissant concrétiser le respect de la dignité individuelle telle qu'on la cultive dans notre pays. Que cette attitude individua-

8. Paris, les Éditions d'organisation, 1987.

liste soit à l'origine de la supériorité intellectuelle, ou à tout le moins du rayonnement de la culture française, est une chose possible, mais qu'elle soit convergente avec les impératifs économiques actuels constitue une tout autre question... et M. Nasu de conclure : « Quand il s'agit d'industrie et de production de masse, qui est de toute manière le résultat d'une activité d'équipe, en s'engageant dans cette activité, il faudrait abandonner temporairement cet individualisme si l'on veut obtenir des produits compétitifs et de qualité irréprochable », sans quoi il sera difficile de survivre dans la lutte économique.

Tel est, selon un œil japonais, la seconde contradiction de taille qui existe entre le contexte culturel français et la poursuite des hautes performances de l'entreprise.

Ce long détour par les spécificités culturelles qui expliquent les pratiques de management et conditionnent, semble-t-il, les performances économiques, est indispensable pour comprendre la situation particulière des entreprises françaises et le fait qu'elles se trouvent maintenant, de par l'intensification extrême et la mondialisation de la concurrence, de plus en plus conduites, pour des motifs de survie économique, à adopter bon nombre des dispositifs du modèle managérial que nous avons décrit. Mais il faut bien voir que la plupart de ces pratiques ne sont pas nées en France et qu'un certain nombre d'entre elles se surajoutent au modèle français sans constituer véritablement une émanation de sa culture profonde et des attitudes profondément ancrées dans l'esprit français : c'est tout à fait évident en ce qui concerne, par exemple, la dimension éthique, dont nous avons tant parlé et qui s'accommode mal avec le modèle français du franc-tireur, son ambivalence par rapport au pouvoir et sa distance avec la morale. C'est vrai également en ce qui concerne la recherche de la perfection, de l'excellence ou de la qualité totale, qui s'intègre si naturellement dans l'éthique protestante ou dans le concept asiatique spirituel du zen, et beaucoup moins aisément en France, où elle n'est supportée ni par une attitude spirituelle convergente ni par une capacité forte à s'organiser rationnellement.

Néanmoins, la performance conditionnant la survie, nécessité fait loi, et le modèle s'étend très largement dans les entreprises françaises, et même au-delà, dans la gestion des collectivités locales !

La communion identitaire et la logique concurrentielle

Le principe le plus aisément partagé est celui de la nécessité d'obtenir, dans l'entreprise, une communauté unie par une inspiration commune, riche de capacités d'enthousiasme et d'efficacité et capable par là même de mettre en œuvre de grands desseins. Innombrables sont donc les projets d'entreprise qui ont fleuri ces dernières années, tentant d'instaurer cet état d'esprit communautaire, apparemment contradictoire avec l'esprit individualiste et franc-tireur des Français. Les exemples pourraient en être multipliés. L'accent y est tantôt mis sur l'intégration par les valeurs communes – si chère au fondateur d'IBM, Thomas Watson –, tantôt sur la dimension morale, à l'instar des exemples américains ou japonais, tantôt sur l'esprit de compétition, qui constitue lui aussi l'un des piliers de la recherche de performance.

Ainsi, dans les *Principes d'action* de Lafarge Coppée, on peut lire que « le système de valeurs est [...] une sorte de code moral, une charte personnelle que nous devons à notre éducation, à notre milieu, à notre expérience vécue. Il reflète nos convictions profondes. Il est donc bien ancré en nous et ne saurait être aisément modifié[9] ».

Chez Accor, on a opposé au « gouvernement par les règles et les directives », caractéristique du management traditionnel, le gouvernement « par les buts et les valeurs », qui constitue une nouvelle forme de management, beaucoup plus exigeante, car elle « ne supporte pas un fort décalage entre ce qui est prôné par le responsable et la réalité de son comportement ».

9. Lafarge Coppée, *Principes d'action*, 1983.

Dans ce nouveau mode de management, « la légitimité de celui qui prétend à diriger repose également bien davantage sur sa capacité à avoir une vision positive du monde, à être porteur d'un projet d'avenir crédible, à savoir le communiquer, le faire partager »[10]. Dans le projet Accor, on insiste sur la communauté de buts et de valeurs, nécessaire pour gagner les défis, et sur ce qu'Accor veut faire et être : « Nous vivons l'entreprise et la concurrence mondiale comme un défi, un jeu, un sport, et nous voulons gagner [...]. Le sens de la vie dans l'entreprise, c'est de croître, d'entreprendre, d'innover, de relever des défis difficiles, pour tous et à tous les niveaux, sans jamais céder sur la qualité[11]. »

On insiste en effet beaucoup sur les valeurs porteuses de dynamisme : ainsi, chez Matra et Moët Hennessy, où l'on prône l'esprit de décision, l'esprit d'initiative, la prise de risques et la capacité à relever des challenges[12]. L'intégration des impératifs concurrentiels est également très présente dans nombre d'entreprises. Ainsi, les responsables de Bolloré-Technologie considèrent qu'il faut toujours avoir « un pas d'avance sur les concurrents », et le président de L'Air liquide souligne, quant à lui, que « la fuite en avant technologique est nécessaire lorsqu'on est leader[13] ».

Dans son rapport 1987, le groupe Bouygues, quant à lui, avait présenté en ces termes le résultat d'une grande enquête lancée auprès des employés : « Aujourd'hui, comme les grands groupes américains et japonais, les industries d'avant-garde appuient leur réussite sur un attachement de tous les collaborateurs à des "valeurs d'entreprise", communauté de pensée nécessaire au développement de synergies constructives. La stratégie de Bouygues, pionnier français de la culture d'entreprise, s'appuie sur un état d'esprit commun à l'ensemble des

---

10. Pierre Pointu, « La complexité pousse à la révolution », *Revue des anciens élèves de l'École centrale*, mars 1986, cité *in* J.-P. Pages, D. Turcq, M. Bailly, G. Foldès, *La Recherche de l'excellence en France*, Paris, Dunod, 1987.
11. Cf. *La Recherche de l'excellence en France, op. cit.*
12. Cité dans *La Recherche de l'excellence en France, op. cit.*
13. Cité dans *La Recherche de l'excellence en France, op. cit.*

structures du groupe [...]. Pour être efficace, cette stratégie doit être connue et acceptée par tous, quels que soient le niveau hiérarchique ou l'éloignement géographique du collaborateur[14]. » La bible interne du groupe semble, dans sa forme et son contenu, calquée sur le même principe que les bibles des entreprises d'origine américaine que nous avons commentées précédemment. Le document s'intitule *Notre état d'esprit, fondement de notre dynamique* et met en avant les mêmes valeurs : primauté donnée aux hommes « tout en reconnaissant l'identité de chacun », dynamique de l'esprit d'équipe, goût des challenges difficiles, « parce qu'ils nous fécondent et nous font progresser », volonté d'être au service des clients et, bien sûr, recherche et goût de l'excellence : « Nous forgeons notre capacité d'excellence par la rigueur de nos méthodes, notre souci de la qualité et notre professionnalisme. »

L'état d'esprit Bouygues se décline partout par le biais du logo – symbole de couleur minium que l'on retrouve sur tous les outils de l'entreprise (casques, matériels de chantier), de même que sous forme d'insigne, librement porté à la boutonnière par les collaborateurs qui le souhaitent, à l'image de leur président. Il est conforté également par l'existence d'un ordre d'élite, l'ordre des compagnons du Minorange, qui rassemble l'élite des personnels de chantier qui, par leur comportement, ont fait rayonner les valeurs de l'entreprise – professionnalisme, goût du travail bien fait, recherche de l'excellence – et exercent sur les chantiers un rôle d'exemple par leur savoir-faire professionnel, de même que par leurs qualités morales et leur sens de la fraternité. L'état d'esprit Bouygues est également entretenu par le magazine intérieur *Le Minorange*, qui exprime largement les valeurs de l'entreprise et diffuse l'esprit d'une « communauté combattante », ainsi que par les modes de recrutement qui valorisent les profils « battants », ceux qui ont une forte capacité à adhérer à la philosophie de l'entreprise, ou par les discours de Francis Bouygues qui mettent en

---

14. Cité dans le *Dossier de culture Bouygues*, recueil d'articles constitué par J. Boudeville. Document interne ESCP.

avant les valeurs d'inventivité, de combativité et le goût de la réussite.

Si elle présente ainsi toute la panoplie et toute l'efficacité des entreprises superperformantes (concrétisées par son nouveau site au nom américain, Challenger), Bouygues n'en est pas moins une entreprise profondément française qui s'inscrit avant tout dans une solide tradition française du travail bien fait et du compagnonnage. Les valeurs qu'elle met en avant et son mode de fonctionnement interne ne portent pas la marque de l'austérité puritaine ni de la logique de système que nous avons pu relever dans certaines entreprises américaines, mais bien plutôt celle, joviale mais autoritaire, de son fondateur – « Francis » pour ses collaborateurs –, dont la présence imprègne toute l'entreprise.

On voit poindre là l'une des caractéristiques qui distinguent encore les entreprises françaises des entreprises hypermodernes et « abstractisées » que nous avons décrites dans cet ouvrage : la présence des chefs y est toujours bien réelle et ne semble pas s'être effacée derrière la relation privilégiée, voire passionnelle, avec l'entreprise en tant qu'entité abstraite que l'on rencontre souvent dans les organisations que nous avons étudiées et où prévaut la dimension du système face à l'interchangeabilité des chefs.

Cette différence n'empêche d'ailleurs pas les mécanismes d'identification de fonctionner de la même façon et de provoquer, quand le « collage » est trop fort, les mêmes déboires. Ainsi, dans nombre de cas français, ce n'est pas tant au modèle idéal prôné par l'entreprise que l'on cherche à s'identifier, ce n'est pas tant par l'idéal organisationnel que l'on est capté, c'est au chef, au leader charismatique que l'on cherche à ressembler, c'est de lui qu'on souhaite obtenir l'amour ou les faveurs. Mais le processus de captation, qu'il soit opéré par une personne ou par une entité, fonctionne de façon semblable à celle qui a été évoquée précédemment, et la gestion du détachement y est tout aussi douloureuse quand l'implication a été trop forte et la dépendance à l'objet (chef ou organisation) mal maîtrisée.

Ainsi, soulignant le culte que la personnalité de « Francis » suscite au sein du groupe Bouygues, un manager observe avec humour : « Dans cette entreprise, on passe directement de l'état solide à l'état gazeux, il n'y a pas d'état liquide... Alors, quand un type, un collaborateur a été porté aux nues comme ça, qu'il a cru que c'était arrivé et que ce n'est pas le cas, qu'on se détourne de lui parce qu'il n'est pas aussi bien finalement que ce qu'on croyait, pouf ! il éclate comme une bulle et on le retrouve par terre. On le regarde et on se dit alors : "Tiens, finalement, il n'était pas si solide que ça !" » Le même phénomène est rapporté, vu du côté du dirigeant, par Bernard Arnault, P-DG de LVMH, interviewé par Michelle Charrey et Marie-Paule Michel : « Ça m'est arrivé de me tromper sur des personnes et c'est quand même très gênant, des gens à qui vous faites confiance, et finalement, vous les avez un peu trop bien considérés. C'est très décevant[15]. » La surestimation opérée ressemble au coup de foudre qui s'éteint et les qualités qui avaient enchanté apparaissent soudain dérisoires. « A être un de ces employés-là, on se sent le plus intelligent du monde. C'est extraordinairement valorisant – passagèrement – mais un piège terrible : à la moindre anicroche, l'idéalisation retombera comme un soufflé trop cuit et ce sera fini... L'éclat de la passion projetée rendait l'autre aimable. Ce projecteur éteint, il n'est plus qu'une ombre[16]. »

Les démarches qualité totale : l'extension du modèle

Si les premières mises en place des cercles de qualité remontent au début des années quatre-vingt (citons notamment Lesieur et Solmer) et se sont rapidement étendues, les démarches complètes de recherche de la qualité totale – avec constitution de groupes d'amélioration de la qualité et de comités de pilotage, formation de l'encadrement supérieur, mise en place

15. M. Charrey, M.-P. Michel, *Le Golden Stress*, Paris, Dunod, 1990.
16. M. Charrey, M.-P. Michel, *op. cit.*, p. 76.

de mesures de satisfaction et de systèmes d'assurance-qualité – sont un peu plus tardives. Bull, qui a mis en place un tel processus dès 1983, fait figure de pionnier sur ce point, suivi par plusieurs entreprises, parmi lesquelles on peut citer Saint-Gobain, Renault, la Caisse des dépôts et consignations, l'Aérospatiale, Sollac [17] et bien d'autres. A partir de 1987, au vu de premiers bilans, le mouvement s'est généralisé, et, actuellement, plusieurs centaines d'entreprises françaises semblent réellement engagées dans un processus bien structuré.

Ces démarches sont trop bien connues pour que nous les développions ici longuement. Soulignons simplement que la logique de la performance cède peu à peu la place à celle de l'excellence et que les exigences d'excellence ne se situent plus seulement sur le registre professionnel, mais gagnent peu à peu la sphère privée et personnelle. D'où le fait que la mise en application de ces démarches, quelque positive qu'elle soit sur le plan économique comme sur le plan de la participation et de l'implication des salariés, n'est pas exempte des effets secondaires que nous avons déjà analysés. Ainsi, des enquêtes internes menées par plusieurs des entreprises ayant mis en place de tels processus et s'efforçant de promouvoir une culture de l'initiative permanente font apparaître parfois, du côté des salariés, un effet d'usure, une résistance à fonctionner toujours sur un « rythme d'enfer », à devoir assumer la gestion de plans d'action qui se succèdent sans trêve, le nouveau plan à mettre en place survenant alors qu'on est encore débordé par les implications et la gestion de celui qui précédait.

La logique du toujours plus y est aussi dénoncée : « Plus on gagne, plus il faut rapporter ; c'est un cercle vicieux. » Dans le contexte de « révolution permanente » mis en place dans certaines entreprises, les employés, parfois, ont du mal à faire surface et déplorent la « gestion par la pression » ou le « feu d'artifice permanent » auquel ils sont confrontés et dont ils regrettent les incidences en termes de désorganisation, de dispersion et d'anxiété suscitée.

17. Sollac correspond à la branche « produits plats » d'Usinor-Sacilor.

Cette traque de la performance et de la qualité paraît néanmoins suffisamment bénéfique et indispensable pour déborder le cadre initial qui l'avait vu naître. Le modèle de l'entreprise de pointe s'étend maintenant au secteur qui lui était, au départ, le plus étranger : celui de l'administration. L'autonomie financière ayant été dévolue aux institutions locales par la loi de décentralisation, les maires sont devenus dans nombre de cas des chefs d'entreprise qui s'efforcent d'optimiser leur gestion pour satisfaire leurs clients-administrés, soucieux de la qualité de leur vie : « Nous utilisons les méthodes du privé pour rendre nos services aussi efficaces que possible », confie le secrétaire général adjoint de la ville de Reims, interrogé par *Le Nouvel Observateur*. Les projets d'entreprise et les cercles de qualité font leur apparition dans les administrations communales, de même que, dans certains cas, la rémunération au mérite ! Ainsi, la municipalité de Sceaux a instauré ce type de rémunération par rapport à des objectifs fixés pour chaque service [18].

A l'image des grandes écoles formant les futurs cadres des entreprises performantes, un Institut des managers du développement local vient de s'ouvrir pour former les supermanagers de collectivités. « Dans notre secteur, explique son directeur, on ne navigue plus au pif. Les villes sont soumises à la compétition mondiale comme des entreprises. On observe un foisonnement d'initiatives et l'apparition de métiers à la frange du public et du privé [19]. »

L'éthique fait aussi son apparition dans ce contexte : ainsi Territoria, association de fonctionnaires soucieux de promouvoir l'éthique de ses professions, a décidé de décerner un prix au meilleur projet de gestion locale et a inscrit en bonne place dans ses attributions la mission de « vendre la passion du service public » et de promouvoir l'innovation dans l'administration [20].

18. P. Fauconnier, « Les supermanagers des mairies », *Le Nouvel Observateur*, septembre 1990.
19. Cité par P. Fauconnier, *art. cit.*
20. Cité par P. Fauconnier, *art. cit.*

Les « golden managers »

Devant cette généralisation du modèle, on peut dès lors se demander comment s'actualise, dans le contexte français, le modèle de l'homme managérial que nous avons esquissé au chapitre VII. Il semble en fait que deux modèles se superposent, illustratifs dans leur contradiction aussi bien des enjeux, sur le plan de la vie personnelle, de cette mutation managériale que du mode de fonctionnement psychique qu'elle requiert et qu'elle implique.

Le premier modèle est celui d'une partie des « supercadres » qui travaillent dans les entreprises nouveau style que nous avons décrites. La caractéristique essentielle de ce modèle semble être précisément la volonté qui paraît les animer de préserver la distance entre eux et l'entreprise, et de ne pas y sacrifier leur vie personnelle. L'enquête menée en novembre 1990 par le cabinet Hay Management pour l'hebdomadaire *Le Point* [21], dessine ainsi le profil socioculturel et psychologique des nouveaux cadres dont les aspirations et les comportements s'inscrivent, semble-t-il, aux antipodes du modèle des *yuppies* et des *golden boys*.

Pour ces nouveaux cadres, construire leur vie de famille paraît devenir la priorité. « Le modèle du jeune cadre dynamique a du plomb dans l'aile. Sacrifier son couple, sa cellule familiale n'est plus de mise. Car ceux qui ont fait partie de la génération des années soixante en ont trop souffert : divorces, pères rentrant très tard le soir, infarctus... Aujourd'hui, les cadres savent préserver des plages de temps », explique un chasseur de têtes cité dans l'article du *Point*. « De plus en plus de gens cherchent à concilier épanouissement professionnel et équilibre de la vie privée... Trop d'entre eux, par le passé, se sont sentis un jour lâchés par leur entreprise pour tout lui sacrifier », explique, toujours dans la même enquête, la responsable du Club carrières de l'école supérieure de commerce de Lyon.

21. « Supercadres, enquête sur les cols rayés », n° 949, novembre 1990.

En bref, le supercadre dont cette enquête nous révèle les aspirations est un homme libre : « La crise des années soixante-dix lui a enseigné très tôt la précarité de la chose économique et l'a rendu méfiant. Il ne cherche pas forcément la sécurité de l'emploi à laquelle il ne croit guère. Au contraire, il s'efforce d'être multicompétent, souple et adaptable, afin de parer tous les mauvais coups du sort. Son deuxième trait de caractère est donc l'indépendance, ce côté franc-tireur qui lui permet de claquer la porte de son entreprise si sa fonction ou son patron venait à lui déplaire [22]. » « On est attaché à l'entreprise, résume un directeur du personnel cité dans l'enquête, mais on sait à tout moment qu'elle peut nous laisser sur le côté de la route. » D'où une relation plus distanciée à l'entreprise et une volonté nettement affichée de préserver temps libre et vie privée : « En semaine, disent-ils, nous sommes taillables et corvéables à merci, mais ne touchez pas à notre week-end. » Car, durant le week-end, explique l'enquête, « le col rayé commence une autre vie [et] peut enfin se laisser aller dans la douceur du foyer. Cocooner invétéré, sa deuxième vie est tout entière centrée sur la famille ».

Ce portrait type paraît donc révélateur d'une prise de conscience du coût élevé que représente le culte de la performance et d'un désir de se préserver d'une emprise professionnelle trop forte. Reste à savoir si les aspirations à l'équilibre dont il fait état ne resteront pas, en fait, un vœu pieux que les exigences de l'économie concurrentielle auront tôt fait de remettre au pas. A lire l'avis de certains experts sur ce qui attend l'Europe de l'an 2000, ce modèle ne paraît en effet guère compatible avec l'éthique du travail qu'il leur paraît urgent de mettre en place et dans laquelle ils prônent une attitude exactement contraire à celle qui vient d'être décrite.

Ainsi, pour J.P. Lehmann [23], l'Europe ne pourra augmenter sa compétitivité globale face aux règles morales victoriennes ou confucéennes des Asiatiques qu'en instaurant une révolu-

22. *Le Point*, n° 949, novembre 1990.
23. J.-P. Lehmann est directeur associé du Centre pour la recherche industrielle japonaise et comparative au Collège impérial et professeur visitant à l'INSEAD.

tion culturelle dans les entreprises et un changement radical des critères habituels de travail.

Il s'agit en fait de mettre en place une nouvelle éthique du travail qui doit être pratiquée depuis le sommet jusqu'au bas de la hiérarchie. Quant à la vie personnelle, elle est, dans cette perspective, tout à fait subordonnée à la vie professionnelle : « L'encadrement à tous les niveaux, à commencer par le sommet, doit publiquement *renoncer à la moitié au moins des congés auxquels il a droit*[24]. Le fait que beaucoup de cadres ne prennent pas la totalité des congés qui leur reviennent n'est pas l'essentiel. Ils doivent être *vus au travail*[25] pendant des périodes où des congés leur avaient être attribués. Le but recherché n'est pas d'aller vers des normes aussi extrêmes que celles des Japonais ou des Coréens, mais vers la norme intermédiaire des Américains qui considèrent, en général, qu'une quinzaine de jours est un maximum acceptable... Les cadres devraient être, et être vus, sur les lieux de travail au moins de 8 à 18 heures ; de plus, les horaires de travail des cadres devraient comporter *au moins une demi-journée le samedi*[26] [...]. Les arguments à propos du "temps à consacrer à la famille" ne sont pas valables ; on peut encore lui consacrer un très bon samedi après-midi et le dimanche... La journée de travail de dix heures devrait avoir, autant que possible, le travail pour objectif et ne pas être interrompue par un déjeuner excessivement long. La norme devrait se situer entre une demi-heure et quarante-cinq minutes[27]. » Ainsi, selon Lehmann, seul le rétablissement d'une véritable éthique du travail renversera la marche de l'Europe vers un déclin, sinon irréversible, du niveau des innovations technologiques et de la productivité.

Il est clair que l'esprit qui sous-tend cette éthique du travail, seule capable apparemment de sauver l'Europe d'une mise en coupe réglée par ses concurrents, ne s'accorde pas vraiment avec les aspirations plus individualistes de la nou-

24. C'est nous qui soulignons.
25. C'est nous qui soulignons.
26. C'est nous qui soulignons.
27. J.-P. Lehmann, « Les dix commandements des cadres de l'an 2000 », *Notes de conjoncture sociale*, n° 292, mai 1988.

velle génération de cadres, telles qu'elles apparaissaient dans l'enquête du *Point* citée plus haut. Il semble par contre tout à fait en accord avec la façon dont paraissent fonctionner les patrons « branchés », les *golden managers* et autres champions de la réussite – Gilbert Trigano (Club Méditerranée), Bernard Arnault (LVMH), François Dalle (L'Oréal), Édouard Leclerc (Centres Leclerc), Paul Dubrule (Accor), Jean-Louis Beffa (Saint-Gobain) et quelques autres – interviewés par Michelle Charrey et Marie-Paule Michel, dans leur étude sur le « golden stress », et qui correspondent assez bien à la version française de l'homme managérial dont nous esquissions plus haut le portrait. Bien sûr, la population concernée par ce second modèle n'est pas exactement la même que celle du premier. Notre premier modèle, que l'enquête du *Point* avait mis en évidence, concernait des cadres de haut niveau, fortement diplômés et exerçant des fonctions élevées dans des entreprises de pointe. Le second modèle est en quelque sorte celui de leurs patrons, de ceux qui ont construit ou qui animent et dirigent les entreprises dans lesquelles travaillent les premiers.

Le moteur du fonctionnement de ces golden managers à qui tout réussit, leur « carburant » pourrait-on dire, ce sont – les auteurs du *Golden Stress* le montrent bien – le stress et l'angoisse : « Le stress et l'hyperactivité sont leur bain de jouvence et non source de désastre comme chez le commun des mortels. » Et les auteurs de se demander s'il existerait un « stress du troisième type composé de cet ensemble angoisse-insatisfaction-fantasmes de toute-puissance capable d'engendrer une hyperactivité constructive, faisant abstraction des conséquences néfastes pour d'autres et les maintenant en marche... un "golden stress" en fin de compte extrêmement profitable [28] ». L'angoisse et l'anxiété, nous l'avons déjà dit, font en effet partie de ce mécanisme complexe, et les auteurs citent pour illustrer ce point François Dalle, P-DG de L'Oréal, s'exprimant en avril 1989 à la Cité de la réussite organisée à la Sorbonne : « Malgré le désespoir, il faut toujours continuer :

28. *Le Golden Stress, op. cit.*, p. 49.

il faut vivre avec l'anxiété. Il faut la conduire, *c'est elle qui est motrice et non pas désespérante.* »

Les comportements que tous ces golden managers ont en effet en commun – besoin irrépressible de travailler, tension permanente, capacité à ne pas dormir, insatisfaction constante qui les pousse à vouloir toujours plus et à aller toujours plus loin – sont bien en effet le symptôme de la présence sous-jacente d'une considérable angoisse qui constitue chez ces grands dirigeants le moteur d'un succès exceptionnel.

Les auteurs du *Golden Stress* soulignent avec humour l'incapacité de ces dirigeants de vivre et se détendre comme les autres, leur appréhension devant l'arrivée de la nuit parce que « c'est improductif, j'ai besoin de "faire" tout le temps [29] », le manque d'enthousiasme devant l'arrivée des vacances – « elles ne me sont *pas absolument* insupportables », dit l'un d'entre eux –, et l'impossibilité de la détente. A regarder en arrière, écrivent les auteurs, « ils voient bien que la tension a toujours été là, à les tarauder sans relâche depuis le début. Et qu'ils ont en quelque sorte soigné le mal par le mal : au lieu de rechercher la détente, ils en ont toujours rajouté et fait plus. C'est cette tension qui leur fait bourrer à craquer ces emplois du temps démentiels [...] qui sont les leurs [...]. Chez eux, aucune nostalgie du paradis perdu de la détente. Au contraire : s'endormir, c'est mourir un peu. Car l'immobilisme, c'est la mort. C'est aussi la non-productivité, l'abandon de l'hypervigilance et du poste de commande : l'abandon tout court ». Leur activité incessante est en fait un « défi à la mort », parce que « l'immobilisme, c'est la mort » [30].

On voit bien que ces deux modèles que nous avons décrits ne correspondent pas en fait au même profil psychologique et que la carrière exceptionnelle des seconds s'explique précisément par cette composante un peu particulière de leur personnalité et, probablement, de leur histoire personnelle qui les pousse à agir, bâtir, travailler sans trêve et à transformer tout ce qu'ils touchent en réussite. Reste à savoir si cette façon

29. *Le Golden Stress, op. cit.*, p. 15.
30. *Le Golden Stress, op. cit.*, p. 17 et 18.

d'être, cette pulsion au travail – qui semble innée chez eux – ne deviendra pas en quelque sorte, dans un contexte plus impératif de survie économique face à la concurrence étrangère, une nécessité, presque une norme de comportement et ne devra donc pas, à défaut d'avoir été trouvée au berceau, être *produite* par l'organisation et inculquée dans les comportements... Mais nous sommes là dans l'anticipation et dans la conjecture...

BSN : la performance à la française

Nous voudrions terminer ce chapitre par l'exemple de l'un des plus beaux fleurons de la réussite française : celui de BSN et de son P-DG, Antoine Riboud.

La réussite de BSN (le groupe est passé de 300 millions de francs de chiffre d'affaires en 1966 à 70 milliards aujourd'hui) et la qualité de son image dans le monde des affaires aussi bien que dans le grand public sont trop bien connues pour qu'on s'y attarde longuement. La qualité de ses dirigeants (et le charisme de son P-DG), celle de la stratégie du groupe – modèle du genre –, sa capacité d'innovation, la qualité de ses produits et services tout autant que ses performances financières sont bien évidemment à l'origine de cette réussite. Mais, s'il ne devait être spécifié qu'un domaine d'excellence, celui qui paraît le plus spécifique à BSN concerne sa gestion des ressources humaines et la conception de ses dirigeants en matière de relations humaines et sociales à l'intérieur du groupe.

Lorsque nous avions commencé cette étude sur le management par l'excellence et que nous avions rencontré, à cette fin, plusieurs des dirigeants de BSN, nous avions été frappés par le fait qu'ils ne semblaient pas, en soi, sensibilisés à ce concept de management que nous avons tenté de décrire dans ce livre. Le dirigeant de l'une des branches du groupe résume ainsi cette position : « Vous dire si on cherche l'excellence à BSN ?... Je crois qu'on recherche le bien fait, le proprement fait, l'explicable... Si nous voulions être orgueilleux, nous pourrions dire, en regardant les préceptes de l'excellence tels qu'ils sont décrits dans le bouquin de Peters et Waterman, que oui, évidemment, nous respectons totalement ça, nous sommes en plein dedans, on est sûr de ça, on y est. Mais beaucoup d'entreprises parlent de ces grands principes et souvent ne les appliquent pas. Je crois que l'esprit de BSN est un esprit extrêmement pragmatique. S'il y a des problèmes, on essaie de bien les régler. Et de les régler avec les personnes concernées. Et toute la question, c'est de *faire avec*. *Faire avec les personnes*, et quand vous avez cet esprit d'équipe, cet esprit de gagneur, travailler devient un jeu. C'est la caractéristique du groupe, cet esprit de communication, l'expression du personnel... Nous avons eu des groupes d'expression bien avant la loi... et quand vous êtes dans un climat où vous êtes tout à fait à l'aise, ça favorise votre réflexion et ça vous permet de prendre les bonnes décisions, de ne pas avoir de jeux de pouvoir inutiles... C'est ça l'excellence ! »

Toute la stratégie du groupe en matière de gestion des ressources humaines et de relations sociales est dominée explicitement par deux préoccupations. La première vise à intégrer au mieux les dimensions de l'être et de l'avoir : l'efficacité économique, explique Antoine Riboud, doit intégrer non seulement les besoins d'avoir – importants dans une société de consommation –, mais aussi les valeurs d'être, afin d'améliorer la qualité de la vie au travail, en mettant en place des valeurs de solidarité, de responsabilité et de personnalisation. La seconde préoccupation découle de la première : elle concerne la valorisation du travail et vise à s'attaquer à tout ce qu'il peut aliéner chez l'homme.

Les deux piliers de la stratégie de BSN en matière humaine se sont donc constitués autour de deux idées : celle du *double projet économique et social* (pas de plan de développement économique dans quelque secteur ou à quelque niveau que ce soit qui ne s'accompagne simultanément d'un plan de développement social) et celle de *faire avec et par* : faire *avec* le personnel et *par* lui, grâce à lui.

Permettre le développement de l'être de chacun implique des systèmes de management qui n'obéissent pas à une logique de système, mais à une logique de personne. Ce souci de ne pas fonctionner par le biais de règles, de procédures, de systèmes trop écrits semble constant à BSN, et les dirigeants opposent d'ailleurs spontanément le mode de fonctionnement interne du groupe à celui des entreprises d'origine américaine : « Une spécificité de BSN, explique l'un des directeurs du groupe, c'est qu'on a des systèmes de management qui reposent énormément sur la confiance entre les hommes. *On fait confiance aux hommes.* Tout repose sur la confiance. Il n'y a pas de modes de procédures excessivement rigides, il y a une articulation permanente et surtout des contacts extrêmement fréquents. Antoine Riboud appelle ça des *liens biologiques.* C'est-à-dire qu'il faut être *en connivence, en symbiose...* C'est l'idée que les découvertes doivent être faites *ensemble.* Vous ne sautez pas les étapes, c'est-à-dire que vous n'êtes pas chez Procter & Gamble par exemple, où on vous dirait d'en haut : "Ma recommandation est de lancer tel produit, faire tel tonnage", et le patron, à partir de là, va dire oui ou non. La différence que nous avons avec les boîtes américaines, IBM, Procter et les autres, c'est ça. C'est qu'elles essaient de *tout paramétrer* et d'avoir des procédures partout *pour éviter l'homme.* Je suis allé à un séminaire organisé par... [il cite une grande compagnie américaine]. J'avais, avant, de l'admiration pour leur efficacité. J'en suis ressorti... je ne peux pas vous dire... je me suis dit : c'est vraiment la société dans laquelle je ne voudrais pas vivre et où je ne voudrais pas que mes enfants vivent. En fait, dans ces sociétés, on vous file des objectifs qui sont individuels. Or je trouve qu'à partir d'un certain niveau donner des objectifs qui ne sont pas collectifs, c'est scandaleux. C'est aussi scandaleux que les rémunérations personnalisées pour les ouvriers. C'est vraiment la lutte entre deux ou trois gars pour prendre une place. »

On voit bien, au travers de cette réflexion, deux éléments importants. Le premier est d'ordre socioculturel et marque l'opposition entre les sociétés dites « féminines » et les sociétés dites « masculines » dont nous parlions précédemment. Obtenir la performance à tout prix, en individualisant les objectifs et en incitant chaque personne à « se défoncer » et à se dépasser pour les atteindre est tout à fait cohérent avec une société dite [31] « masculine » qui met la performance au premier plan de ses préoccupations et qui conçoit la réalisation de soi au travers, précisément, des valeurs d'avoir, d'argent, d'action et de travail acharné. En opposition avec ce modèle, BSN semble constituer l'émanation d'une société « féminine », plus axée sur les valeurs d'égalité et de qualité de la vie, telle que serait la société française [32]. Le second est d'ordre individuel : un mode de gestion axé sur la performance à tout crin est certes d'une extraordinaire efficacité en termes économiques, mais on a vu les effets secondaires que ce type de pression peut engendrer. Peut-être est-ce là la raison de l'attitude de BSN, qui paraît animée du souci de ne pas obtenir la performance à n'importe quel prix et met l'accent sur la dimension équipe et ensemble. « Bien sûr, explique un dirigeant, il y a aussi de la compétition à BSN... mais *ce n'est pas une compétition organisée et paramétrée.* »

Ce primat donné à la confiance en l'homme sur le système, à la connivence sur la compétition, aux liens « biologiques » sur les procédures écrites, à l'informel sur le formel exprime certes bien l'esprit BSN, mais reflète avant tout celui de son fondateur, Antoine Riboud.

Celui-ci paraît en fait une assez bonne incarnation du manager latin – versant positif – dont nous esquissions le portrait au début de ce chapitre : créateur, improvisateur, champion de ce qu'il nomme l'« imagination du doute », il attache de l'importance à la prise en compte de l'irrationnel et réfute toute approche trop exclusivement rationnelle des problèmes.

Sorti de l'École supérieure de commerce de Paris – « bon dernier », ajoute-t-il avec malice... –, il regrette l'esprit trop rationnel que les formations grandes écoles inculquent d'après lui à leurs élèves. Il faut, dit-il, « donner l'imagination du doute, et l'imagination du doute, c'est de ne jamais considérer

31. Selon les critères de Bollinger et Hofstede, *op. cit.*
32. Toujours selon les critères de Bollinger et Hofstede. Une fois encore, soulignons le caractère assez « stéréotypé » de cette distinction masculin-féminin.

qu'on a réussi... C'est l'esprit à créer pour savoir ce qu'il faut faire devant un événement[33] ».

Se référant à des décisions stratégiques importantes prises par le groupe, il souligne, dans le choix opéré, le rôle « de l'*instinct*, de l'*imagination* et des *réflexes* ». « Dans les décisions stratégiques dit-il, rentrent beaucoup d'instinct et beaucoup d'imagination, très souvent incommunicables. »

Reprenant à son compte les paroles du poète René Char, il s'agit, selon lui, d'être efficace et humain à la fois, et pour cela de « prévoir en stratège et d'agir en primitif ».

Cette large place faite à l'intuition, à l'imagination, au non-écrit, à l'informel est presque impensable dans un contexte anglo-saxon. « Le problème des Américains, dit d'ailleurs Antoine Riboud, c'est leur refus d'imaginer le doute. » « La grande force des Italiens, c'est leur sens de l'irrationnel », dit-il encore lors d'un passage à *l'Heure de vérité*.

Cette intégration de l'humain dans sa double dimension – être et avoir –, cette importance donnée à la fonction ressources humaines, cet équilibre entre réflexion stratégique et intelligence intuitive, entre ordre et désordre, écrit et non-écrit, rationnel et irrationnel sont sans doute ce qui fait du cas BSN un exemple très original et très particulier de réussite et d'excellence à la française, dont on peut se demander s'il se perpétuera, même après le départ d'Antoine Riboud...

33. Conférence à l'École supérieure de commerce de Paris, décembre 1990.

CHAPITRE 13

La souffrance et la guerre

Il nous faut à présent pointer jusqu'à leur terme toutes les conséquences de cette « logique de guerre » économique dans laquelle nos pays sont plongés. Il faut aussi s'interroger sur l'alternative que pourraient (ou auraient pu) constituer, par rapport au modèle managérial, d'autres courants tels que, par exemple, celui de l'autogestion.

La logique de guerre

L'entreprise managériale se présente à la fois comme un moyen de favoriser la réussite individuelle et le lieu privilégié pour gagner la guerre économique. Mais, contrairement aux guerres militaires, la recherche de la paix n'est jamais évoquée. La seule alternative semble être de gagner ou de disparaître.

Ce discours est imparable, puisqu'il est tenu dans un univers concurrentiel, face à d'autres entreprises, qui tiennent exactement le même propos et qui, soumises aux mêmes contraintes, obéissent aux mêmes logiques. Il faut donc se mobiliser en permanence pour conquérir de nouvelles parts de marché, être en avance sur ses concurrents, réduire les coûts de production, puiser dans ses réserves de productivité, améliorer ses performances... Mais, comme les autres font de même, la spirale est sans fin et le chaos peut sembler inéluctable.

De surcroît, cette logique de guerre et de compétition

généralisée tend également à se développer à l'intérieur de l'entreprise : chaque entité devient centre de profit, les notions de client et de fournisseur s'étendent aux prestations entre les différents services, la méthodologie de projet conduit à développer des stratégies de marché à l'intérieur de l'entreprise, la concurrence interne se développe pour avoir une promotion, éviter la mise à l'écart, occuper les meilleures places, défendre ses intérêts, etc.

Cette pression guerrière a des effets contradictoires au niveau des personnes, des entreprises et de la société dans son ensemble.

Effets sur les personnes

Le discours sur la guerre économique a une fonction évidente : provoquer une adhésion forte et susciter la mobilisation des troupes managériales autour des objectifs de l'entreprise. L'effet, en retour, est d'accentuer la pression, l'insécurité, le stress, la tension... Le problème est qu'en général cette souffrance ne peut se dire : un soldat courageux, et *a fortiori* un officier, ne peut exprimer sa faiblesse et sa peur devant l'ennemi ! Un gagneur n'exprime pas ses états d'âme ; un manager cherche toujours à mettre en valeur l'aspect positif des choses. Centré sur l'approche solution, il évacue *a priori* les questions porteuses d'angoisse et de souffrances auxquelles il ne peut apporter de réponse opératoire immédiate.

Faute de pouvoir s'exprimer ouvertement, l'anxiété produit ses effets de façon déplacée : malaises diffus, troubles psychosomatiques, dépressions larvées, insomnies, migraines... Autant de symptômes révélateurs d'une souffrance profonde qui semble s'étendre de plus en plus. Selon une enquête menée en 1989 pour le colloque « Stress et entreprise » auprès de deux cents cadres travaillant à la Défense, 81 % d'entre eux souffrent de troubles du sommeil, 70 % de migraines, palpitations, difficultés gastriques. Des études similaires aux États-Unis indiquent que 45 % des cadres souffrent du stress et 15 % de dépression nerveuse. Quant au virus mystérieux qui frapperait les *yuppies* et à la mortalité galopante chez les cadres japonais, nous en avons déjà parlé.

Le désir de paix, de sérénité, de calme, faute de pouvoir être entendu dans l'univers managérial, s'exprime alors dans un ailleurs mythique ou dans un avenir différé : les managers rêvent du moment où ils pourront s'échapper et retrouver les vraies valeurs, redevenir authentiques, vivre enfin une vie paisible.

Notre recherche a mis en évidence les conséquences psychologiques du modèle managérial. Pour gagner et réussir, il faut mettre de côté une partie de soi-même. L'organisation opérant une confusion entre le faire et l'être et ne reconnaissant l'individu que pour ce qu'il *fait*, celui-ci se trouve pris dans la nécessité de répondre aux exigences de son entreprise : survalorisation de l'action, challenge permanent, obligation d'être fort, adaptabilité et disponibilité permanente... C'est cette nécessité d'adaptation de soi-même à la logique managériale qui peut finir, dans certains cas, par consumer l'individu.

Les types de pathologie générés par ce mode de vie professionnelle sont en fait à la fois des *maladies de l'adaptation* (le stress, c'est-à-dire, dans sa définition initiale, le « syndrome général d'adaptation », devient le mal caractéristique de notre époque) et des *maladies de l'âme* (maladies de l'idéalité). Notre société suscite ainsi les maux qui correspondent à son fonctionnement : l'épuisement, la démoralisation, le sentiment de vide et la dépression qui surgissent chez bon nombre de cadres surmenés constituent alors ce que Devereux [1] appelle des « modèles d'inconduite socialement admis dans les sociétés où prévaut une idéologie construite sur la réussite à travers le travail » et dans lesquelles le prestige individuel se construit précisément sur l'énergie et le succès au travail. Ce n'est d'ailleurs pas tant la nouveauté de ces formes de pathologie qu'il faut souligner (certains psychiatres voient ainsi dans le *burn out* la forme contemporaine de ce qu'on aurait appelé

---

1. G. Devereux, « Ethnopsychoanalytic Reflections on Neurotic Fatigue », in *Basic Problems in Ethnopsychiatry*, University of Chicago Press, Chicago, p. 237-243.

autrefois « neurasthénie ») que la multiplication de leur apparition : c'est en ce sens qu'elles constituent un *symptôme social*.

Effets sur les entreprises

Au niveau des entreprises, la guerre économique se traduit par une accélération formidable de l'obsolescence des techniques, des procédures, des machines, des hommes, mais aussi des organisations elles-mêmes. Pour faire face au changement, les entreprises sont amenées à se restructurer continuellement. On parle en terme de crises comme s'il s'agissait de moments transitoires, alors que l'instabilité, le désordre, la réorganisation sont devenus la norme. La mobilité géographique, professionnelle, fonctionnelle, horizontale et verticale s'érige en nécessité. On ne parle plus d'adaptation, mais d'« adaptatibilité ». Et c'est l'entreprise elle-même qui devient mobile : l'organisation réticulaire génère une complexité croissante qui entraîne un investissement tout aussi croissant pour en gérer les conséquences [2].

Traversée par des logiques d'action de plus en plus contradictoires, produisant des technologies de plus en plus sophistiquées, instituant des procédures et des règles de plus en plus complexes, l'entreprise managériale concourt à produire elle-même le maelström organisationnel dont sont censées surgir l'innovation et l'adaptation qui lui sont nécessaires, mais qui, à d'autres égards, la déstabilisent. En effet, agissant en permanence pour mettre de l'ordre, produire de la stabilité, retrouver de la cohérence, rechercher son unité, elle entre ainsi dans un processus de réorganisation permanente qui déstabilise ses entités et son personnel.

A l'image du désordre monétaire, on assiste actuellement à une extension de la guerre économique, dont les OPA ne sont que l'expression la plus visible. Concentrations, fusions, ra-

---

2. Nous retrouvons ici les thèses d'E. Morin sur les systèmes ouverts et la complexité, *Introduction à la pensée complexe*, Paris, ESF, 1991.

chat, alliances éphémères, restructurations, réorganisations...
les entreprises qui échappent à ces bouleversements sont de
moins en moins nombreuses ou de plus en plus menacées : le
chaos est devenu un modèle de management !

Dans les secteurs technologiques de pointe, le recyclage des
machines et des hommes est passé de cinq à deux ans, puis de
deux ans à six mois, au point que certains produits sont
obsolètes avant même d'être fabriqués. Des techniciens pointus
recherchés à un moment donné sur le marché du travail pour la
qualité de leur expertise peuvent se retrouver du jour au
lendemain menacés de perdre leur emploi pour incompétence.
On met au point des systèmes d'information et de communication d'entreprise qui traitent une masse d'informations de plus
en plus importante, à une vitesse de plus en plus grande, et qui,
paradoxalement, génèrent une complexité supplémentaire : ce
qui devrait permettre de gagner du temps produit en fait une
concentration et une accélération qui rendent les utilisateurs de
plus en plus pressés et surchargés : « Plus on gagne du temps,
moins on en a ! » entend-on souvent.

Effets sur la société

L'incertitude et la complexité ne font que croître alors même
que les techniques n'ont jamais été si performantes. On assiste
alors à l'émergence d'un nouvel ordre (devrait-on dire désordre ?) dominé par des organisations hypermodernes qui semblent échapper au pouvoir des hommes : « L'interpénétration
des plans et des actes humains peut susciter des transformations et des structures qu'aucun individu n'a projetées ou
créées... Ordre spécifique, ordre plus impérieux et plus
contraignant que la volonté et la raison des individus qui y
président[3]. »

Il s'agit ici d'une transformation profonde des fondements
et de l'exercice du pouvoir qui devient plus abstrait, diffus,
inaccessible : le pouvoir managérial est en même temps un

---

3. N. Elias, *La Dynamique de l'Occident*, Paris, Calmann-Lévy, 1975.

non-pouvoir, un pouvoir par procuration, puisque les personnes qui l'exercent ne sont en fait que des relais relativement impuissants des entreprises qui les emploient. La puissance réside dans l'organisation elle-même. Si les hommes sont interchangeables et soumis à une temporalité limitée, les organisations perdurent, se transforment, se multiplient, et semblent avoir des capacités illimitées pour assurer leur propre reproduction. Le pouvoir managérial est un pouvoir abstrait, diffus, peu visible, qui semble insaisissable dans la mesure où il réside moins dans la personne du manager que dans les dispositifs organisationnels qu'il est chargé de gérer.

Ce nouveau mode de domination paraît certes moins brutal et, sur de multiples aspects, plus positif que l'univers patronal fondé sur le grand capital qui monopolise le pouvoir. Mais n'est-il pas, en fait, plus inquiétant, parce que moins identifiable, moins saisissable, moins contestable ? Il ne permet pas de construire des alternatives pour s'y opposer : « On l'accepte ou on part », nous disent les managers qui en perçoivent les aspects négatifs. Et ils ajoutent aussitôt : « Mais pour aller où ? C'est partout pareil ! »

Le champ politique lui-même semble soumis à des logiques d'abstraction semblables. L'analyse de Patrick Champagne sur l'introduction dans le jeu politique de nouvelles catégories d'agents (politologues, sondeurs, spécialistes en communication...) et de pratiques managériales aboutit à une conclusion similaire : « Ce mode de domination est sans doute moins brutal que lorsque la domination est monopolisée par une fraction ; mais il est aussi plus puissant, parce que situé à la fois nulle part et partout, impersonnel et multiple, accepté et subi... Ce mode de domination dans lequel chacun, pour une petite part, contribue involontairement à la domination de l'ensemble est un produit presque nécessaire de la différenciation croissante du monde social et surtout de la multiplication des champs sociaux relativement autonomes... avec leurs enjeux spécifiques, leurs lois et leurs logiques propres de fonctionnement[4]. »

4. P. Champagne, *Faire l'opinion*, Paris, Éd. de Minuit, 1990.

Mais si l'éclatement du social semble ainsi se traduire par la constitution de champs autonomes, différenciés et réticulaires, chacun de ces champs reste dominé par les lois impersonnelles et anonymes du marché économique et de la logique du profit : le dénominateur commun de toutes les activités humaines, l'étalon de mesure du pouvoir, le signe incontestable de la réussite, la finalité dernière de chacun de ces systèmes est d'ordre financier : il s'agit de « faire de l'argent ».

Cela, en soi, n'est pas condamnable, mais la logique du profit serait malgré tout moins contestable si elle mettait la réussite économique au service du développement social et culturel des peuples et des nations sur l'ensemble de la planète. Or elle semble n'être guidée que par des objectifs d'expansion et de puissance : être dans les dix premiers, puis être le numéro un, puis rester numéro un... Ces logiques de puissance et de conquête sont en fait les moteurs du développement de la société duale : elles engendrent un antagonisme de plus en plus fort entre les riches et les pauvres, entre les *winners* et les *losers*. Les nécessités du profit et de l'expansion conduisent à une politique de plus en plus élitiste en interne (embauche de jeunes diplômés, externalisation des emplois non qualifiés, rejet des moins performants...) et en externe (installation des unités dans des bassins technologiques, fermeture des unités de type industriel, concentrations urbaines autour de technopoles dynamiques, désertification et appauvrissement des régions les moins développées...).

La société se trouve alors tiraillée entre deux évolutions contraires :

– d'un côté, des secteurs de pointe sur les plans économique, technologique, organisationnel, dont l'entreprise managériale est le plus beau fleuron. Ceux qui ont le privilège d'y entrer ont des salaires élevés, des conditions de travail attractives, des moyens importants, des possibilités de carrière rapides... Ils bénéficient de tous les signes de la réussite et de la puissance ;

– d'un autre côté, les rejetés du système, ceux qui n'ont pas pu ou pas voulu y entrer, ceux qui en sont exclus : cohorte de chômeurs, de marginaux, d'inadaptés, d'handicapés, de laissés-pour-compte de tous ordres, qui voient l'écart grandir entre leurs conditions objective et subjective de vie et l'image de ce qu'ils devraient devenir pour passer dans le champ des gagnants.

La société ne se réduit pas, bien sûr, à ces deux pôles, qui n'en représentent encore qu'une petite partie. Mais, de même que le bourgeois et le prolétaire resteront les figures emblématiques du capitalisme industriel et de la société moderne, le manager et le RMiste sont les figures emblématiques du capitalisme financier et de la société postmoderne.

Autogestion et management

Mais ces critiques et ces craintes doivent être tempérées à partir d'une question que nous avons déjà soulevée et sur laquelle il convient de revenir : l'entreprise managériale n'est-elle pas un immense progrès par rapport aux entreprises pyramidales et hiérarchiques ?

L'organisation taylorienne bride l'esprit d'initiative et la créativité, encourage la soumission et le conformisme. Elle ne répond manifestement pas au désir de reconnaissance de salariés de mieux en mieux formés et de plus en plus qualifiés. Beaucoup de salariés, confrontés à la rigidité bureaucratique ou à la rationalité unidimensionnelle et quantophrénique de la technocratie, rêvent de l'univers managérial. Celui-ci s'est d'ailleurs construit sur les débris des aspirations autogestionnaires en proposant plus de participation, plus de cogestion, moins d'autoritarisme, et en contribuant à casser la coupure conception/exécution.

La différence entre le courant autogestionnaire et l'univers managérial porte sur trois points :

– l'autogestion était conçue comme une rupture avec le capitalisme en proposant un modèle d'organisation centré sur l'appropriation collective des moyens de production, alors que le management se développe dans un système libéral dans lequel le contrôle du capital est de plus en plus concentré. Le développement des *stock options*, de l'auto-actionnariat et du capitalisme populaire n'a pas fondamentalement remis en question cette logique de concentration du pouvoir financier. Et si les salariés ont le sentiment de pouvoir s'approprier une partie de plus en plus importante du pouvoir interne dans l'organisation du travail, le pouvoir externe, lié à la maîtrise du capital, leur échappe. Comme le chante Eddy Mitchell à propos d'un cadre d'une multinationale : « Rien n'est à toi, tout appartient à la société anonyme » ;

– la seconde différence tient à l'exercice de la démocratie dans l'entreprise. Le modèle autogestionnaire souhaitait favoriser la décision collective et le contrôle direct, par la collectivité des travailleurs, des orientations stratégiques. Dans l'entreprise managériale, la définition de celles-ci est concentrée entre les mains du *top management* en liaison avec le conseil d'administration. Le pouvoir réel reste concentré au sommet et dominé par la logique du profit. Les objectifs financiers fixés à chaque entité sont déterminés à chaque niveau par l'échelon supérieur. Si les modalités de réalisation de ces objectifs sont effectivement décidées sur un mode participatif, la liberté d'en décider s'effectue dans un cadre rigide et hiérarchique. L'autonomie s'exerce dans des limites contraignantes qui soumettent les possibilités d'initiative de chacun au respect d'une logique prioritaire d'ensemble. Si donc chaque agent a le sentiment de pouvoir jouer librement à l'intérieur du système, les règles du jeu sont fixées par d'autres et s'imposent à tous sans que la base puisse intervenir sur leur élaboration ;

– la troisième différence tient au rapport au travail. L'autogestion était un modèle dont l'objectif était de remettre fondamentalement en question les rapports de pouvoir internes à l'entreprise pour aboutir à un meilleur équilibre entre l'économique et le social, entre le temps consacré au travail et celui qui est consacré à la vie. L'univers managérial entraîne l'homme dans une course à la performance, à la carrière, à l'efficacité, à l'expansion économique qui induit une pression du travail de plus en plus forte. C'est toute la libido qui est ainsi canalisée vers des objectifs de production économique. L'argent reste en fin de compte un élément déterminant tant au niveau de l'entreprise (produire plus et mieux pour améliorer constamment le taux de profit) que de l'individu (faire carrière pour gagner plus). L'univers managérial fonctionne sur le postulat qu'il n'y a pas de contradiction fondamentale entre le capital et le travail, entre l'intérêt de l'entreprise et l'intérêt de ceux qui y travaillent : plus l'entreprise est en expansion et améliore ses résultats, plus les salariés gagnent de l'argent et améliorent leur statut. En amenant chaque salarié à internaliser les objectifs et les valeurs de l'entreprise, le système managérial produit une confusion entre le registre économique et le registre existentiel, entre gagner de l'argent et gagner sa vie.

Ces trois points sont d'autant plus importants que le courant autogestionnaire a été complètement laminé par la faillite politique du marxisme et qu'on ne voit plus d'alternative au modèle managérial et au capitalisme libéral.

Le modèle autogestionnaire était une tentative de réponse à la contradiction majeure qui traversait l'entreprise industrielle et le modèle taylorien. Il s'agissait de redonner le pouvoir aux travailleurs face à sa confiscation par les propriétaires des moyens de production. Cette contradiction a structuré les conflits qui ont marqué la société du XIXᵉ et du XXᵉ entre les ouvriers et les patrons. Le développement des syndicats, du droit du travail, de la qualification des employés, des technologies nouvelles a profondément modifié les rapports sociaux internes à l'entreprise et la nature de ces conflits.

Le modèle managérial en est l'expression. S'il n'est pas encore quantitativement majoritaire, il est qualitativement attirant, et bon nombre de chefs d'entreprise, de cadres et d'employés y voient une amélioration importante vers laquelle ils souhaitent aller. Les syndicats sont divisés face à cette évolution, d'autant plus que le développement de l'individualisme et des nouvelles formes de gestion des ressources humaines entraîne un désinvestissement massif et un désintérêt croissant pour les formes traditionnelles d'action syndicale dans les entreprises de type managérial.

Cette évolution nous semble inéluctable. En effet, les conflits majeurs ne se manifestent pas dans une opposition entre les employés et l'encadrement. A l'extrême, dans ce modèle, tous les salariés sont incités à devenir managers. La remise en question de la structure hiérarchique atténue les oppositions entre les différentes strates de l'organisation. Les conflits internes se focalisent moins entre différentes catégories de personnels qu'entre logiques professionnelles qui s'entrechoquent : entre commerciaux et techniciens, entre financiers et juristes, entre administratifs et gens du terrain, entre fonctionnels et opérationnels... La concurrence interne individualise les catégories de pouvoir. Ce n'est plus l'ordre du pouvoir que la base cherche à modifier, mais chacun qui cherche à modifier sa place dans cet ordre en y faisant carrière.

En fait, les contradictions se déplacent à deux niveaux. Au niveau psychologique, par une tension interne entre la pression du travail et le désir d'échapper aux exigences de l'entreprise. Au niveau social, par le développement de la société duale qui s'organise autour d'un pôle performant, dominé par la guerre économique et l'exigence du toujours plus, et d'un pôle anomique, dominé par le sous-développement, la pauvreté et le désespoir. On en voit les effets dans le décalage croissant entre les pays du Nord et ceux du Sud et, à l'intérieur des pays développés, par l'accroissement des situations précaires, le chômage, l'exclusion et la nouvelle pauvreté. Alors, que faire ?

Que faire ?

Telle est la question obsédante que nous nous sommes posée et que nous nous posons encore, pris de doute devant la possibilité d'une alternative à l'extension du modèle managérial. Nous sommes en quelque sorte dans la situation de médecins qui décriraient minutieusement le processus et les symptômes d'une maladie sans pouvoir indiquer de remèdes pour la guérir.

Or, comme pour le médecin, la validité du diagnostic n'est pas suffisante pour déterminer la fiabilité de la thérapeutique. A l'inverse, l'absence de diagnostic ne permet sûrement pas d'avancer pour guérir le mal. Il convient donc d'approfondir ce diagnostic, afin d'en tirer des conséquences sur la conception et la mise en œuvre de traitements appropriés.

En reprenant le mythe d'Icare, nous avons montré, au niveau individuel, les problèmes que pouvait poser, à l'homme de l'entreprise, la poursuite trop absolue d'une excellence et d'une performance toujours plus grandes. La même question peut être posée à propos des entreprises. Certains observateurs américains n'ont pas manqué de le faire, tel Danny Miller, qui déclare : « Le pouvoir des ailes d'Icare l'a amené à cet abandon dont la sentence a été si sévère. Le paradoxe, bien sûr, est que son meilleur atout l'a conduit à sa perte. Et ce même paradoxe s'applique à de nombreuses compagnies prestigieuses : leurs victoires et leurs forces les séduisent au point de les amener vers les excès qui engendrent leur décadence. Le succès conduit à la spécialisation et à l'exagération, à une confiance en soi démesurée, au dogme et au rite [1]. »

Pour éviter ce paradoxe, il convient de poursuivre l'analyse critique du modèle managinaire avec ceux qui le produisent et le subissent. Beaucoup de managers sont tellement pris par l'urgence du travail quotidien qu'ils en arrivent à réfléchir par procuration. Ils paient des experts pour penser à leur place et veulent que cette « pensée » se mette au service de l'action et les aide à résoudre les problèmes opérationnels auxquels ils sont confrontés. Dès qu'ils ne voient pas l'utilité opérationnelle d'une analyse, ils ont tendance à évacuer toutes les questions, si pertinentes soient-elles, qui n'ont pas de réponses ou qui ne débouchent pas sur des solutions immédiates. Face à l'angoisse, certains cherchent dans l'acting-out, ou dans la prise d'antidépresseurs, ou encore dans des séminaires de management extrême, des voies de soulagement. Le travail d'analyste que nous proposons conduit à une remise en question radicale et profonde qui n'est acceptée que par ceux qui n'ont plus d'autre choix que d'y consacrer l'essentiel de leur temps.

Nous constatons cependant un changement à cet égard, du fait que les dégâts psychologiques du stress sont de plus en plus visibles. On peut espérer que cela entraînera une prise de conscience de la part des managers et les conduira à prendre en compte, à côté des profits et des coûts financiers, les conséquences psychiques, familiales et sociales de leur mode de fonctionnement.

Le travail d'analyse que nous proposons conduit à envisager différemment l'étude de l'entreprise et à examiner ensemble les éléments économiques, les pratiques de gestion, la sociologie du travail et des organisations et les effets psychologiques conscients et inconscients. Ces différents éléments forment un tout, un ensemble, un système. Les actions de changement, les pratiques d'intervention et de formation doivent permettre de saisir cette totalité. Nous l'avons montré dans cet ouvrage au niveau de l'analyse. Dans la pratique, nous suggérons de

1. D. Miller, *The Icarus Paradox*, note non publiée, 1990.

multiplier les occasions de décloisonnement, pour libérer l'imaginaire actuellement canalisé sur des objectifs de profitabilité et subordonné à des logiques de carrière ou à des intérêts corporatistes.

Il est urgent de reprendre un débat approfondi sur le capitalisme et sur la mission de l'entreprise, afin de sortir de la logique de guerre qui détermine actuellement tous les discours produits sur ce thème. Mais comment contrebalancer la logique du profit ?

On voit se multiplier actuellement les réflexions et les colloques sur l'éthique. Les projets d'entreprises sont bourrés de bonnes intentions sur la considération de la personne et la vocation sociale des entreprises. On entend dire ici et là qu'il faut renforcer la démocratie et la citoyenneté en entreprise. Autant d'intentions louables, mais qui risquent de rester des pétitions de principes si l'on ne remet pas en question le primat de la logique du profit financier qui s'impose actuellement dans la gestion des entreprises et entretient la guerre économique dont on voit les conséquences : renforcement des écarts entre les riches et les pauvres, perturbation des équilibres écologiques, destructuration des groupes sociaux, perte des repères identitaires...

Les *golden boys*, les *raiders* et autres *superwomen* sont les symptômes d'un monde où la réussite personnelle se mesure à l'aune du compte en banque et sur la base des apparences. Les logiques de l'Audimat pour la télévision, des sondages en politique et des marges pour les entreprises obéissent aux mêmes principes : construire des systèmes centrés sur la course à l'audience, la recherche de popularité ou l'augmentation du taux de profit au détriment de la qualité culturelle, de la réflexion politique ou de la valeur effective produite.

Faute de recettes évidentes pour sortir de la guerre économique, de la société duale et du stress permanent, il nous faut, encore une fois, lutter pour « mettre l'imagination au pouvoir », construire de nouvelles utopies, refuser les parades insolentes des *winners* et le rejet des *losers*.

Est-il utopique de penser la société comme une construction dont l'objectif premier est de permettre aux hommes de vivre ensemble et de produire ce dont ils ont besoin dans le respect des lois, des autres et de la nature, plutôt que comme un système conçu pour gérer les choses dans une lutte incessante pour s'approprier la richesse et le pouvoir ? Contre l'évolution que nous voyons se mettre en place, il faut valoriser les entreprises et les modèles de gestion qui concilient la performance économique, le respect de l'écologie, le développement social et culturel des peuples et l'équilibre psychique des personnes.

Si les trois premiers points sont déjà pris en compte – au niveau des intentions – par certaines entreprises, le dernier n'est jamais mentionné en tant que tel. Par ailleurs, les outils d'évaluation ne concernent pratiquement que la mesure des performances économiques à partir d'un étalon monétaire. Les autres aspects sont laissés à la libre appréciation des dirigeants et à leur bonne volonté. La concurrence ne s'exerce, en dernier ressort, que sur les résultats financiers. L'argent est plus que jamais l'étalon universel pour mesurer le progrès et le développement. Le leurre de l'univers managérial qui se veut le chantre de la réalisation de soi-même et de la réussite économique, c'est d'oublier la dimension individuelle et collective de l'altérité qui est au fondement de toute vie sociale.

Certaines entreprises françaises ont pris conscience de ce processus et s'efforcent d'instaurer des instances de réflexion, réunissant managers et médecins du travail sur le thème « Stress et management », ou « Santé et management » ou « Équilibre personnel et entreprise ». « Notre but, explique un directeur de l'une de ces entreprises, c'est de donner les moyens aux managers d'exercer leur rôle et de gérer des processus de changement sans y perdre leur vie et sans stresser démesurément leur personnel. »

Ces réflexions sont encore trop récentes pour avoir pu déboucher sur des résultats concrets. Le seul fait qu'elles aient lieu constitue néanmoins un premier pas dans le sens d'une meilleure intégration entre performance économique et équilibre psychique... Le problème se situe bien là en effet. Si nous avons, au cours de ce livre, dénoncé quelques-uns des excès de la course à l'excellence, il ne s'agit pas pour autant de rejeter cette démarche en la considérant globalement comme trop « coûteuse » en termes humains. On pourrait en effet, tout aussi bien, démontrer que la « non excellence » génère un coût bien supérieur, à maints points de vue, à celui de l'excellence. Il s'agit donc simplement de prendre conscience que cette quête sans relâche du « toujours plus », « toujours mieux », « toujours plus vite » ne constitue pas une panacée universelle et qu'il faut trouver le juste milieu nécessaire et ajuster les mécanismes compensateurs adéquats pour que le coût humain du processus ne soit ni trop élevé ni trop désorganisateur.

Le travail que nous avons mené tout au long de ce livre devrait permettre que soient poursuivies et amplifiées de telles tentatives. Les cloisonnements théoriques qui ont séparé jusqu'à présent l'approche économique, l'approche organisationnelle et l'approche psychologique n'ont pas permis de comprendre, dans tous leurs aspects, la nature profonde et le mode de fonctionnement de ces institutions que sont les entreprises. Or, c'est seulement en adoptant une position théorique pluridisciplinaire et en essayant de mettre en rapport le niveau économique, celui de l'organisation et celui du vécu personnel que l'on pourra mieux comprendre les processus en jeu et tenter d'apporter, aux problèmes soulevés, des réponses satisfaisantes.

Annexes

Méthodologie de l'enquête

Pour saisir la dynamique complexe des processus qui régissent l'interaction des rapports entre l'individu et l'organisation à laquelle il appartient, nous avons suivi une démarche à la fois *sociopsychologique* (visant à analyser comment des facteurs et des transformations socio-économiques conditionnent la psychologie des individus) et *psychosociologique* (qui vise à analyser comment les sujets inventent des pratiques pour faire face aux situations sociales qu'ils rencontrent).

Pour ce faire, nous avons choisi d'étudier le système de gestion, les politiques et pratiques de gestion de personnel et, plus globalement, la culture interne de six entreprises, tout en rencontrant, au sein de ces entreprises, un certain nombre de cadres et en analysant les ressorts de leur appartenance à l'entreprise et de leur fonctionnement au sein de celle-ci.

La constitution de l'échantillon

Les entreprises retenues.

Le choix des entreprises a été dicté par ce qui constituait le cœur même de notre recherche, à savoir le thème de l'excellence : autrement dit, nous avons choisi, comme terrains de recherche, des entreprises dans lesquelles l'éthique de l'excellence figurait au premier plan des principes organisateurs et fondateurs de l'organisation.

Nous avons, dès le début de cette recherche, constaté que le management par l'excellence recouvrait une gamme assez étendue de styles de management, allant du management par la qualité (avec, là encore, des graduations intermédiaires jusqu'à la recherche de la

323

qualité totale) à une véritable philosophie de l'excellence à tous niveaux, y compris celui de la personne morale.

Or nous avons été vite intrigués par le fait que les entreprises qui nous semblaient les plus archétypiques de cette philosophie de l'excellence tous azimuts étaient la plupart du temps d'origine anglo-saxonne. Nous avons donc cherché à découvrir ce qui, dans ces pays-là, pouvait générer une adoption plus fréquente de ces philosophies d'entreprise alliant, au travers de la pratique de l'excellence, aussi bien la recherche d'accomplissement personnel que la poursuite d'objectifs plus matériels de réussite économique.

C'est aussi la raison pour laquelle, parmi les six entreprises retenues pour notre étude, cinq sont les filiales françaises de multinationales d'origine anglo-saxonne : il s'agit de Hewlett-Packard, IBM, Procter et Gamble, American Express et Rank Xerox.

La sixième entreprise retenue est un groupe français – BSN – qui, s'il figure certainement parmi les plus performants et pratique un mode de gestion des ressources humaines tout à fait élaboré, ne se rattache aucunement à ce courant éthique de l'excellence, tel qu'il a été identifié dans les entreprises précédentes : on ne retrouve ce terme énoncé ni dans les principes organisateurs du groupe ni dans la recherche ou la préoccupation personnelle de ses managers. Mais cette absence traduit simplement le fait que cette entreprise se rattache à un courant idéologique tout à fait différent du courant anglo-saxon et que ses pratiques de management reposent également sur une conception générale différente, que nous avons rapprochée du concept de management latin.

Les cadres interviewés.

Nous avons inclus dans notre échantillon :
– des cadres jeunes, possédant quelques années d'expérience dans l'entreprise concernée et y poursuivant, semble-t-il, une dynamique ascensionnelle ;
– des cadres supérieurs confirmés, bien insérés dans l'entreprise et bien à même d'en exprimer les différents aspects ;
– des cadres en situation de retrait par rapport à l'entreprise et que soit leur âge, soit l'évolution de leur carrière avaient conduits à ce qu'ils vivaient eux-mêmes comme une « mise sur voie de garage » ;
– la quatrième catégorie que nous avions prévue – celle de cadres gravement atteints dans leur intégrité psychique ou physique – s'est révélée plus difficile à réunir que nous ne le pensions. Les quelques cas que nous avons pu réunir sur ce point (et notamment celui que

nous développons longuement dans le chapitre intitulé « Les maladies de l'excellence ») montrent que si ces phénomènes d'effondrement individuel dont nous entendions parler dans toutes les entreprises (on nous mentionnait telle ou telle personne ayant « craqué »...) sont bien réels, il n'est cependant pas toujours aisé de les observer. Nous avons été en effet limités dans cette investigation par une double résistance : celle, bien évidemment, des entreprises, qui occultent ce phénomène et, tout en le reconnaissant, ne souhaitent évidemment pas le mettre en avant, mais celle aussi des individus qui, dans cette situation, s'isolent, se replient sur eux-mêmes, voire se cachent... C'est donc plus par des contacts personnels que nous avons pu approcher certaines de ces personnes.

Les méthodes adoptées

En ce qui concerne les entreprises, notre investigation a été double, à la fois documentaire et objective et, en même temps, verbale et subjective. Nous avons en effet, pour chacune des entreprises concernées, analysé bon nombre de documents existant dans l'organisation : les textes officiels, le projet d'entreprise, les documents décrivant le système de gestion, les politiques de rémunération, la politique des ressources humaines pratiquée par l'entreprise, la politique de mise en place du processus qualité, etc.

Simultanément, nous avons recueilli bon nombre d'informations, grâce à des interviews. Dans certaines entreprises, nous avons pu pratiquer des entretiens de groupe, au cours de réunions collectives, espacées sur plusieurs mois et rassemblant plusieurs managers ou cadres appartenant à différents niveaux. Dans d'autres, nous n'avons pu recueillir que des interviews individuelles.

L'articulation de ces deux approches, verbale et « subjective » d'un côté, écrite et « objective » de l'autre, s'est révélée particulièrement intéressante et riche d'enseignements non seulement sur les pratiques de l'entreprise mais aussi sur la façon dont celles-ci étaient vécues par les individus.

En ce qui concerne les individus, nous avons, dans la plupart des cas, conjugué deux types d'approche :

– une approche collective, à laquelle nous faisions allusion plus haut, qui a pris la forme de réunions avec différents niveaux de cadres de l'entreprise (ainsi chez Rank Xerox, nous avons pu avoir des réunions avec des groupes de vendeurs, des groupes de chefs de vente, des groupes de managers, responsables de différentes divisions de l'entreprise). Ces réunions étaient centrées sur les pratiques collectives de l'entreprise et faisaient apparaître le vécu collectif des différentes catégories par rapport à ces pratiques et par rapport à leur carrière au sein de l'entreprise ;

— une approche individuelle qui a pris la forme d'interviews avec tel ou tel cadre ou manager correspondant à l'une des catégories de notre échantillon. Nous avons ainsi rencontré des responsables de formation, des responsables de programme qualité, des responsables du personnel, mais aussi des cadres commerciaux, administratifs ou techniciens à différents niveaux de la hiérarchie et du management de ces entreprises.

Les entretiens individuels étaient centrés essentiellement sur le rapport de l'individu à son entreprise. Ils étaient menés sur un mode semi-directif, à partir de consignes centrées sur le vécu individuel dans l'entreprise et concernant parfois tel ou tel aspect repéré au niveau collectif ou identifié dans l'analyse sociologique de l'entreprise. Cette approche était destinée à permettre à l'individu de s'exprimer librement et largement, avec des relances de l'interviewer pour l'aider à progresser dans sa démarche introspective.

La conjonction de ces deux approches s'est révélée très complémentaire, les réunions de groupe fournissant une vision plus proche de la réalité quotidienne, mais plus centrée sur la culture et le vécu collectif ou sur les contradictions organisationnelles que sur une dimension personnelle. Les interviews individuelles, au contraire, se révélaient plus riches sur ce dernier point, en laissant apparaître aussi bien les raisons de l'adhésion et les sources de l'enthousiasme que les doutes, les interrogations, les critiques, les angoisses parfois et toute la dimension des contradictions et conflits personnels qui ne pouvait pas se révéler en réunion collective.

L'entreprise,
un objet pluridisciplinaire

Notre analyse nous a conduits à préciser une problématique pour saisir ce système socio-mental complexe qu'est l'entreprise managériale.

Nous avons appliqué les principes de l'analyse dialectique dont nous rappelons ici les principales caractéristiques.

1. L'entreprise est un fait social

Comme « fait social », il convient d'analyser l'entreprise comme une chose, selon les règles de la méthode sociologique énoncée par Durkhein. Et, pour comprendre ce fait social, il faut l'appréhender totalement, « c'est-à-dire du dehors comme une chose, mais comme une chose dont fait cependant partie intégrante l'appréhension subjective (consciente et inconsciente)[1] ». Nous avons affaire à une réalité à la fois objective et subjective, matérielle et culturelle, relativement statique et en même temps mouvante. Nous avons attaché une importance particulière à ses aspects inconscients dans le sens sociologique (qui échappe à la conscience de l'acteur), mais également dans le sens psychologique (qui échappe entièrement à la conscience, même quand le sujet cherche à le percevoir).

L'appréhension subjective de l'entreprise est actuellement l'objet d'un débat fortement idéologisé et politisé : comme lieu de production de richesse et d'exercice du pouvoir, elle est soit idéalisée, soit stigmatisée. Certains y voient le lieu principal de l'exploitation de l'homme par l'homme ; d'autres, un pôle d'innovation facteur de progrès social. Ces représentations collectives font partie du fonc-

---

1. Cf. Cl. Lévi-Strauss, préface au livre de M. Mauss, *Sociologie et Anthropologie*, Paris, PUF, 1968, p. 28, texte de 1950.

tionnement des organisations de production et plus particulièrement de l'entreprise managériale qui se présente elle-même comme productrice de valeurs, au sens économique (production de biens et de richesse) et au sens idéologique (production de sens et de croyances).

2. Le pluralisme causal

Comme tout fait social, l'entreprise est conditionnée par une multiplicité de déterminations sans que l'on puisse dégager une instance ultime qui serait la clef explicative de l'ensemble. Selon J. Freund, « le pluralisme causal implique que tout fait social dépend d'une multitude de causes dont on ne peut jamais énumérer la totalité, et qu'il peut être à la fois conditionné et conditionnant, sans qu'il existe une cause fondamentale en dernière instance ». Le caractère multidimensionnel de notre objet nous condamne à la pluridisciplinarité. Les lois qui régissent le fonctionnement de l'entreprise obéissent à des ordres disciplinaires différents, en particulier économiques, sociologiques et psychologiques, sans que l'on puisse décider a priori que l'un est supérieur aux autres. La hiérarchie des causalités peut se modifier selon la nature des phénomènes étudiés et le moment où on les étudie. Nous observons des déterminations multiples qui s'entrechoquent selon les modalités variables donnant lieu à des agencements instables.

L'entreprise n'est pas une donnée. C'est une construction sociale, constamment influencée par des enjeux politiques, économiques, culturels, psychologiques. La polysémie des faits sociaux conduit les chercheurs à abandonner, pour en saisir la complexité, le modèle de causalité linéaire et univoque : le fait social est toujours le produit d'autres faits et contribue à produire des faits nouveaux et à transformer les éléments qui l'ont produit.

3. La médiation des contradictions

Tout système social se construit pour gérer les contradictions qui caractérisent le champ dans lequel il émerge. L'entreprise industrielle est fondamentalement organisée autour de la contradiction capital/travail. Le processus de médiation consiste à éviter que la tension entre ces deux aspects se transforme en antagonisme qui vient bloquer le fonctionnement même de l'organisation. Les rapports sociaux sont sous-tendus par des rapports de forces, traversés par des conflits, et des enjeux de pouvoir qui sont l'expression de ces contradictions.

Au niveau psychologique, on retrouve dans la constitution de l'appareil psychique le même processus de médiation par rapport au dualisme fondamental de la psyché. La dynamique des pulsions confronte le sujet à se construire dans un mouvement conflictuel entre le désir et l'angoisse. Le moi est l'expression de ce processus de médiation entre l'interne et l'externe, entre le fonctionnement psychique et le monde extérieur.

Cette hypothèse sur l'existence de contradictions sociales et psychiques structurelles ne nous conduit pas pour autant à une position purement structuraliste : « Si le point de vue du structuralisme intégral permet de se débarrasser de la conception idéaliste du libre arbitre, il trouve sa limite dans ce qui fait par ailleurs sa force : l'incapacité de son épistémologie sous-jacente (qu'expriment les concepts de système, de structure et de reproduction) à rendre compte des *contradictions* et des luttes incertaines qu'elles engendrent... Paradoxalement, l'espace de liberté, de manœuvre ne naît pas d'une relative faiblesse des déterminations structurelles, mais de leur accumulation contradictoire en un point, une place donnés. C'est parce que les rapports structurels ne tirent pas tous dans le même sens qu'en leur point de rencontre émerge quelque chose qui est de l'ordre de la liberté et que la praxis concrète est plus que la somme des déterminations structurelles[2]. »

Les approches structuralistes ne peuvent rendre compte des destinées individuelles dans la mesure où elles ignorent les moments de rupture ou de choix qui s'effectuent dans des espaces d'incertitudes, qui ne sont ni le produit du libre arbitre ni la conséquence logique de déterminations structurelles, mais qui sont des réponses, que les individus apportent, à des situations contradictoires.

L'entreprise est un lieu privilégié où l'on peut observer le travail de contradictions multiples. On pourrait à ce propos définir la gestion et le management comme des tentatives pour rationaliser les processus de médiation, en produisant des techniques et des dispositifs pour aménager l'organisation, afin d'éviter que les contradictions ne se traduisent en antagonismes ouverts qui viendraient bloquer le système. C'est la raison pour laquelle les *conflits* (apparents ou larvés, manifestes ou latents) sont de bons analyseurs

2. D. Bertaux, *Biography and Society. The Life History Approach in the Social Sciences*, Londres et Berkeley, Sage Publications, 1981.

des systèmes d'organisation et des processus à l'œuvre. Le conflit est l'expression des contradictions qui traversent l'organisation. Il devient manifeste lorsque le processus de médiation ne produit plus ses effets de compromis, de synthèse. Il exprime un blocage, une opposition, un symptôme. En ce sens, le conflit ne doit pas être interprété principalement comme un dysfonctionnement. Bien au contraire, il est à la base de l'émergence et du développement de l'organisation. C'est parce que toute activité humaine de production est fondamentalement conflictuelle qu'une organisation est nécessaire.

Dans cette perspective, le *management* peut se définir comme l'ensemble des pratiques que l'organisation met en place pour gérer les conflits rencontrés pour atteindre ses objectifs. On trouve ici les deux racines du terme : *aménager*, ordonner, organiser les choses et les hommes en vue d'une production collective ; mais également *ménager*, arranger, réguler, arbitrer pour faire coexister des éléments épars dont l'agencement produit des tensions, des incompatibilités, des oppositions.

4. La problématisation multiple

L'analyse des déterminations multiples et croisées conduit à abandonner l'idée de construire une métathéorie du social permettant de saisir la totalité des faits sociaux. Toute théorie se construit à partir de principes explicatifs de base (la lutte des classes, l'inconscient, la stratégie de l'acteur, l'émergence d'un système, l'incorporation d'habitus...). Ces principes fonctionnent alors comme des axiomes qui s'imposent comme moteur de la pensée, comme fondement de la théorie et, à ce titre, ne peuvent être contestés sous peine d'effondrement : soit on accepte l'axiome et l'on se trouve pris dans la théorie, soit on la récuse et l'on se trouve en dehors. L'idée d'une problématisation multiple développée par Max Pagès[3] permet de sortir de cette alternative.

Un objet complexe comme une organisation ne peut être appréhendé à partir d'UN cadre monothéorique. Il nécessite au contraire la construction d'un modèle complexe à partir de plusieurs disciplines. Il s'agit d'une démarche multipolaire qui consiste à croiser les apports d'approches différentes, à adopter plusieurs perspectives, à

3. M. Pagès, *Traces ou Sens*, Paris, Hommes et groupes, 1986, p. 18 sqq.

éclairer les phénomènes étudiés en partant de problématiques fondées sur plusieurs théories.

L'analyse des entreprises met en jeu des aspects économiques, organisationnels, idéologiques et psychologiques. Certains aspects ressortent d'une théorie sociologique globale (Marx, Weber, Bourdieu...), d'autres, de la sociologie des organisations (Crozier, Bertalanfy, Foucault...), d'autres, de l'idéologie (Castoriadis, Ansart...), d'autres, de l'inconscient (Freud, Enriquez, Lacan...), etc.

A l'intersection de ces influences se construisent des théories intermédiaires et partielles qui permettent de rendre compte de processus particuliers. Dans un second temps s'effectue une reconstruction théorique globale qui consiste à articuler entre elles ces différentes théories intermédiaires dans un ensemble. A ce titre, notre recherche pose des jalons pour la construction d'une théorie sociologique de l'entreprise dans la perspective proposée par R. Sainsaulieu et D. Segrestin[4].

5. *L'autonomie relative*

Chaque phénomène obéit à des lois spécifiques et à des mécanismes particuliers. Ainsi, l'appareil psychique a une logique interne de fonctionnement qui lui est propre et qui est différente de celle qui régit un appareil de production économique : ce sont des registres différents dont le fonctionnement obéit à des lois particulières, autonomes les unes par rapport aux autres. Mais cette autonomie est relative. Les entreprises canalisent les désirs, imposent les interdits, proposent des idéaux collectifs, des modèles d'identification, des systèmes de valeurs et des normes... autant d'éléments qui influencent le fonctionnement psychologique conscient et inconscient de ses agents. Inversement, les individus contribuent à produire des systèmes d'organisation qui répondent à leurs aspirations et sont en concordance avec leur personnalité.

Ainsi, les stratégies des acteurs dans une entreprise dépendent à la fois de la situation économique, du mode de management et de la situation personnelle de chaque agent. Chacun de ces éléments est explicatif, mais aucun n'est suffisant pour véritablement comprendre leur conduite.

Le désir de réussite et l'angoisse de l'échec qui caractérise le

4. R. Sainsaulieu, D. Segrestin, « Vers une théorie sociologique de l'entreprise », *Sociologie du travail*, n° 3, 1986.

management par l'excellence se construisent à l'*intersection* de problématiques existentielles (déterminées par l'histoire des sujets), organisationnelles (déterminées par les politiques de gestion du personnel), sociales (déterminées par des modèles collectifs et des normes sociales) et économiques (déterminées par le mode de production et l'évolution du capitalisme).

Il ne suffit donc pas d'étudier chacun de ces registres, de façon séparée. Il convient également de décrire les points d'intersection où ces différents éléments se relient entre eux.

6. *La réciprocité des influences*

C'est en effet la combinaison de ces différents registres et l'analyse de leur articulation qui est vraiment explicative : la force du management par l'excellence vient de l'adéquation entre un certain type de fonctionnement psychologique (quête narcissique, désir de réussite sociale, peur d'échouer), un certain type de management (forte sélection, individualisation des performances, direction par objectifs, culture d'entreprise), un certain type de société (individualisme, exaltation de la réussite professionnelle, modèles du *golden boy* et de la *superwoman*) et un certain type d'organisation économique (capitalisme financier, développement des multinationales et du libéralisme). C'est donc le renforcement mutuel entre : 1) le développement d'un modèle socio-économique ; 2) l'émergence de personnalités de type narcissique ; 3) l'adhésion collective à une éthique fondée sur la réalisation de soi-même ; 4) le développement de pratiques organisationnelles et technologiques, qui produisent le management par l'excellence.

On voit *a contrario* un nombre de plus en plus grand d'individus critiquer les organisations bureaucratiques qui briment l'initiative individuelle (cf. les débats sur l'avancement au mérite dans la fonction publique) ou bien des entreprises qui, pour se moderniser, rejettent les cadres ou les employés qui n'arrivent pas à s'adapter à ces nouveaux modèles. Dans ce cas, il n'y a pas un renforcement entre un fonctionnement psychologique et un fonctionnement organisationnel, mais une opposition. Les organisations hiérarchiques, disciplinaires, autoritaires sont de moins en moins adaptées aux modèles sociaux et aux désirs individuels générés par la société postmoderne.

Il y a réciprocité des influences lorsque les éléments s'articulent entre eux dans un sens de complémentarité dialectique, que G. Gurvitch définissait comme « des contraires se complétant au sein d'un ensemble par un double mouvement qui consiste à croître et à s'intensifier tantôt dans la même direction, tantôt dans des directions opposées, grâce au jeu des compensations[5] ».

Ainsi, certaines personnes investissent des organisations en congruence avec leurs aspirations et leur personnalité, ou s'adaptent en se « moulant » dans des exigences de leur entreprise, alors que d'autres vont s'y opposer. Ces différentes positions peuvent d'ailleurs changer selon les périodes. Des managers qui semblaient parfaitement adaptés à leur entreprise peuvent à un autre moment décompenser et sombrer dans la dépression ou entrer en conflit ouvert et partir ou être mis à l'écart. Dans ces différents cas de figure, le fonctionnement psychologique et le fonctionnement organisationnel peuvent soit entrer en correspondance et se renforcer mutuellement, soit s'opposer et s'annihiler l'un l'autre. C'est dans ces combinaisons conflictuelles que se développe une psychopathologie spécifique, parce que coproduite par l'entreprise et le management.

7. La causalité dialectique

La réciprocité des influences s'effectue selon un double principe d'interactivité et de récursivité.

L'*interactivité* nous renvoie à la notion de système comme ensemble d'éléments interdépendants, liés entre eux par des relations telles que, si l'une est modifiée, les autres le sont aussi et, par conséquent, l'ensemble est modifié[6]. Du point de vue systémique, ce sont les relations qui sont déterminantes plutôt que la nature des différents composants du système. Dans cette optique, le comportement d'un cadre dans une entreprise managériale sera analysé comme l'expression de la relation à son environnement plutôt que de sa structure psychologique propre. C'est donc le rapport individu/organisation et l'interactivité de leur relation qui est explicative plutôt que l'analyse de chaque individu ou celle de chaque organisation. La somme des connaissances sur chaque agent d'une organisation est insuffisante pour saisir cette réalité complexe que constitue une organisation.

De même, l'analyse des procédures, des résultats des dispositifs

5. G. Gurvitch, *Dialectique et Sociologie*, Paris, Flammarion, 1962.
6. Von Bertalanfy, *Théorie générale des systèmes*, Paris, Dunod, 1973. (*General System Theory*, 1968).

organisationnels, des ratios, des documents officiels ne permet pas de saisir cette configuration *économico-juridico-technologico-idéologico-existentielle* que constitue une entreprise managériale.

Nous retrouvons ici les propositions d'E. Morin sur la *causalité récursive*[7]. Dans son raisonnement, E. Morin part d'une proposition qui peut paraître paradoxale :

1) un tout est plus que la somme des parties qui le constitue ;
2) un tout est moins que la somme des parties qui le constitue ;
3) le tout est à la fois plus ou moins que la somme des parties.

Ce paradoxe n'est en fait qu'apparent – un groupe est plus que la somme des individus qui le constitue. Le groupe confère une dimension supplémentaire à chacun, ouvre sur des possibilités nouvelles. Mais un groupe est moins que la somme de ses membres dans la mesure où l'appartenance à un collectif réduit ses capacités d'expression : chaque élément agrégé dans un tout perd une partie de ses qualités ; ils sont inhibés, virtualisés. Dans une organisation, ce double phénomène est encore plus évident : chaque agent y voit ses ressources et ses potentialités décuplées. Mais, en même temps, il y est constamment contraint, réprimé, contrôlé.

Le phénomène de récursivité apparaît à partir du moment où l'individu contribue à produire de l'organisation qui transforme les individus qui la produisent... et ainsi de suite. On ne peut donc dissocier l'analyse de l'organisation et l'analyse des individus qui la composent. Inversement, dans la société postmoderne, on ne peut dissocier les individus des organisations auxquelles ils appartiennent. Les hommes produisent des organisations pour s'autoproduire. Les processus anthroponomiques qui caractérisent la production sociale des individus et leur distribution dans l'espace social sont médiatisés par les organisations. En ce sens, les entreprises managériales produisent des managers qui produisent des entreprises managériales. Dans ce processus récursif, les produits sont nécessaires aux processus qui les génèrent. Le produit est producteur de ce qui le produit.

On ne peut donc analyser les organisations et les individus comme des entités séparées, mais comme un complexe « socio-mental[8] » producteur de biens matériels, de savoirs, de langages, mais également d'imaginaire, de fantasmes, d'affects, de souffrances et de conflits.

C'est cet ensemble hétéroclite, au carrefour du subjectif et de

7. E. Morin, *Introduction à la pensée complexe*, Paris, ESF, 1991.
8. Cf. *L'Emprise de l'organisation, op. cit.*

l'objectif, du psychique et du social, du concret et de l'abstrait, du pouvoir et du désir... qui compose l'univers managérial que nous avons analysé. La méthode adoptée a été à l'image de notre objet de recherche et de la problématique qui la sous-tend. Elle s'est située au carrefour entre le vécu individuel et le fonctionnement des organisations.

Cette démarche est une illustration de la *sociologie clinique* qui cherche à appréhender la réalité en combinant l'analyse objective et la prise en compte de la subjectivité des acteurs. Il y a une complémentarité fondamentale entre psychisme individuel et structure sociale qui oblige à sortir des cloisonnements et des oppositions entre individuel et collectif, sujet et objet, psychique et social... Comme l'avait, en son temps, souligné M. Mauss, le mental et le social se confondent, que ce soit dans l'entreprise ou pour tout phénomène qui implique l'humain.

Pour saisir cette dynamique complexe des processus qui régissent les rapports entre le mental et le social, la sociologie clinique est une démarche à la fois sociopsychologique – visant à analyser comment des facteurs et des transformations socio-économiques conditionnent les attitudes et comportements des individus – et psychosociologique – qui analyse la façon dont un sujet intervient en tant qu'acteur et invente des pratiques pour affronter des conflits et faire face aux situations sociales qu'il rencontre.

Bibliographie

Livres

Ansart (P.), *Idéologies, Conflits et Pouvoir*, Paris, PUF, 1977.
Anzieu (D.), *Le Moi-Peau*, Paris, Dunod, 1985.
Aragon (L.), *Aurélien*, Paris, Gallimard, 1944.
Aubert (N.), Pagès (M.), *Le Stress professionnel*, Paris, Klincksieck, 1989.
Aubert (N.), *Le Pouvoir usurpé*, Paris, Robert Laffont, 1982.
Aubert (N.), Enriquez (E.), de Gaulejac (V.), *Le Sexe du pouvoir*, Paris, Épi, 1985.
Barel (Y.), *La Société du vide*, Paris, Éd. du Seuil, 1984.
Bateson (G.), *Vers une écologie de l'esprit*, Paris, Éd. du Seuil, 1980, 2 vol.
Bateson (G.), Jackson (D.), Haley (J.) et Weakland (J.H.), « Vers une théorie de la schizophrénie », *in* Bateson (G.), *Vers une écologie de l'esprit*, Paris, Éd. du Seuil, 1980, t. II.
Bergeret (J.), *La Personnalité normale et pathologique*, Paris, Dunod, 1974.
Berne (E.), *Des jeux et des hommes*, Paris, Stock, 1975.
Bernoux (P.), *Sociologie des organisations*, Paris, Éd. du Seuil, 1985.
Bertalanfy (von), *Théorie générale des systèmes*, Paris, Dunod, 1975.
Bettelheim (B.), *La Forteresse vide*, Paris, Gallimard, 1969.
Biolley (G.) et l'équipe du CRC, *Mutation du changement*, Entreprise moderne d'édition, Paris, 1986.
Bollinger (D.), Hofstede (G.), *Les Différences culturelles dans le management*, Paris, Éditions d'organisation, 1987.
Boltanski (L.), *Les Cadres*, Paris, Éd. de Minuit, 1982.
Bourdieu (P.), *Choses dites*, Paris, Éd. de Minuit, 1987.
Bourdieu (P.), *La Noblesse d'État*, Paris, Éd. de Minuit, 1989.
Castoriadis (C.), *L'institution imaginaire de la société*, Paris, Éd. du Seuil, 1975.

Castoriadis-Aulagnier (P.), *La Violence de l'interprétation*, Paris, PUF, 1981.

Champagne (P.), *Faire l'opinion*, Paris, Éd. de Minuit, 1990.

Chanlat (J.F.), (sous la direction de), *L'Individu et l'Organisation : les dimensions oubliées*, Presses de l'université Laval, ESKA, 1990.

Charmot (F.), *La Pédagogie des jésuites*, Paris, SPES, 1943.

Charrey (M.), Michel (M.P.), *Le Golden Stress*, Paris, Dunod, 1990.

Cicurel (M.), *La Génération inoxydable*, Paris, Grasset, 1989.

Crozier (M.), *La Société bloquée*, Paris, Éd. du Seuil, 1970.

Deheuvels (P.), *L'excellence est à tout le monde ; libres propos sur l'éducation*, Paris, Robert Laffont, 1988.

Dejours (C.) (sous la direction de), *Plaisir et Souffrance dans le travail*. Paris, Éd. de l'AOCIP, 1989.

Dejours (C.), *Travail : usure mentale*, Paris, Le Centurion, 1980.

Devereux (G.), « Ethnopsychoanalytic Reflections on Neurotic Fatigue », in *Basic Problems in Ethnopsychiatry*, Chicago, University of Chicago Press.

Dumont (L.), *Homo hierarchicus*, Paris, Gallimard, 1979.

Ehrenberg (A.), *Le Culte de la performance*, Paris, Calmann-Lévy, 1991.

Élias (N.), *La Dynamique de l'Occident*, Paris, Calmann-Lévy, 1975.

Enriquez (E.), « Le travail de la mort dans les institutions », *in* Kaes et *al.*, *L'Institution et les Institutions*, Paris, Dunod, 1987.

Enriquez (E.), *De la horde à l'État*, Paris, Gallimard, 1984.

Etchegoyen (A.), *Les entreprises ont-elles une âme ?*, Paris, François Bourin, 1990.

Fauvet (J.C.), « La culture et le projet d'entreprise », *in* Gérard Biolley et l'équipe de CRC, *Mutation du management*, Entreprise moderne d'édition, Paris, 1986.

Foucault (M.), *Surveiller et Punir*, Paris, Gallimard, 1975.

Fraisse (J.), Bonetti (M.), Gaulejac (V. de) *L'Évaluation dynamique des organisations publiques*, Paris, Éditions d'organisation, 1987.

Freud (S.), « Deuil et mélancolie », in *Métapsychologie*, Paris, Gallimard, 1974.

Freud (S.), « Psychologie collective et Analyse du moi », in *Essais de psychanalyse*, Paris, Payot, 1975.

Freud (S.), *Essais de psychanalyse*, Paris, Payot, 1975.

Freudenberger (H.), *L'Épuisement professionnel, la brûlure interne*. Gaëtan Morin, 1985.

Fromm (E.), *Avoir ou Être*, Paris, Robert Laffont, 1978.

Gaulejac (V. de), Bonetti (M.), Fraisse (J.), *L'Ingénierie sociale*, Paris, Syros, 1989.

Gaulejac (V. de), « L'organisation managériale », in *Organisation et Management en questions*, collectif sciences humaines, Paris IX Dauphine, Paris, L'Harmattan, 1988.

Gaulejac (V. de), « Modes de production et management familial », in *Le Sexe du pouvoir*, sous la direction de N. Aubert, E. Enriquez et V. de Gaulejac, Paris, Épi, 1986.

Gaulejac (V. de), *La Névrose de classe*, Paris, Hommes et Groupes, 1987.

Gaulejac (V. de), Aubert (N.), *Femmes au singulier*, Paris, Klincksieck, 1990.

Ginestet Delbreil (S.), *L'Appel de transfert et la nomination, essai sur les psychonévroses narcissiques*, Paris, Interéditions, 1987.

Green (A.), *Narcissisme de vie, narcissisme de mort*, Paris, Éd. de Minuit, 1984.

Gurvitch (G.), *Dialectique et Sociologie*, Flammarion, Paris, 1962.

Harmon (F.) et Jacobs (G.), *Le Secret des meilleures entreprises américaines*, Paris, Businessman/Albin-Michel, septembre 1987.

Hermel (P.), *Le Management participatif*, Paris, Éditions d'organisation, 1988.

Hess (R.), *La Sociologie d'intervention*, Paris, PUF, 1981.

Iribarne (P. d'), *La Logique de l'honneur*, Paris, Éd. du Seuil, 1989.

Jaques (E.), « Les systèmes sociaux en tant que défenses contre l'anxiété », in *Psychologie sociale*, textes fondamentaux, présentés par A. Levy, Paris, Dunod, 1965.

Kelley (R.), *La Génération de l'excellence*, Paris, Businessmann/Albin-Michel, 1986.

Kohut (H.), *Le Soi*, Paris, PUF, 1974.

Lacan (J.), *Écrits*, Paris, Éd. du Seuil, 1966.

Landier (H.), *L'entreprise polycellulaire*, Éditions d'organisation, Paris, 1987.

Laplanche (J.), *L'Angoisse, problématiques I*, Paris, PUF, 1981.

Leclaire (S.), *On tue un enfant*, Paris, Éd. du Seuil, 1975.

Le Gall (D.), Martin (C.), Soulet (M.H.) (sous la direction de), *L'Éclatement du social*, université de Caen, Centre de recherche sur le travail social, 1989.

Lefebvre (H.), *La Survie du capitalisme*, Paris, Anthropos, 1973.

Lévi-Strauss (C.), préface au livre de Marcel Mauss, *Sociologie et Anthropologie*, PUF, Paris, 1968.

Lévi-Strauss (C.), *L'Identité*, Paris, Grasset, 1977.

Lipovetzsky (G.), *L'Ère du vide*, Paris, Gallimard, 1983.

Lyotard (J.F.), *La Condition postmoderne*, Paris, Éd. de Minuit, 1988.

Maffesoli (M.), *Le Temps des tribus*, Paris, Méridien/Klincksieck, 1988.

Marcuse (M.), *L'Homme unidimensionnel*, Paris, Éd. de Minuit, 1968.

Marx (K.), *Économie et Philosophie*, Paris, Gallimard, 1965.

Mendel (G.), *Cinquante-Quatre millions d'individus sans appartenance*, Paris, Robert Laffont, 1983.

Messine (P.), *Les Saturniens*, Paris, La Découverte, 1987.

Milgram (S.), *Soumission à l'autorité*, Paris, Calmann-Lévy, 1974.

Mills (C.W.), *Les Cols blancs*, Paris, Maspero, 1986.

Morin (E.), *Introduction à la pensée complexe*, Paris, ESF, 1991.

Morin (E.), « Organisation et changement », in *Sociologie*, Paris, Fayard, 1984.

Nadoulek (B.), *L'Intelligence stratégique*, étude CPE n° 100 (Centre de prospective et d'évaluation).

Ouchi (W.), *M, un nouvel esprit d'entreprise*, Paris, Interéditions, 1986.

Ouchi (W.), *Théorie Z*, Paris, Interéditions, 1982.

Pagès (J.P.), Turcq (D.), Bailly (M.), Foldes (G.), *La recherche de l'excellence en France*, Paris, Dunod, 1987.

Pagès (M.), Bonetti (M.), Gaulejac (V. de), Descendre (D.), *L'Emprise de l'organisation*, Paris, PUF, 1979.

Pagès (M.), *Trace ou Sens*, Paris, Hommes et Groupes, 1986.

Palmade (J.), « Le management postmoderne ou la technocratisation des sciences de l'homme », in *Organisation et Management en question*, collectif sciences humaines, Paris IX Dauphine, Paris, L'Harmattan, 1988.

Pascale (R.T.) et Athos (A.G.), *Le management est-il un art japonais ?*, Paris, Éditions d'organisation, 1984.

Pasche (F.), *A partir de Freud*, Paris, Payot, 1969.

Peters (T.), *Le Chaos management*, Paris, Interéditions, 1989.

Peters (T.), Waterman (R.), *Le Prix de l'excellence*, Paris, Interéditions, 1983.

Prigogine (J.) et Stengers (I.), *La Nouvelle Alliance*, Paris, Gallimard, 1979.

Reitter (R.), Ramanantsoa (B.), *Pouvoir et Politique*, Paris, Mac Graw Hill, 1985.

Rosset (C.), *Le Réel et son double*, Paris, Gallimard, 1976.

Sainsaulieu (R.) (sous la direction de), *L'Entreprise, une affaire de société*, Paris, Presses de la Fondation nationale des sciences politiques, 1990.

Sainsaulieu (R.), *L'Identité au travail*, Paris, Fondation nationale des sciences politiques, 1987.

Sartre (J.P.), *L'Être et le Néant*, Paris, Gallimard, 1975.

Sennett (R.), *Les Tyrannies de l'intimité*, Paris, Éd. du Seuil, 1979.

Stoffaes (C.), *Fins de mondes*, Paris, Odile Jacob, 1987.

Touraine (A.), *Pour la sociologie*, Paris, Éd. du Seuil, 1984.

Villette (M.), *L'homme qui croyait au management*, Paris, Éd. du Seuil, 1988.

Virilio (P.), *L'Espace critique*, Paris, Bourgois, 1984.

Watzlawick (P.), Helmick-Beavin (J.), Jackson (D.), *Une logique de la communication*, Paris, Éd. du Seuil, 1972.

Weber (M.), *L'Éthique protestante et l'Esprit du capitalisme*, Paris, Plon, 1969.

Winnicott (D.), *Jeu et Réalité*, Paris, Gallimard, 1975.

Winnicott (D.), « Division du moi en fonction du vrai et du faux self », *The Maturational Process and the Facilitating Environment*, London, Hogarth Press and the Institute of Psycho-Analysis, 1965.

Articles

Adler (M.A.d'.), « Je, tu, il angoisse », *L'Événement du jeudi*, 19 juillet 1990.

Agnus (C.), Leblond (R.), Fouchereau (B.), « Les cadres deviennent-ils fous ? », *L'Express*, n° 162, 10-16 février 1989.

Alexandre (R.), « Stress : deux dirigeants sur trois se disent touchés », *L'Expansion*, 4 octobre 1990.

Allais (M.), « Le fléau du crédit », *Le Monde*, 27 juin 1989.

Althusser (L.), « Idéologie et appareils idéologiques d'État », *La Pensée*, n° 151, juin 1970.

Ansart (P.), « Structures socio-affectives et identification », *Bulletin de psychologie*, n° 360, t. XXXVI, 1982-1983.

Aubert (N.), Gaulejac (V. de), « De la logique du donnant-donnant à l'exigence du toujours plus : le système managinaire », *Connexions*, n° 54, décembre 1989.

Barbier (C.), Dufay (F.), Makarian (C.), « Supercadres, enquête sur les cols rayés », *Le Point*, n° 949, 26 novembre 1990.

Bertaux (D.), « Individualisme et modernité », *Espace Temps*, n° 37, 1988.

Bertaux (D.), « The Life History Approach in the Social Sciences », *Biography and Society*, Londres et Berkeley, Sage Publications, 1981.

Blanquart (P.), « Sur la piste de l'homme moderne », *Espace Temps*, n° 37, 1988.

Bonetti (M.) et Gaulejac (V. de), « Condamnés à réussir », *Sociologie du travail*, n° 4, 1982.

Borzeix (A.) et Linhart (D.), « La participation : un clair obscur », *Sociologie du travail*, n° 1, 1988.

Broda (J.), « La mobilisation psychique », *Sociologie du travail*, n° 1, 1988.

Comte-Sponville (A.), « Le sens des mots, éthique et économie sociale », *Lettre de l'économie sociale*, n° 492, novembre 1990.

Donzelot (J.), « Nouveaux mécanismes », *Esprit*, n° 11, novembre 1987.

Ehrenberg (A.), « Héroïsme socialement transmissible », *Autrement*, n° 86, janvier 1987.

Ehrenberg (A.), « L'individu sous perfusion », *Esprit*, 1988.

Enriquez (E.), « L'individu pris au piège de la structure stratégique », *Connexions*, n° 54, 1989.

Enriquez (E.), « Vers la fin de l'intériorité ? », *Psychologie clinique*, n° 2, 1989.

Fauconnier (P.), « Les supermanagers des mairies », *Le Nouvel Observateur*, n° 1351, septembre 1990.

Gaulejac (V. de), *Sociologie et management*, doc. ronéoté, Laboratoire de changement social.

Gaulejac (V. de), « L'héritage », *Connexions*, n° 41, 1983.

Gaulejac (V. de), « Irréductible psychique, irréductible social », *Bulletin de psychologie*, n° 360, 1983.

Grunberger (B.), « Préliminaires à une étude topique du narcissisme », *Revue française de psychanalyse*, n° 22, 1958.

Guillaume (M.), « L'excellence sacrificielle », *Autrement*, n° 86, janvier 1987.

Huguet (M.), « Structures de sollicitation et incidences subjectives », *Bulletin de psychologie*, t. XXXVI, n° 360, 1983.

Johnson (E.) et Varan Dunil (J.), « Chamanes d'entreprises », *Actuel*, n° 116, février 1989.

Landier (H.), « Management : la nouvelle langue de bois », *Notes de conjoncture sociale*, mars 1988.

Lehmann (J.P.), « Les dix commandements des cadres de l'an 2000 », *Notes de conjoncture sociale*, n° 292, mai 1988.

Mayer (E.), « Motivation extrême », *Autrement*, n° 100, septembre 1988.

Miller (D.), *The Icarus Paradox*, note non publiée, 1990.

Morin (E.), « La complexité, grille de lecture des organisations », Conférence au CESTA, 17 novembre 1985.

Morin (F.), « Grandes entreprises : forteresse et légitimité », *Le Monde*, 26 mars 1988.

Nadoulek (B.), « Pour un management latin, enfin », *Challenge*, n° 19, octobre 1988.

Nasu (H.), « Textes rassemblés par H. Landier », *Notes de conjoncture sociale*, n° 292, 1988.

Pagès (M.), « Systèmes socio-mentaux », *Bulletin de psychologie*, n° 3, t. XXXIV, 1980-1981.

Pagès (M.), « L'emprise », *Bulletin de psychologie*, t. XXXVI, n° 360.

Pourquery (D.), « Le modèle du CRECI : cinq règles d'excellence », *Autrement*, n° 86, janvier 1987.

Perrenoud (P.), « Sociologie de l'excellence ordinaire », in *Autrement*, n° 86, janvier 1987.

Roman (J.), « Excellence, individualisme et légitimité », *Autrement*, n° 86, janvier 1987.

Sainsaulieu (R.), Segrestin (D.), « Vers une théorie sociologique de l'entreprise », *Sociologie du travail*, n° 3, 1986.

Serieyx (H.), « Les identités du 3ᵉ type », conférence prononcée au séminaire « Culture et identité d'entreprise », séminaire d'ethnotechnologie, Collège international de philosophie, 1988. Publié par le CPE/ADITECH.

Torres (F.), « L'entreprise postmoderne », *Autrement*, n° 100, septembre 1988.

Vandermeersch (E.), « Résistance au temps ou vitesse de notoriété », *Autrement*, n° 86, janvier 1987.

Yonnet (P.), « Le culte de l'extrême », *Le Nouvel Observateur*, janvier 1989.

Table

Introduction : **La face d'ombre d'une société de conquête**   11

Première partie : **Vers une société managériale**   19

1. *Le management, symptôme de la société post-moderne*   24

   L'éclatement du social   25
   Le management produit-producteur de la complexité et de
   l'abstraction   31
   L'organisation produit-producteur de la société   35
   Le capitalisme managérial   40

2. *De la logique du donnant-donnant à l'exigence du*
   toujours plus   44

   L'entreprise en mutation   44
   L'univers du donnant-donnant   47
   Le passage à la complexité   52
   La logique du gagnant-gagnant et le système managinaire   57

Deuxième partie : **La logique de l'excellence**   67

3. *La quête de l'excellence ou le royaume de Dieu dans*
   l'entreprise   70

   La valeur excellence   70
   Le stade suprême de l'individualisme   72
   L'absolu de soi-même   75
   A la recherche de l'excellence dans l'entreprise   77

4. *De l'excellence au chaos ou les avatars de la quête du sens* 90

   Les règles de l'excellence 90
   L'obscurantisme et la pensée magique 95
   De l'excellence au chaos management 99
   Les clefs du discours managérial 103

Troisième partie : Le système managinaire 107

5. *La production de l'excellence* 115

   Les fondements idéologiques : le principe d'excellence et l'exigence éthique 115
   La mise sous tension 121

6. *La mobilisation psychique* 131

   L'adhésion passionnelle 131
   Le système paradoxant 135
   La combustion du corps et de l'esprit 142
   Le *soft* et le *hard* : le désir et la mort 147

7. *L'homme managérial* 154

   L'*Homo psychologicus* 154
   Une nouvelle transcendance 158
   L'homme managérial 160
   L'injonction à être bien : « Me demander à moi si je suis bien dans ma peau ? » 164
   La personnalité narcissique 167
   De l'*Homo hierarchicus* à l'homme managérial 170

Quatrième partie : Les brûlures de l'idéal 175

8. *Les maladies de l'excellence* 178

   La brûlure interne ou la maladie de l'idéalité 178
   L'histoire de Noémie 184
   Les étapes de l'effondrement : un processus psycho-organisationnel 190

Le fonctionnement psychique dans les organisations hiérarchiques autoritaires 199
Les maladies du narcissime 203

9. *La dialectique de l'être et de l'avoir* 210

Être et avoir 210
Histoire d'une carrière 215
Avoir ou être ? 224

Cinquième partie : L'individu et l'organisation 231

10. *Structures sociales et structures mentales* 236

L'institution faite homme 238
La réciprocité des influences entre les processus psychiques et les processus sociaux 243

11. *Le système psychique organisationnel* 254

Qu'est-ce que le système psychique organisationnel ? . 254
Appareil psychique et système psychique organisationnel 259
Le système psychique managérial 263

**Sixième partie : L'excellence française : quelle alterna-
tive ?** 273

12. *L'excellence à la française* 277

Le management latin et le modèle du franc-tireur . . . 277
L'éthique des entreprises performantes 281
Le cas français 284

13. *La souffrance et la guerre* 304

La logique de guerre 304
Autogestion et management 311

Conclusion : Que faire ? 315

Annexes 321
Méthodologie de l'enquête 323
L'entreprise, un objet pluridisciplinaire 327

Bibliographie 336

COMPOSITION : AISNE COMPO À SAINT-QUENTIN (02100)
REPRODUIT ET ACHEVÉ D'IMPRIMER
SUR ROTO-PAGE PAR L'IMPRIMERIE FLOCH À MAYENNE
DÉPÔT LÉGAL : OCTOBRE 1991. N° 13389 (31295)